"Discurso en loor de la poesía"
Estudio y edición

Antonio Cornejo Polar

"DISCURSO EN LOOR DE LA POESÍA"

ESTUDIO Y EDICIÓN

[1964]

Introducción y nueva edición de
José Antonio Mazzotti

Con Apéndices de Luis Jaime Cisneros
y Alicia de Colombí-Monguió

CENTRO DE ESTUDIOS LITERARIOS
"ANTONIO CORNEJO POLAR"

 LATINOAMERICANA
EDITORES

2000

Obras completas de Antonio Cornejo Polar

Volumen I

ISBN: 0-9704923-2-4

© 2000 Centro de Estudios Literarios "Antonio Cornejo Polar"
(CELACP) - Latinoamericana Editores

Carátula: Juan Salazar Köster

Avenida Benavides 3074 - La Castellana
Lima 18 - PERU
Tel. (51-1) 449-0331 - Fax (51-1) 448-6353
e-mail: celacp@wayna.rcp.net.pe
http://celacp.perucultural.org.pe

Dirección en USA:
2125 California St.
Berkeley, CA 94703-1472 - USA
e-mail: acorpol@socrates.berkeley.edu
http//:celacp.perucultural.org.pe

Lima, PERU - Berkeley, USA

ÍNDICE

"DISCURSO EN LOOR DE LA POESÍA"
ESTUDIO Y EDICIÓN

PRIMERA PARTE
EL CONTEXTO

Capítulo Primero
Tres notas preliminares

Capítulo Segundo
El problema del autor

SEGUNDA PARTE
EL TEXTO. ESTUDIO

Capítulo Tercero
Estructura temático-formal del
"Discurso en loor de la poesía"

Capítulo Cuarto
Las fuentes del "Discurso en loor de la poesía"

TERCERA PARTE
EL TEXTO. EDICIÓN

APÉNDICES

Introducción

El "Discurso en loor de la poesía" y el aporte de Antonio Cornejo Polar[*]

José Antonio Mazzotti

Después de casi cuarenta años se vuelve a publicar el *"Discurso en loor de la poesía", Estudio y edición*, la primera contribución en forma de libro que Antonio Cornejo Polar hiciera en sus inicios profesionales como investigador de la literatura en 1964[1]. Esta nueva edición que el lector tiene entre manos se concibió con el espíritu de publicar en el curso de los próximos años las *Obras completas* del maestro peruano, a fin de que se conozcan mejor dentro y fuera del ámbito nacional y de que terminen de formar parte de un canon crítico y teórico con el reconocimiento merecido en el curso de los debates sobre el área latinoamericana.

El *Estudio* fue escrito apenas terminado el doctorado de su autor en la Universidad de San Agustín en Arequipa, y cuando se encontraba realizando investigaciones de postdoctorado en España. Tenía Cornejo Polar 26 años cuando se imprimió como artículo y 28 como libro este trabajo que, según el título indica, es un análisis de uno de los poemas más singulares de la enorme producción virreinal peruana, publicado originalmente en 1608. Como se sabe, el "Discurso en loor de la poesía" apareció como paratexto anónimo entre los preliminares de la *Primera Parte del Parnaso Antártico de Obras Amatorias*, traducción de las *Heroidas* y el *In Ibin* de Ovidio, vertidos en tercetos castellanos por Diego Mexía de Fernangil, poeta sevillano de transhumancia continua entre España, México y Perú.

---

[*] En la elaboración de estas páginas debo agradecer la ayuda de Terry Baynes, así como la participación crucial de Cristina Soto de Cornejo y de Jesús Díaz Caballero durante el proceso de edición del presente volumen.

[1] Aunque, en realidad, el trabajo fue publicado completo en 1962 en Lima dentro de la revista *Letras* 68-69 (81–251) con el título más parco de "Discurso en loor de la poesía". Luego fue reimpreso como libro independiente y con la misma exacta paginación bajo el sello de la Universidad Nacional Mayor de San Marcos en 1964. Recibió el 2 de julio de 1965 el Premio Nacional de Fomento a la Cultura "Manuel González Prada", otorgado por el Ministerio de Educación Pública del Perú.

La presente introducción resumirá los aportes presentados por Cornejo Polar en su *Estudio*, describirá algunas de las contribuciones posteriores en la investigación sobre dicho poema y ofrecerá, para terminar, una lectura de un aspecto del "Discurso" desde las nuevas corrientes teóricas de los llamados estudios coloniales hispanoamericanos. En conjunto, esperamos que esta edición constituya una renovación de utilidad en las investigaciones sobre la poesía virreinal, campo en el que el maestro peruano rompió sus primeras lanzas y que nunca dejó de ser parte, hasta su prematuro fallecimiento en 1997, de sus preocupaciones sobre los complejos procesos de producción discursiva en contextos radicalmente heterogéneos como los del área andina.

1. La contribución inicial

Hasta 1962, la mayor parte de las investigaciones acerca del "Discurso" se centraban en el enigma sobre la identidad de su autora. Tanto Ricardo Palma como Ventura García Calderón y Luis Alberto Sánchez, entre otros, habían especulado largamente si era una mujer en verdad quien había escrito el poema[2]. Sólo algunos atisbos sobre las fuentes literarias y el contexto cultural en que apareció el "Discurso" habían sido esbozados, como el trabajo de 1914 de José de la Riva-Agüero sobre la *Segunda Parte del Parnaso Antártico de Divinos Poemas* (manuscrito aún inédito en la Biblioteca Nacional de París) y de *Esquividad y gloria de la Academia Antártica*, de Alberto Tauro del Pino, que en 1948 enriqueció la información sobre el supuesto grupo con el cual la autora del "Discurso" habría tenido estrechas relaciones, así como sobre algunas de las fuentes de las que bebían esos autores ya americanizados (esp. el Cap. 5). Como sabemos, el "Discurso" se refiere a la Academia Antártica con mayor detalle que cualquier otro texto. Riva-Agüero (110–14) y Tauro defendieron la existencia de la Academia como tal, al estilo de las academias literarias que se hacían comunes en España a fines del XVI, derivadas, a su vez, de las italianas del *Quattrocento* y el *Cinquecento*[3]. Tauro, a los diecisiete nombres que menciona y elogia la Anónima del "Discurso", añade tres más, con lo que los miembros de la "Academia Antártica" habrían sido no menos

---

[2] Ver, para un resumen de las distintas especulaciones sobre la identidad de la Anónima, el Capítulo Segundo del *Estudio* de Cornejo Polar.

[3] King (21) señala que existieron al menos 161 en la Italia del XVI. Menciona también que la práctica de adoptar seudónimos data al menos de la Academia Romana del siglo XV (12). Otras características incluían la asignación de cargos, registro y regularidad de las sesiones, proposición de temas y preguntas a desarrollar, etc. Por su lado, propone Riva-Agüero la comparación de la hipotética Academia Antártica con la famosa del pintor Francisco Pacheco, que hacia fines del XVI reunía en Sevilla nombres tan notables como los de Miguel de Cervantes, Lope de Vega y Vicente Espinel (más detalles sobre la Academia de Pacheco en Sánchez 208–09).

de veinte, entre criollos y peninsulares naturalizados. Sin embargo, en 1894 Menéndez y Pelayo (XVIII) había puesto en duda su existencia, y en 1955, Luis Jaime Cisneros insistió en que más bien se trataba de una actitud reivindicatoria de los claustros universitarios sanmarquinos con que los letrados criollos y baqueanos del momento buscaban alcanzar legitimidad cultural frente a los autores metropolitanos, pero sin las formalidades, ejercicios ni cargos propios de una academia literaria (v. Cisneros, "Sobre literatura virreinal peruana" 8–10)[4].

Pasando al análisis del texto, Luis Jaime Cisneros había explorado en 1950 algunas de las fuentes preceptivas del "Discurso", pero los resultados de su trabajo quedaron inéditos hasta el presente volumen. Hoy se reproduce el estudio de Cisneros como parte del homenaje múltiple y el reconocimiento que a la obra de Cornejo Polar se viene dando entre la intelectualidad peruana más valiosa. (Igualmente, se incluye el artículo, original de 1996, de Alicia de Colombí-Monguió, otra connotada experta en literatura virreinal, que complementa fructíferamente el conocimiento anteriormente aportado por Cornejo Polar).

Así, al margen de la discusión sobre la presumible Academia Antártica y sobre la aún más escurridiza identidad de la Anónima, la originalidad del crítico peruano consistió en rastrear y dar a conocer las relaciones textuales y temáticas entre el "Discurso" y el amplio *corpus* de la preceptiva literaria de su momento. Como se podrá ver durante su lectura, el ordenamiento practicado por Cornejo Polar descalifica, en primer lugar, las exageraciones de críticos como Riva-Agüero, Mariátegui, L. A. Sánchez y Ventura García Calderón sobre la pobreza literaria del periodo de dominación española en el Perú. Más allá de proclamar, en contraposición, un Siglo de Oro virreinal, Cornejo Polar marcó desde entonces los primeros pasos de lo que más tarde constituiría su modelo de explicación de la sociedad peruana como totalidad contradictoria y como heterogeneidad básica de lenguas y culturas. Me refiero a la conciencia temprana de dos sistemas discursivos que coexisten a lo largo del periodo llamado "colonial": junto a un sistema "culto", epígono de los modelos metropolitanos más prestigiosos, coexiste otro "popular", que muchas veces penetra aquél, aunque generalmente pasa desapercibido por la crítica literaria, la cual sólo admite como objeto de estudio al primero. Resulta falsa, así, la división entre una literatura popular y una culta concebida como una secuencia de momentos

---

[4] Riva-Agüero, al contrario, argüía que había dos miembros de la Academia Antártica, "el capitán Rincón y el mismo Mexía, que no parece que pertenecieron al claustro de San Marcos" (114) y que "en los preliminares del *Parnaso [Antártico]* no se denomina Academia a la Universidad de México" (*ibid.*). Ver también, para otro aspecto de la discusión y una crítica general del trabajo de Tauro, la "Reseña" de Cisneros.

separados en el devenir discursivo. Si bien Cornejo Polar no se refiere en su *Estudio* a las formas populares indígenas, sino que siguiendo la tendencia general alude más bien a una literatura popular con raíces en el romancero, la copla y la canción en español coloquial, es claro que su planteamiento apunta hacia la existencia paralela de sistemas discursivos mayores.

De este modo –propone–, la división teleológica y cancelatoria de la crítica tradicional con respecto a una producción popular perdida y agotada a fines del XVI resulta inconsistente en función de la presencia y valoración *también en términos de estudios literarios* del enorme caudal de discursos ajenos a la escritura. Este planteamiento temprano deja sentada la posibilidad de que los paradigmas del ejercicio crítico se modifiquen sustancialmente y trasciendan sus límites disciplinarios. En 1962, sin embargo, la tarea se verá postergada por el poco caudal recopilado en relación con el sistema discursivo indígena. Los trabajos pioneros de Jorge A. Lira y las compilaciones y ensayos de Jesús Lara (v. nuestra Bibliog., xxxviii) apenas habían aparecido unos años antes y tardarían aún varias décadas para ser considerados como parte de los estudios literarios académicos. Asimismo, la célebre *Antología general de la poesía peruana* de Alejandro Romualdo y Sebastián Salazar Bondy en 1957, que incluía una sección con textos pertenecientes al *corpus* indígena, no había aún sido abordada en ese aspecto como objeto de estudio desde la crítica especializada, abocada más bien a la producción en castellano escrito. Las bases del marco teórico posterior de Cornejo Polar ya estaban, sin embargo, sentadas desde entonces, y se desarrollarían hasta el punto de renovar los estudios literarios peruanos y latinoamericanos al ser retomadas en sus posteriores trabajos sobre el indigenismo, las crónicas y la oralidad.

Dentro de su acercamiento general, el *Estudio* de Cornejo Polar continúa con el examen de la vida cultural y la actividad bibliográfica del Virreinato peruano a fin de trazar las condiciones en que la anónima autora del "Discurso" realizó su labor. Es importante señalar aquí que, pese a sus filiaciones inmanentistas, Cornejo Polar es de los primeros en reconocer la pertinencia del conocimiento contextual y hasta biográfico en determinados casos, pues generalmente los sentidos últimos de las obras no se definen únicamente con el análisis desligado del momento histórico de su producción. Reconoce que hubo un momento de la "crítica penúltima" en que el biografismo primaba y la especificidad literaria de la obra quedaba en segundo lugar. Sin embargo, acepta que el reciente extremo opuesto de aislamiento puede ser asimismo contraproducente:

> La verdad es que el movimiento pendular que suele dominar el itinerario del pensamiento humano ha podido llevar a ciertas exageraciones, pero el principio antes anotado [de la necesidad de abordar el contexto] tiene validez sustancial en la ciencia de la literatura y no mera importancia his-

tórica dentro de su proceso de desarrollo (100–01 [19–20]; 27 en la presente edición) [5].

Esta confianza en una "ciencia de la literatura" no debe extrañarnos. Las disciplinas sociales y humanas ya habían llegado entonces a un grado de autonomía relativa en su aparato terminológico y en su metodología gracias a los aportes fundamentales de la lingüística estructural, la matriz de las modernas ciencias humanas. El problema en ese momento estribaba sobre todo en el peso que la especificidad de la disciplina literaria le iba a dar a la información histórica, incorporándola como parte de su material de trabajo a manera de recurso explicativo, pero sin abandonar como centro de atención la complejidad semántica y formal del *corpus* estudiado. En tal sentido, Cornejo Polar intuyó otra de las rupturas epistémicas que más tarde se impondrían en los estudios literarios coloniales: la importancia de la categoría de sujeto antes que la de autor para el análisis y la evaluación del texto. En relación con el género sexual de la anónima autora del "Discurso", por ejemplo, señalaba Cornejo Polar que

> [...] incluso si se aceptase la importancia del conocimiento del autor, en este caso concreto el problema resultaría superfluo, porque nada nuevo se aportará el día que se sepa cómo se llamaba quien escribió nuestra obra. Ella seguirá siendo lo que es, significando lo que significa y valiendo lo que vale (101 [20]; 29 en la presente edición).

En otras palabras, el conocimiento del contexto puede servirnos para llegar a la certeza relativa de que el autor de la obra fue una dama criolla y no uno de los poetas varones de la supuesta Academia Antártica (según sostenían Ricardo Palma, V. García Calderón y L. A. Sánchez); pero deja de tener importancia ante la inminencia de las focalizaciones que ese sujeto criollo propone frente al conjunto de las letras del momento, situándose desde un lugar de enunciación propiamente americano. De este modo, el *Estudio* se encuadra en una lectura histórica, pero no historicista y mucho menos biografista, y a la vez en una lectura intertextual, en la que se destaca el específico papel del "Discurso" frente a otros elogios, alabanzas y defensas de la poesía hechos desde la metrópolis.

Es así como en la Segunda (y más importante) Parte de su *Estudio*, Cornejo Polar logra establecer los vínculos del "Discurso" con numerosos tratados y poéticas del momento. Propone que son cinco los temas principales del "Discurso": 1) la poesía como don de Dios; 2) la majestad de la poesía; 3) su utilidad; 4) el conflicto entre

---

[5] La paginación del *Estudio* en la edición de 1964 adolece de una errata seria, pues empieza a partir del número 81, siguiendo el formato de la primera versión en la revista *Letras* (v. nuestra nota 1). Esa y muchas otras deficiencias formales han sido subsanadas en la presente edición, que se basa en la de 1964. Del mismo modo, se ha modernizado el sistema de notación para evitar la profusión de referencias bibliográficas a pie de página, agrupando todas las obras citadas por el autor en una sola Bibliografía general.

vena y arte, y; 5) las supremas sabiduría y ética que todo verdadero
poeta debe tener. Para rastrear la aparición y tratamiento de estos
temas en el *corpus* anterior, se refiere, entre otros, al *Arte de la
poesía castellana*, de Juan del Enzina; *El arte poética en romance
castellano*, de Miguel Sánchez de Lima; el *Arte poética española*, de
Diego García Rengifo; el *Cisne de Apolo*, de Luis Alfonso de Carballo; y la *Filosofía antigua poética*, de Alfonso López el Pinciano. Con
un amplio bagaje de erudición, notable para su edad en ese entonces, Cornejo Polar se encarga de trazar una a una las semejanzas y diferencias entre el "Discurso" de la Anónima y sus homólogos
peninsulares. Desarrolla, por ejemplo, la idea de origen medieval de
que la poesía es la reina de las ciencias, y se remonta, para otros
temas, a una doble fuente clásica en el "Discurso": Horacio y Cicerón, proponiendo que el clasicismo de la Anónima es más bien un
latinismo decantado a través de diversos tratados de corte petrarquista. Encuentra, sobre todo, una relación directa con el *Arte
poética española* (1592), de Diego García Rengifo, a través de dieciocho puntos de contacto, y por lo menos trece coincidencias con *El
arte poética en romance castellano* (1580), de Miguel Sánchez de
Lima, considerado por Díez Echarri (65) como la primera poética
petrarquista en lengua castellana. Asimismo, plantea que con el
Cisne de Apolo (1602), de Luis Alfonso de Carballo, el "Discurso"
presenta veintidós coincidencias de tema y tratamiento. Sin embargo, dada la casi contemporaneidad en la fecha de composición de
ambos textos, calcula que la consulta de Carballo fue improbable,
aunque no imposible, por parte de la Anónima[6]. Por otro lado, a
pesar de que Juan de la Cueva, con su *Ejemplar poético* (1606), y
Fernando de Herrera con sus *Anotaciones* (1580) a Garcilaso de la
Vega pertenecen al grupo de los tratadistas petrarquistas (v. Díez
Echarri 96), Cornejo Polar no encuentra mayores puntos específicos
de contacto, lo cual, sin duda, se debe, al menos en el primer caso, a
un problema de fechas[7]. Asimismo, el contacto con Alonso López el
Pinciano no resulta tan importante como con los mencionados
tratadistas petrarquistas. El diálogo directo –concluye– se dio sobre
todo con Sánchez de Lima y con García Rengifo[8]. Pese a las numerosas coincidencias, Cornejo Polar ubica una diferencia importante

---

[6] Si bien la *Primera Parte del Parnaso Antártico* apareció en 1608, las aproba-
ciones datan de 1604. Miró Quesada (84) propone como fecha máxima de
composición del "Discurso" el año de 1602, ya que el manuscrito en su conjunto fue entregado por Diego Mexía a Pedro de Avendaño el 30 de abril de
ese año "para que lo llevara a España" (*ibid.*).

[7] A diferencia de Cornejo Polar, Luis Jaime Cisneros sí desarrolla diversos
paralelos con el *Ejemplar poético*, según se puede ver en el trabajo incluido
entre los apéndices de este volumen.

[8] Para un desarrollo pormenorizado del petrarquismo y sus fuentes italianas en
el "Discurso en loor de la poesía", entendido como una "carta de ciudadanía
del humanismo sudamericano" y como estrategia de autolegitimación, puede
verse el artículo de Alicia Colombí-Monguió también al final del presente
volumen.

con los tratados metropolitanos: la insistencia en la condena de la inmoralidad de los poetas, que suele ser secundaria en los tratadistas españoles.

Debemos mencionar, sin embargo, un texto que el propio Cornejo Polar confesó no haber podido cotejar: el "Prólogo en alabanza de la poesía" de Alonso de Valdés, que encabeza la primera edición (1591) de las *Diversas rimas* de Vicente Espinel[9]. Si aceptamos como altamente probable que la Anónima conoció la obra poética de Espinel (según estudiamos más abajo), es verosímil que también leyera el texto de Valdés. A pesar de su brevedad, este "Prólogo en alabanza de la poesía" comprende casi los mismos temas del peruano "Discurso en loor de la poesía". Comienza, por ejemplo, reconociendo la autoridad de Cicerón y desarrollando el tópico de la superioridad de la poesía sobre todas las otras ciencias: "la qual como en quien concurre lo congruo de la Gramatica, lo sutil de la Filosofia, lo elegante de la Retorica, lo oculto de la Astrologia, lo admirable de la Teologia" (Valdés 36) merece el mayor respeto y reverencia frente a los ataques del vulgo. Si "la poesía es señora de todas las artes", como dice el "Prólogo", "el Poeta tiene necesidad de ser versado en todas" (37). Del mismo modo que la Anónima en el "Discurso", Valdés menciona la importancia de los poetas en la preservación de la fama eterna de los grandes personajes; de ahí el enorme aprecio de Alejandro Magno por Homero y su glorificación de Aquiles, o la posterior contribución de Virgilio para el conocimiento y fama de Eneas y de la historia romana. El "Prólogo" de Valdés señala también que las leyes antiguas se escribían en verso, y que Cicerón y Aristóteles no pudieron prescindir de él. Y hasta el mismo Espíritu Santo habló en versos en boca del Rey David, y la Virgen María lo hizo en el Magnificat. Temas todos desarrollados en el "Discurso".

Cornejo Polar tampoco pudo consultar el "Compendio apologético en alabanza de la poesía", de Bernardo de Balbuena, que aparece como colofón de la primera edición de la *Grandeza mexicana*[10].

---

[9] Tanto Valdés como Espinel son ampliamente elogiados por Miguel de Cervantes en su "Canto de Calíope", Capítulo VI de *La Galatea* (1585): "De Alonso de Valdés me está incitando / el raro y alto ingenio a que de él cante" (895), comenta de uno, mientras que "Del famoso Espinel cosas diría / que exceden al humano entendimiento" (896).

[10] El "Compendio" constituye, junto con el "Discurso", la "Invectiva apologética" (1652) de Díaz Camargo, y el *Apologético* (1662) de Espinosa Medrano, una de las cuatro obras virreinales autónomas dedicadas a la reflexión sobre la poesía. Sin embargo, pasajes sobre la importancia de la poesía y su naturaleza aparecen en diversos autores. V., p. ejemplo, el "Juizio del Poema" (1711) de Fernando Carrillo de Cordova, aparecido como prólogo a la *Vida de Santa Rosa de Santa María* del Conde de la Granja; o el "Prólogo" de Peralta a su *Lima fundada* (1732), o la "Aprobación" de Bermúdez de la Torre a la misma obra, etc.

La dedicatoria al Arzobispo de México, don Fray García de Mendoza y Zúñiga, está fechada el 15 de setiembre de 1603, aunque la *Grandeza mexicana* apareció en las prensas de Melchor Ocharte en 1604[11]. Si consideramos que Diego Mexía estuvo en México pocos años antes (de hecho, relata en su prólogo "El autor a sus amigos" del *Parnaso Antártico* que llegó a tierras de la Nueva España por un naufragio en 1596 y a partir de entonces comenzó su traducción de las *Heroidas* de Ovidio) no sería del todo descartable que haya tenido noticia del "Compendio apologético" de Balbuena si es que el texto o algún borrador circulaba en manuscrito desde antes, como solía ocurrir entre los letrados de una ciudad con muchos trabajos que sólo después entraban en prensa[12]. Sin embargo, que haya llegado a manos de la anónima poeta peruana autora del "Discurso" antes de 1602 (fecha límite de culminación del poema, recordemos) es ya más improbable, aunque tampoco del todo imposible. Menciono estas suposiciones debido a las numerosas coincidencias que tiene el "Discurso" de la peruana con el texto de Balbuena. Naturalmente, muchas de las mismas ideas circulaban en otros manuales y preceptivas, como el propio Cornejo Polar se encarga de dilucidar en su *Estudio*, por lo que también es verosímil que las fuentes hayan sido comunes. Pero quizá no sobre señalar los puntos de contacto a fin de entregar al lector todos los elementos posibles de juicio en el mejor conocimiento del "Discurso"[13].

Comienza Balbuena, por ejemplo, mencionando que "el [nombre] de Poeta [anda] tan disfamado en algunos ſujetos que apenas le a quedado raſtro de lo que otro tiempo fue" (f. 120). La poesía sin embargo, "es digna de grande cue[n]ta, de grande eſtimacion y precio, y ſer alabada de todos y generalmente lo a ſido de ho[m]bres doctiſsimos" (*id.*). De este modo, cita numerosas autoridades, entre las

---

[11] Rojas Garcidueñas ya aclaró que las supuestas dos ediciones de 1604 de la *Grandeza mexicana* no son sino una sola, la impresa por Ocharte y dedicada al Arzopispo de México, mientras que aquella que lleva como casa de impresión la de Diego López Dávalos difiere sólo en los primeros ocho folios, que reemplazaron a los de Ocharte para incluir un poema laudatorio al Conde de Lemos y ser enviada a España (v. Rojas Garcidueñas 123–25).

[12] Anota Mexía que "mi estada en la Nueva España […] se dilataba por un año", y que al tener ya completa la traducción de catorce de las veintiún epístolas de Ovidio decidió terminar su labor "animado de los pareceres de algunos hombres doctos" ("El autor a sus amigos", en los preliminares de la *Primera Parte del Parnaso Antártico* f. s. n.). Sin salir de la especulación, ya que Balbuena apenas se encontraba preparando su *Grandeza mexicana* y además vivía hacia 1597 en la zona de Compostela, en la entonces Nueva Galicia y actual estado de Nayarit (Monterde XXII), el intercambio con los "hombres doctos" revela un tránsito de ideas que desgraciadamente no ha quedado mejor documentado. Para un análisis del "Compendio", v. Rojas Garcidueñas (187–94).

[13] Tanto el anteriormente mencionado texto de Valdés como el "Compendio" de Balbuena son descritos en mayor detalle por Rivers (280–84). También dedica sus tres últimas páginas (284–86) al "Discurso" de la Anónima.

cuales destaca Platón y su idea del origen divino de la poesía. Asimismo, relaciona la poesía con las "Divinas E∫crituras" (f. 121 v.), y señala que los antiguos hebreos fueron los primeros poetas, ya que Dios hablaba por su boca (y en esto coincide plenamente con el "Discurso"). Igualmente, Balbuena se explaya en la idea sobre la condición versal de los antiguos oráculos paganos; por lo tanto, "los que con flaco talento y caudal, [...] ∫in letras[,] experiencia y espíritu" (f. 123) la atacan, deben ser combatidos. Continúa con la exaltación de las virtudes educativas de la poesía (f. 124), de la necesidad de los poetas de "∫er cur∫ados en todo, en pro∫a y en ver∫o" (f. 124 v.), y por lo tanto de dominar todas las ciencias. Se refiere a la consonancia del universo y la poesía, y luego alaba a los príncipes que han protegido a lo largo de la historia el noble oficio de la poesía (f. 134). Lo curioso, sin embargo, se encuentra casi al final del "Compendio": apenas menciona a Luis de Góngora entre los poetas españoles contemporáneos (si bien la lista de los ya muertos es mayor), y se extiende en los poetas novohispanos o relacionados con México, aunque en lista incompleta (Saavedra y Guzmán, Carlos de Sámano, Carlos de Arellano, Rodrigo de Vivero y Lorenzo de los Ríos y Ugarte, ff. 135-135 v.). El catálogo de vates locales, pues, excede, lo mismo que en el "Discurso", al de los peninsulares vivos.

Estas comparaciones nos sirven sobre todo para constatar la enorme actualidad de las ideas expuestas por la Anónima, muy a tono con la tendencia epocal de repetir tópicos a través de variaciones generalmente mínimas. Así ocurre también con el *Panegírico por la poesía* de Vera y Mendoza, que Cornejo Polar tampoco pudo consultar, aunque en este caso no se hubiera añadido nada a sus conclusiones, ya que se trata de una obra tardía, de 1627, y por lo tanto resulta imposible hablar de una filiación de la peruana con respecto al texto español[14].

Las conclusiones de este primer *Estudio* de Antonio Cornejo Polar se condensan en las siguientes líneas:

> [...] es exacto afirmar que el "Discurso en loor de la poesía" aparece fuertemente ligado al platonismo –en su versión cristiana– en lo que atañe a su concepción básica de la poesía como don precioso de la divinidad; a la cultura retórica de Roma, –Cicerón, fundamentalmente, y Horacio– en lo que toca al subrayamiento de los servicios y provechos que la poesía regala al hombre, a más de decenas de temas concretos; a la teoría literaria medieval, por su devoción hacia la poesía hebrea y su extremado moralismo, como también por la preocupación acerca de si es lícito o no el invocar dioses paganos; a las poéticas españolas del Renacimiento, a partir de la de Sánchez de Lima, por el culto a obras y autores clásicos, por la pleitesía que se rinde a la poesía, y genéricamente, por el tratamiento de casi todos los aspectos importantes que se leen en dichos tratados del Renacimiento. Como ellos, además, el "Discurso" carece de originalidad

---

[14] Pese a ello, Barrera ("Introducción" 26–31) se extiende en la comparación, echando más luces sobre el texto peninsular que sobre el peruano.

"Discurso en loor de la poesía". Estudio y edición

y limítase a sintetizar temas de filiación clásica, propios de la cultura general de entonces (215 [134]; 125 en la presente edición).

La capacidad de síntesis mostrada hacia el final de su *Estudio* es ya una muestra de la visión global que Cornejo Polar mantendría en relación con las literaturas andinas en los años posteriores. También es visible su cuidado en mantener las peculiaridades ortográficas y puntuacionales del "Discurso en loor de la poesía" para facilitar el examen filológico de futuros especialistas[15]. Aunque es obvio que el *Estudio* está encuadrado en una práctica crítica muy al uso a principios de los años 60, pueden verse desde entonces, como hemos anotado, los primeros atisbos de lo que después constituirían sus mayores aportes al pensamiento latinoamericano. Me refiero, por un lado, al planteamiento de la interdependencia de sistemas discursivos a partir de una heterogeneidad de base y, por otro, a la visión democratizante de la labor intelectual en el cuestionamiento de los objetos de estudio tradicionalmente concebidos. Aunque se haga más claro en sus estudios posteriores sobre las crónicas de la conquista, José María Arguedas, Clorinda Matto de Turner, Ricardo Palma, las representaciones de la muerte de Atahualpa, la oralidad en Vallejo, y la novela y la teoría latinoamericanas en general, la amplitud disciplinaria y la calidad crítica basada en la verificación de sus fuentes y en su interpretación original pueden apreciarse ya desde el temprano *Estudio* de 1962.

2. Otros aportes

Desde entonces, mucho se ha escrito sobre el "Discurso en loor de la poesía", en varios casos con reveladoras lecturas que complementan y desarrollan lo que en su momento entregó el maestro peruano. No intentaré agotar la totalidad de los estudios realizados sobre el "Discurso", pero al menos los siguientes párrafos servirán de guía para avizorar los caminos en que la investigación se encuentra en mejor o peor estado, todo con miras a colocar en su justo lugar el primer libro de Cornejo Polar.

En principio, recordemos que antes de 1962 ya Luis Jaime Cisneros había emprendido el cotejo textual del "Discurso" con otros poemas y preceptivas contemporáneos. Por ejemplo, Cisneros ilumina las coincidencias que el texto de la Anónima guarda con el *Ejemplar poético* (1606) de Juan de la Cueva, anticipando una relación que Cornejo Polar no llegó a desarrollar. Asimismo, Cisneros estableció la comparación con el "Canto de Calíope", en *La Galatea* (1585) de Miguel de Cervantes, y con el *Quijote* en lo que concierne a los comentarios sobre preceptiva literaria. El aporte de Cisneros, a

---

[15] V. la edición correspondiente en este volumen (127–53), que aplica los mismos criterios filológicos de Cornejo Polar, salvando las erratas de 1962 y 64.

los que habría que sumar sus numerosos artículos sobre poesía virreinal y específicamente sobre la obra del coetáneo Diego Dávalos y Figueroa, constituye un material de necesaria lectura para los interesados en el tema.

Por su lado, el trabajo de Alicia de Colombí-Monguió incluido aquí también analiza las características del "Discurso" en tanto defensa y no sólo alabanza de la poesía. Señala que existe una larga tradición humanista de defensas de la poesía, que arranca con "las epístolas de Albertino Mussato [y] la *Invectiva contra médicos* de Petrarca" (217 en este volumen), para ser continuada por Boccaccio y repetida por Coluccio Salutati "en varias de sus cartas y en *Las labores de Hércules*" (*ibid.*).

Colombí-Monguió también rescata las lecturas del mundo clásico (Cicerón, especialmente) transmitidas en versiones italianas. Y discute así el conocimiento del latín por parte de la Anónima. Toda la erudición de la autora del "Discurso" tiene, sin embargo, una función política indirecta:

> Nuestra Anónima no repite meramente *topoi* clásicos, los utiliza poniéndolos al servicio de su propósito. Todo humanista necesitaba –para serlo– resucitar a los antiguos, sin los cuales el humanismo no hubiese existido jamás, de ahí que el hecho mismo de mencionarlos revele la identidad de la autora como auténtica humanista. Nuestra Anónima hace las cosas con mucho tino, tanto en lo que calla como en lo que canta (221).

Con esto, Alicia de Colombí-Monguió sitúa en el debate criollista la reivindicación del espacio sudamericano desde el cual se escribe, señalando que no son nada gratuitas las alusiones al punto de enunciación y la casi exclusividad que se hace entre las menciones de los poetas modernos de aquellos que pertenecían a la presumible Academia Antártica, dejando de lado los nombres de los poetas españoles e italianos del momento. No es el "Discurso", pues, una exaltación de la poesía en abstracto, sino muy dentro del contexto de la expansión imperial (*translatio imperii*) y del reconocimiento de que el *axis mundi* de la cultura europea se había mudado al Nuevo Mundo por obra y gracia de la *translatio studii* humanista. Y en poesía, como dice la autora, el humanismo tiene el nombre de petrarquismo.

Un desarrollo de esta visión abarcadora de la función ideológica del "Discurso" se da en un trabajo posterior de Colombí-Monguió ("Humanismo y erudición en el Perú virreinal"), en el cual analiza el humanismo americano no sólo como una afirmación por poseer y pertenecer a los territorios conquistados, sino también como manifestación de la compleja inseguridad que los letrados antárticos sentían frente a los paradigmas europeos de civilización y frente al dilema de la propia identidad. De este modo, Colombí-Monguió establece que la erudición y alarde de italianismo tanto en los tópicos literarios como en la lengua misma de los miembros de la supuesta Academia obedecían sobre todo a un complejo de inferioridad que hacía a esos letrados interiorizar el desprecio hacia los "bárbaros" americanos sentido por las elites peninsulares. La autora ahonda así en una interpretación dialógica y extratextual, apoyada, sin embargo, en la evidencia escrita, que incluye sin duda el problema de las subjetividades textuales y a la vez nos permite explicar la función real y no meramente imitativa del humanismo americano.

Otros aportes en el mejor conocimiento del "Discurso" se dan en los trabajos de Raquel Chang-Rodríguez. Por ejemplo, en "Clarinda, Amarilis y la 'fruta nueva' del Parnaso peruano" propone la precedencia en la elaboración de una imagen de femineidad que tanto la Anónima como Amarilis (la autora de la célebre "Epístola a Belardo") hicieron para el fortalecimiento de la institución letrada virreinal, mucho antes de la más conocida Sor Juana Inés de la Cruz a fines del XVII. Mediante el análisis de las figuras de la araña, la mariposa y la hormiga con que la Anónima se presenta a sí misma en el "Discurso", Chang-Rodríguez explora las connotaciones rebeldes de la voz poética en tanto mujer, letrada y americana. En una línea semejante, su estudio sobre el catálogo de mujeres célebres ("Clarinda's Catalogue of Worthy Women in Her 'Discurso en Loor de la Poesía')" ahonda en el problema de las genealogías autorizadoras tan urgentes en el contexto de la ansiedad por legitimarse entre los letrados criollos y baqueanos.

Por su lado, Georgina Sabat-Rivers (en "Antes de Juana Inés") presenta el "Discurso" de la Anónima y la "Epístola" de Amarilis dentro de una lectura feminista, que se entronca también con una larga estirpe de mujeres escritoras en lengua castellana[16]. Del mismo modo, Luis Monguió en "Compañía para Sor Juana", resalta el valor de las letras del virreinato peruano en las figuras de la Anónima y Amarilis, que no resultan casos aislados, pues se sabe de otras autoras más fácilmente identificables que destacaron por su hábil manejo de las letras en el difícil contexto de discriminación de género dentro de las sociedades virreinales. Asimismo, Trinidad Barrera hace una presentación general sobre la traducción libre hecha por Mexía en su "Introducción" a la edición facsimilar de la *Primera Parte del Parnaso Antártico de Obras Amatorias*. Ahí mismo se encuentran algunas páginas dedicadas directamente al "Discurso" (20–34), donde la estudiosa española contribuye con un análisis inicial sobre su estructura retórica[17]. Como última mención en los estudios recientes sobre el "Discurso", aludo nuevamente a la

---

[16] Su anterior trabajo sobre "Clarinda, María de Estrada y Sor Juana" se encuentra guiado también por una preocupación que destaca "una visión femenina" (119) dentro de la totalidad de la obra.

[17] También dedica páginas al "Discurso" en el posterior artículo "Una voz femenina anónima en el Perú colonial".

mirada panorámica que ofrece Elías Rivers de las poéticas y alabanzas de la poesía en español, en lista que resulta complementada
tanto por los estudios del presente volumen como por los trabajos
descritos párrafos arriba.

Esta apretada descripción de aportes posteriores al *Estudio* de
Cornejo Polar no pretende ser exhaustiva y quiere servir, como
señalé antes, principalmente de guía y ordenamiento en los estudios
realizados sobre el "Discurso". Han quedado muchos temas por resolver en la crítica sobre el poema de la Anónima, sin duda, pero es
importante destacar que dicha crítica ha madurado enormente en
relación con las discusiones de la primera mitad del siglo exclusiva-
mente centradas en la identidad de la autora, casi siempre fuera del
análisis textual y partícipes de un "ejercicio del criterio" (Martí *dixit*)
de carácter biografista, paradójicamente ahí donde no había
biografía sobre la cual apoyarse.

Los estudios literarios llamados "coloniales", que han pasado por
importantes renovaciones metodológicas y epistemológicas en los últimos veinte años, se inclinan por desentrañar no solamente las
filiaciones literarias entre un texto y su tradición, sino sobre todo
por dar cuenta de la red de negociaciones discursivas y extradis-
cursivas en las que dicho texto se ubica y *significa* algo más que la
mera reconstrucción de su genealogía letrada[18]. En ese sentido, la
reflexión sobre la identidad escurridiza del sector criollo y baqueano
del Virreinato peruano, visible en los trabajos de Colombí-Monguió,
y la exploración por la perspectiva femenina de la voz poética del
"Discurso", como en los ensayos de Chang-Rodríguez y Sabat-
Rivers, han contribuido no sólo a establecer nuevas fuentes textuales para el "Discurso", sino sobre todo para aclarar el porqué de
determinadas adopciones prestigiosas y la función ontológica y política que dichas elecciones tenían en el tenso panorama de las
rivalidades con los peninsulares no establecidos en el Nuevo Mundo
y con los amplios sectores indígenas y africanos de fines del XVI. Lo
que quizá no se ha hecho con la acuciosidad que requeriría el tema
—y esto, más que un reproche, constituye un reconocimiento— es, por
ejemplo, el análisis de los paralelos y variaciones estilísticas que
existen entre el "Discurso" y las versiones ofrecidas por Mexía de las
Heroidas de Ovidio. Cabe, por eso, discrepar aquí con lo expresado
por Cornejo Polar acerca de que el "Discurso" "nada tiene que ver
con las *Heroidas*" (cf. 40 en esta edición). Además de la evidente
analogía en la construcción de una voz femenina, como ocurre en
dieciocho de las veintiún epístolas de Ovidio, del llamar Mexía a la

---

[18] Pueden verse, como referencias básicas, los aportes de Adorno, Mignolo y
Rama, entre otros. En un trabajo reciente (v. Mazzotti) me encargo se establecer un recuento del desarrollo del campo y de los alcances y limitaciones
de la llamada teoría postcolonial en su aplicación a los contextos hispanoamericanos del periodo de los Habsburgo.

Anónima una "heroica dama", parangonándola con Helena, Ero, Penélope y las demás heroínas narradoras de las Epístolas (indicio observado también por Barrera en "Una voz femenina" 116), y de la homogénea construcción en tercetos encadenados, hay algunas hasta ahora no señaladas analogías de estilo[19]. Tampoco se ha desarrollado, entre otros posibles temas, el zanjamiento onomástico con respecto al seudónimo "Clarinda", que en realidad ha pasado a constituir una seudoidentidad que sólo personaliza a la Anónima, prestando atención al "Discurso" principalmente fuera de su relación con los otros miembros de la presunta Academia Antártica y con el resto de la tradición letrada que no se inserta en los géneros preceptivos ni explícitamente exaltadores de la poesía.

Los párrafos que siguen no pretenden poner en duda lo que consuetudinariamente se acepta sin cuestionamiento (la condición de mujer de la Anónima), pese a que los únicos fundamentos para esta premisa consisten en que la voz poética se presenta como femenina y "débil" en por lo menos cinco ocasiones, además del hecho innegable de que sí hubo mujeres cultas en el Virreinato que bien podrían haber alternado con el grupo de Mexía. Lo que ahora pretendo es añadir algo a lo ya dicho sobre la Anónima y su voz poética en función de otros cruces textuales, distintos de los hasta ahora practicados.

3. La genealogía del nombre "Clarinda" y su relación con la Anónima del "Discurso"

Como se sabe, Marcelino Menéndez y Pelayo fue el primero en llamar a la Anónima con el nombre de "Clarinda" en la larga Intro-

---

[19] Compárense, por ejemplo, las estructuras en la Dedicatoria de Mexía al Oidor Juan de Villela ("una pluma de oro de Ovidio [...]. Esta pluma, pues, *quisiere yo (Señor) alcançar* [...]") y los versos iniciales del "Discurso": "La mano, i el favor de la Cirene / [...] / i el agua co[n]sagrada de Hipocrene / I aquella lira con que d'el Averno / Orfeo libertò su dulce esposa / [...] / La celebre armonia milagrosa / [...] / El platicar suave buelto en llanto / [...] / El verso con que Homero eternizava / [...] / *Quisiera qu'alcançaras Musa mia*" (vv. 1-16). Entre otros muchos casos, expresiones de varias de las Epístolas se asemejan también a otras del "Discurso". Verbigracia: "*mi canto ronco, i debil voz* levanto" ("Epístola Sétima" v. 5) y "Mas en que mar *mi debil voz* se hunde?" ("Discurso", v. 37); "hazle *soldado tuyo*, y que me quiera" ("Epístola Sétima" v. 57) o "Si al amor sigues, si eres *su soldado*" ("Epístola Decimoctava", v. 373) y "me obliga a que me muestre *tu soldado*" ("Discurso", v. 57); "*I pues*, que fue en el mar tu nacimiento" ("Epístola Decimoctava", v. 382) e "*I pues* eres mi Delio [...]" ("Discurso", v. 805); etc., etc. De hecho, esto sólo sugiere que la Anónima debió haber leído la traducción de Mexía antes de componer su "Discurso" y no prueba necesariamente la vieja hipótesis sobre la "superchería" de Mexía. La comparación, sin embargo, requiere de un estudio más minucioso, que escapa del propósito de estas páginas y que dejamos para una futura ocasión.

ducción a su *Antología de poetas hispanoamericanos*, publicada en cuatro volúmenes entre 1893 y 1895 como parte de los festejos por el Cuarto Centenario del "Descubrimiento" de América (v. Vol. 3, CLVIII). Ricardo Palma, sin mencionar al polígrafo español, repitió el gesto en el prólogo de su edición de *Flor de Academias y Diente del Parnaso* (VIII-XIV) de 1899 y en la tradición "Las poetisas anónimas" (que contiene el mismo texto), en *Cachivaches* (1900) y en la novena serie de sus *Tradiciones peruanas* en la colección *Mis últimas tradiciones y Cachivachería*. Palma, como bien señaló Tauro del Pino (26), aunque sin mencionar al anterior Menéndez y Pelayo, cometió una ligereza al identificar a la autora del "Discurso" con el nombre de un personaje mencionado apenas una sola vez en el poema como musa del capitán Juan de Salcedo Villandrando, miembro de la hipotética Academia Antártica, alabado por la Anónima[20]. Clarinda aparece en el verso 570, folio 21, del "Discurso":

> 565 A ti Iuan de Salzedo Villandrando
> el mesmo Apolo Delfico se rinda,
> a tu nombre su lira dedicando:
>
> Pues nunca sale por la cumbre Pinda
> co[n] tanto resplandor, cuanto demuestras,
> 570 *cantando en alabança de Clarinda* (énfasis mío).

Aunque no es nada segura la identificación entre la tal "Clarinda" y la autora, el bautizo de Menéndez y Pelayo y de Palma ha sido casi unánimemente imitado a lo largo del siglo XX. Tauro (28) se encarga de hacer el recuento correspondiente de los principales casos hasta 1948. Por mi parte, confieso que resultaría ocioso señalar cada uno de los trabajos que han persistido en el gesto durante la segunda mitad del siglo. Sin embargo, hay que señalar que la crítica actual se inclina en contra de la hipótesis de una "superchería" (como la llamó Palma) de Mexía o de algún poeta amigo suyo, y por lo tanto de la inexistencia de una autora mujer, con lo que el personaje Clarinda pasó a convertirse en seudónimo de la autora sobre todo para reafirmar y darle mayor personalidad a su condición femenina. (En el caso de Palma, irónicamente, la identificación de la Anónima con Clarinda estaba dirigida más bien a desentrañar la "superchería" masculina, ya que era fácil asumir que la tal Clarinda era sobre todo una invención poética de los vates de la Academia y, por lo tanto, identificable con uno de ellos). Repito que dejo por ahora el tema del sexo del autor, pues lo que importa aquí es discutir la pertinencia del nombre y averiguar si realmente existió antes del apelativo de la dama merecedora de los versos del capitán Salcedo. Pese a ello, asegurar el seudónimo como propio de

---

[20] Este mismo poeta había sido elogiado desde años antes, junto con otros vates indianos y criollos, por Miguel de Cervantes en su "Canto de Calíope": "Del capitán Salcedo está bien claro / que llega su divino entendimiento / al punto más subido, agudo y raro, / que puede imaginar el pensamiento" (895).

la Anónima del "Discurso", si bien no es una idea completamente desechable, revela antes que nada una actitud que estimo merecedora de mayor atención.

Fue también Menéndez y Pelayo (CLVII-CLVIII), y luego Tauro (150–51) quienes mencionaron que ya existía una Clarinda en el Canto II de "La casa de la memoria", uno de los poemas que forman parte de las *Diversas rimas* (1591) de Vicente Espinel. El poema, curiosamente, contiene un largo catálogo de dignos representantes de las armas y las letras españolas (rasgo que repite el "Discurso" para los poetas indianos y criollos), y entre ellos se menciona a Pedro Montes de Oca, poeta sevillano afincado en el Perú (ya en 1576 era corregidor en Cajatambo y Ambas y de Lampas y Ocros [Tauro 146]). Este mismo poeta aparecería en 1608 entre los nombrados como miembros de la supuesta Academia Antártica[21]. Montes de Oca, amigo de Espinel, según se colige del soneto inicial que el sevillano le dedica al rondeño padre de la estrofa "espinela" en los preliminares de las *Diversas rimas*, es aludido por Espinel de esta manera:

Tu que las ondas, y caudal corriente
Del patrio Betis sin razón negaste,
Y en alto estilo de vn ingenio ardiente
A Lima en Ocidente celebraste:
Buelue el tributo, a quien tan justamente
Deues el claro nombre que ganaste,
(Pedro Montes de Oca) que no es Lima
Dino de tan aguda, y pura lima.

Nunca ha podido la interior carcoma
Del inorante vulgo derribarte,
Que la razon al fin lo vence, y doma,
Y biue la verdad en toda parte:
Las armas en defensa tuya toma,
El propio Apolo para eternizarte,
Biue Clarinda, y biua tu memoria,
Que es tu nombre, y será dino de gloria (92, énfasis mío)[22].

---

[21] Para más datos biográficos y literarios sobre Montes de Oca y Salcedo véase Tauro (147–52 y 155–60). Asimismo, se puede asegurar que el nombre de Montes de Oca era muy bien reconocido en España, como se ve en el "Canto de Calíope": "Este mismo famoso insigne valle / un tiempo al Betis usurpar solía / un nuevo Homero, / a quien podemos dalle / la corona de ingenio y gallardía. / Las gracias le cortaron a su talle, / y el cielo en todas lo mejor le envía: / está ya en vuestro Tajo conocido, / Pedro de Montesdoca es su apellido" (898). Al parecer, Montes de Oca mantuvo alguna amistad con Cervantes, pues en 1614, en el Capítulo IV de *El viaje del Parnaso,* lo presenta de esta manera: "Desde el indio apartado del remoto / mundo llegó mi amigo Montesdoca" (96).

[22] Nótese que tanto Menéndez y Pelayo (CLXVIII) como Tauro (151) transcriben erróneamente "Viva Clarinda y viva tu memoria", lo cual altera la posible interpretación del pasaje, como pronto veremos.

Si Apolo toma las armas para defender al poeta Montes de Oca con miras a eternizarlo (el laurel "nunca ſe ſeca", como decía Román y Zamora, cit. por Balbuena, f. 139), es natural que la amada del poeta también sobreviva al olvido. Lo curioso es que el "vive Clarinda" se refiere al presente perpetuo del personaje, lógicamente preservado por la altura de la poesía de Montes de Oca (de la cual, desgraciadamente, sólo ha quedado el mencionado soneto), mientras que el "viva tu memoria" puede referirse tanto al deseo de que el recuerdo del poeta se prolongue como a una simple proclamación (del verbo vivar) en alabanza de Montes de Oca[23]. Así, la única que realmente se eterniza es Clarinda (y estamos, repito, en 1591)[24]. Por otro lado, el "que es tu nombre" del poema parecería entenderse en función de la identidad, tan común en la época, entre el poeta y el dios Apolo. Como sabemos, al tener su templo principal en la isla de Delos, Apolo era llamado Delio en numerosas composiciones anteriores, y tal nombre recibían los personajes identificados con los autores, como ocurrirá en la contemporánea *Miscelánea austral* (1602) de Diego Dávalos y Figueroa[25], y en el mismo "Discurso en loor de la poesía", donde Mexía, si bien no autor, es el "mi Febo, Sol y Delio solo" (v. 45) de la voz poética femenina[26].

---

[23] Recordemos, sin embargo, que Covarrubias aún no registra en su *Tesauro*, de 1611, la acepción de "vivar" como "vitorear".

[24] No deja de llamar la atención que en el poema de Espinel, así como en el propio "Discurso" (v. 520) y en varias composiciones de la época, como señala Colombí-Monguió (227, n. 21) se aluda al Río Lima (y no Rímac) como el río de la Ciudad de los Reyes. Ya nos había dicho Mexía que la "señora principal deste Reino" autora del "Discurso" era también "muy versada en la lengua Toscana, y Portuguesa". La homonimia con el Río Lima al norte de la región de Basto, en Portugal, facilitaba el juego de ideas con respecto al olvido posible que el Lima proyectaba sobre sus navegantes. El antiguo nombre del río portugués era el de Leteo, o Río del Olvido (Jiménez Ruiz 10; Cisneros, "Reseña" 156). De ahí que el Lima antártico, en paridad con el boreal, también pusiera en peligro la memoria y supervivencia de la fama de sus poetas. El reclamo de Espinel a Montes de Oca para que vuelva a cantarle al Betis o Guadalquivir, el río de su natal Sevilla, no tiene por qué reducirse, pues, a la mera diferenciación geográfica.

[25] Un examen de la *Miscelánea austral* puede verse en el detallado estudio de Colombí-Monguió, *Petrarquismo peruano*.

[26] En relación con el empleo del nombre Delio aplicado al propio poeta, señala Danzi que fue Tomasso Radini Tesdeschi (1488-1527) quien inauguró el uso en su *Calypsichia* de 1511 (v. Bandello 69, nota a la rima LVII). Bandello se servirá de él profusamente para autorrepresentarse en sus *Rime* (v. por ejemplo, las número LVII, LX, CII, CLIII, CLXIX, etc.). También Cisneros (n. 49, en este volumen) menciona que Delio aparece en el anterior *Laberinto de fortuna* (1455) de Juan de Mena, aunque, en realidad, se trata de una referencia al dios Apolo y no al poeta-autor. Más adelante, el propio Mexía aludirá a sí mismo con el nombre de Delio en la aún inédita *Segunda Parte del Parnaso Antártico de Divinos Poemas* (manuscrito Esp. 389 de la Biblioteca Nacional de París). En la "Égloga intitulada El Buen Pastor" (ff. 162–169), el relato es atribuido a "Delio, un pastorcillo / hijo del Betis, en el nuevo polo, / en el Argénteo monte, con su lira" (f. 169), es decir, el sevillano Mexía, que es-

Cabría preguntarse, sin embargo, si el "que es tu nombre" del poema de Espinel no se refiere más bien a "Clarinda" como uno de los seudónimos de Montes de Oca. Sin ánimo de disputar la autoría femenina del poema peruano (ya para eso hemos planteado la distinción entre Clarinda y la Anónima), debe recordarse que los personajes y voces femeninas son frecuentes en la literatura española desde las gallegas cantigas d'amiga y las jarchas sefarditas (Mujica 72). En el circuito "culto", la voz femenina central se construye por lo menos desde la *Historia de los amores de Clareo y Florisea y de los trabajos de Isea* (1552) del poeta alcarreño Alonso Núñez de Reinoso, donde Isea relata sus aventuras y penas, como poco después harán en numerosos fragmentos de la *Diana* (1559) de Jorge de Montemayor la propia protagonista y muchas de las pastoras, como Selvagia y Felismena, lo mismo que la narradora-protagonista de la *Menina e moça* (1554) de Bernardim Ribeiro[27].

No era inusual que determinados estados de ánimo adquirieran representación femenina según la tradición petrarquista de modelar a la mujer en función de una perspectiva masculina (si tal cosa existe como entidad unitaria e inintercambiable). Mucho se ha discutido dentro de los estudios de género sobre la especificidad de una perspectiva femenina en la literatura actual[28]. Trasladar, sin embargo, este debate al terreno del Renacimiento puede resultar contraproducente si no se considera que el trasvestismo onomástico era práctica corriente entre los poetas y autores "cultos" del momento. Y esto debido a que existía la común percepción de que algunas partes del alma humana eran intrínsincamente femeninas, y con ellas se reconciliaban los pastores al asumir su propia sensibilidad (Mujica 76). Así, las Dianas, Selvagias, Elisas, Fiamettas, Filis y, por qué no, Clarindas, circulaban por la literatura como heroínas y altas exponentes de categorías universales y encarnaciones visibles del ideal neoplatónico. Eran habitantes acreditadas de la *ínsula pastoril*, especie de arcadia o *locus amœnus* en que se desarrollan los acontecimientos del género eglógico y pastoril en general, sustraídas del "siglo" mundano y de la "corte", y elevadas a una con-

---

cribe desde Potosí, adonde se trasladó con su familia tras su regreso de España, luego de publicar en Sevilla en 1608 la *Primera Parte* (v. en la *Segunda Parte* la dedicatoria "Al excelentíssimo Príncipe de Esquilache" f. s. n.). A Delio le responde el pastor y "anciano i docto Melibeo [...] / i cuantos pastores lo escucharon / como cosa tan justa la aprobaron" (f. 169), concluyendo así el poema.

[27] La tradición de voces femeninas se remonta, sin embargo, a siglos anteriores, como en la *Elegia di Madonna Fiametta*, de Giovanni Boccaccio, y en la literatura clásica, las propias *Heroidas* de Ovidio, de repetida lectura durante el siglo XVI. Sobre tal difusión en España, v. Schevill.

[28] V., apenas para comenzar con una exploración por esta vasta bibliografía, Nancy Miller, ed.; Beth Miller, ed.; Peggy Zeglin Brand y Carolyn Korsmeyer, eds.; Hilde Hein y Carolyn Korsmeyer, eds.; Avril Horner y Angela Keane, eds.; Jackie Jones y Stevi Jackson, eds.; etc., etc.

dición atemporal que las apartaba, lo mismo que a sus contrapartes "masculinas", del realismo que empezaba a ponerse en boga en la narrativa española a partir de la primera edición del *Lazarillo* en 1554[29].

Hablando de Clarinda, es el ya mencionado Núñez de Reinoso quien la coloca antes que Montes de Oca y Salcedo en el grupo de las demás habitantes de la *ínsula pastoril*. En su égloga "Baltea", de 1552, el pastor Baltheo canta a su amigo Argasto sus penas por Florea, a quien apoda "Mudanza" dada la volubilidad de sus preferencias, y le relata luego su nuevo amor por la pastora Delia. Argasto, a su vez, se queja del desdén y rechazo hasta geográfico de su adorada Corina. En ambos casos, anotemos que Delia y Corina provienen de una larga y prestigiosa estirpe: son, respectivamente, las amadas poéticas de Albio Tibulo y de Ovidio[30]. Delia, además, resulta identificable con Diana (por ser ésta de Delos) y con la Luna, y tiene atributos de ambas: amor a la caza, castidad, e independencia de los hombres, además de la claridad del astro nocturno[31]. No por nada la "Baltea" comienza de noche, rasgo inusual en el género. Durante su relato, Baltheo llega al momento en que conoció a Delia, según describe, en un lugar de ampulosa exuberancia habitado por pastores y pastoras, muchos de ellos sacados de obras de sus amigos de la tertulia de Basto, en Portugal (Bernardim Ribeiro y Francisco de Sá Miranda, principalmente), a quienes también fueron cercanos en temas, referencias y amistad Jorge de Montemayor y Feliciano de Silva (Teijeiro Fuentes, "Prólogo" 44–45), así como sacados también del Virgilio de las *Églogas*. Antes de deslumbrarse con Delia, Baltheo ve a Silvestre y Amador, se encuentra "con Agrestes, pastor bueno" (Núñez de Reinoso 154), y más adelante,

> vi Dirçeo y más Rosano [...]
> vi Panflores y vi Jano / [...]
> vi Melibeo y Silvano
> vi Títiro y Coridón / [...]
> vi a Perseo y vi a Fauno (154–55),

---

[29] Conviene señalar, sin embargo, que algunos personajes del género pastoril han podido ser rastreados con relativa seguridad, como ocurre con "el gran pastor" (Felipe II), el "invencible rey de los lusitanos" (Juan III de Portugal), "la princesa Augusta Cesarina" (Juana de Austria) y hasta el propio pastor Sireno (Antonio de Portugal) en la *Diana* de Montemayor. V. Moreno Báez XXVI–XXVII y en notas 61 y 65 del Libro Segundo de su edición.

[30] Así, por ejemplo, Delia aparece profusamente en el Libro I de las *Elegías* de Albio Tibulo. En Ovidio, Corina es la protagonista de los *Amores*, y destaca, verbigracia, en I, 5; I, 8; I, 11; II, 6; etc.

[31] Rostagni señala que Delia "dall'altro lato s'identificava con un classico epiteto di Artemide (Diana) cacciatrice" (II, 192). V. también Teijeiro Fuentes, "Prólogo" 71 y en Núñez de Reinoso 157, n. 303. Por su lado, Lope de Vega no duda en identificar a Diana o Cintia (por el monte Cinto, en Delos) con la Luna. V. su *Arcadia*, Lib. II, 134.

para comenzar inmediatamente después con el catálogo de las pastoras, no menos linajudo:

> Vi Armenia y vi *Clarinda*,
> y vi Silvia, la pastora
> que vivía
> con la serrana Florinda;
> y vi la ninfa que Mora
> se decía;
> vi Eufrosina y Silvana,
> que ojos con que mataba
> tiene de fuero,
> y más vi la linda Juana
>
> (Núñez de Reinoso 156–57, énfasis mío).

En no desdeñable companía aparece, pues, esta temprana Clarinda de 1552. El editor moderno de la poesía de Núñez de Reinoso nos da sólo la genealogía de Silvia (personaje de Feliciano de Silva y de Montemayor), de Eufrosina (en el título de una obra de Jorge Ferreira de Vasconcelos) y de Juana (en la "Égloga II" de B. Ribeiro [Teijeiro Fuentes en notas a Núñez de Reinoso 156–57]). De Florinda podríamos añadir que es remembranza, quizá, del modelo de virtud de la hija del Conde Don Julián, forzada por el Rey Don Rodrigo. (La leyenda cuenta que debido a esto Don Julián se alió con los árabes y los enemigos de Rodrigo, siendo éste vencido en el año 711 en la batalla del Guadalete, que marcó el fin del dominio visigodo sobre España y el inicio del musulmán). Florinda rememora, a su vez, el nombre de la Florisea del propio Núñez de Reinoso en su *Historia de los amores de Clareo y Florisea*. Por simple fusión de nombres, Clareo y Florinda derivan fácilmente en Clarinda[32].

El nombre debió tener cierta fortuna, pues pocas décadas después aparecerá en Inglaterra, bajo el esplendor isabelino, en la pluma de Bernabe Rich (1540-1617) y las dos partes de su *Straunge and Wonderfull Adventures of Don Simonides*, publicadas en Londres, respectivamente, en 1581 y 1584[33]. En la primera parte nos presenta el episodio titulado "The Most Pleasant and Delectable His-

---

[32] En la égloga "Alexo" de Sá Miranda (147), amigo e interlocutor de Núñez de Reinoso, se nos presenta una "Clarenza" en boca del pastor Pelayo, lo cual muestra la flexibilidad que existía en la composición de los nombres pastoriles. A diferencia de Amarilis, la otra poeta anónima peruana de principios del XVII, cuyo nombre se remonta a los *Idilios* de Teócrito, Clarinda parece ser producto de la imaginación quinientista.

[33] Rich es importante como uno de los "major Minor Elizabethan writers" (Cranfill y Bruce 3). Su fama ha quedado asegurada en la literatura inglesa porque Shakespeare tomó prestados por lo menos dos y quizá hasta tres temas de una de sus obras, su *Farewell to Militarie Profession*. La segunda historia de este libro, "Apolonius and Silla" sirvió como base para *Twelfth Night*, de Shakespeare. Asimismo, el Cisne de Avon se inspiró en la quinta historia del *Farewell*, "Two Brethen and Their Wives", para el argumento de *The Merry Wives of Windsor* (*ibid.*, nota 1).

torie of Simonides and *Clarinda*" (énfasis mío), que cuenta las primeras aventuras de este caballero español y luego el inicio de su
peregrinaje por Europa tras el rechazo de su amada Clarinda.

El texto de Rich nos interesa no sólo por la protagonista femenina, cuyo nombre coincide con el tradicionalmente atribuido a la
autora del "Discurso", sino también porque está situada en Sevilla,
la ciudad natal de Diego Mexía, Pedro Montes de Oca, Diego de Hojeda, Duarte Fernández y otros de los nombrados por la Anónima
como miembros de la Academia Antártica (v. Riva-Agüero 112).
Sevilla será también la ciudad en la que el "Discurso" aparecerá
finalmente publicado en 1608. El relato de Rich nos presenta el caso
de una pareja de jóvenes españoles de gran hermosura, que resultan ser, respectivamente, hijos de dos grandes amigos, Laumenio y
Calides. Al llegar los jóvenes a edad casadera, Laumenio ordena a
su hijo buscar novia y tener descendencia. La inclinación natural
lleva a Simónides a expresar su amor por su antigua amiga y
compañera Clarinda, "la más bella dama de Sevilla", que además
resume todas las virtudes espirituales e intelectuales del ideal renacentista. Dada su inclinación por la vida religiosa, sin embargo,
Clarinda rechaza la propuesta del enamorado Simónides y decide
permanecer virgen por el resto de sus días. Simónides, pese a ello,
jura serle devoto y la termina de convertir en "dueña y señora de su
alma". Luego de numerosas aventuras como peregrino por el resto
de España y por Italia, vuelve a Sevilla después de diez años en la
Segunda Parte (de 1584) sólo para enterarse que Clarinda se ha
casado con un hombre viejo y rico[34].

A pesar del final misógino del texto, pues Rich no desperdicia la
oportunidad para defenestrar a las mujeres españolas por la frivolidad y "Mudanza" de Clarinda (recuérdese a la Florea de Núñez de

---

[34] No es rara la situación de la amada voluble, como la propia Diana de Montemayor, que acaba casada con un hombre rico apenas un año después del
alejamiento de su amado Sireno. La caracterización del marido se da en
términos nada favorables, como ocurrirá también en la obra de Rich. En el
Libro Primero de la *Diana*, Sireno debe partir forzosamente de su patria y
Diana se casa con su antiguo pretendiente, Delio, pastor sin mayores habi-
lidades sociales ni musicales (paradójicamente, éste, como hemos visto, es el
sinónimo de Apolo, dios de la poesía y la música). Silvano, que ama a Diana y
es aborrecido por ella, se encuentra con Sireno al regresar éste de su viaje.
Le pregunta Sireno: "¿Cómo le va [a Diana] de contentamiento después de
casada? Silvano respondió: —Dízenme algunos que le va mal, y no me espanto, porque, como sabes, Delio, su esposo, aunqu'es rico de los bienes de
fortuna, no lo es de los de naturaleza, que en esto de la disposición ya ves
cuán mal le va; pues de otras cosas de que los pastores nos preciamos, como
son tañer, cantar, luchar, jugar al cayado, bailar con las moças el domingo,
paresce que Delio no ha nascido para más que mirallo" (36). Se concluye de
esto, simplemente, que los nombres no tienen connotaciones fijas ni obede-
cen siempre a los mismos rasgos paradigmáticos; *ergo*, no todos los Delios ni
Clarindas son iguales.

Reinoso), no es de extrañar que el paradigma neoplatónico se haya manifestado en la Primera Parte de esta pieza de la literatura inglesa poco conocida en los estudios contemporáneos[35]. Según sabemos, era bastante extendida en la literatura europea del XVI el conjunto de temas y modelos extraídos de la tradición italiana. De hecho, algunos episodios de las *Aventuras de Don Simónides* provienen de los relatos de Matteo Bandello y Francesco Maria Molza (Kind lxix–lxxix). Asimismo, la mayor parte de las historias del *Farewell to the Military Profession* de Rich provienen de las traducciones de cuentos italianos anteriores. Por ejemplo, "Apolonius and Silla" (un cuento que incluye los nombres de "Pedro" y "Silvio") fue tomado de Matteo Bandello (1485-1561) en su *Seconda Parte delle Novelle del Bandello*, quizá a través de la traducción al francés por Pierre Boisteau y François de Belle Forest bajo el título de *Histoires Tragiques* (1570).

Es indudable que no sólo el neoplatonismo, sino toda la veta narrativa de las *novelle* (historias cortas de tema amoroso, como se entendía en la época) tuvieron una difusión enorme en Francia, Inglaterra y España. Al nombre del "Ariosto en prosa" o "Boccaccio del Cinquecento" (Flora IX), como se llamaba a Bandello, hay que añadir los del archiconocido Giovanni Boccaccio, y de los hoy menos rcordados Giovanni Fiorentino, Salernitano Masuccio, Luigi da Porto, Giambattista Giraldi Cinthio y Giovanni Francesco Straparola[36]. Todos ellos delinearon en distintos matices aspectos de la vida renacentista a través de una prosa de entretenimento que gozó de las predilecciones de los lectores cultos de la época, aunque en algunos casos sus relatos incursionan también en temas de amor sensual.

Sin embargo, pocos han visto hasta ahora la conexión entre las *Aventuras de Don Simónides* y una obra casi olvidada de la literatura española que también le sirvió de fuente directa: la *Selva de aventuras* (1565 y 1583) de Jerónimo de Contreras. Desde 1913,

---

[35] A propósito de la misoginia de Rich, conviene apuntar que la elección del nombre Simónides para el protagonista puede estar relacionada con uno de los poetas de la antigüedad que compartieron el apelativo. No se trataría quizá del más conocido Simónides de Ceos, poeta lírico del siglo VI a. C., considerado uno de los creadores de la oda triunfal, sino del anterior Simónides de Amorgos, recordado por un solo poema en metro yámbico destinado a relatar el mito de la creación de las mujeres a partir de distintos animales (mono, yegua, gato, puerco, etc.) y del agua y la tierra. Sólo las que provienen de las abejas merecen los elogios relativos del poeta. V. Lloyd-Jones para mayores detalles.

[36] Así, por ejemplo, *Il pecorone*, de Fiorentino; *Il novellino*, de Masuccio; *La Giulietta*, de da Porto (de donde Shakespeare extrajo el tema para su *Romeo y Julieta*); *De gli hecatommithi* (1a. parte), de Cinthio; y *Le piacevoli notti*, de Straparola, entre otros. La influencia de Bandello puede verse también en algunos pasajes de la *Diana* de Montemayor, como ya han señalado Menéndez y Pelayo y Moreno Báez (v. nota 66 en el Libro Segundo de la *Diana*).

Becker ya había mencionado que Rich se basó para su *Simónides* no sólo en fuentes italianas, sino sobre todo en la mencionada novela[37]. Los paralelos entre las obras de Contreras y de Rich son abrumadores. La *Selva de aventuras* se inicia también en Sevilla, donde Luzmán y Arbolea, hijos de dos viejos y ricos amigos, crecen juntos hasta que llegan a edad casadera y Luzmán, enamorado desde pequeño de la hermosa Arbolea, la pide en matrimonio. Ésta le responde que desea dedicar su vida a la contemplación divina y guardar su virginidad. Luzmán se convierte entonces en centro de un contradictorio movimiento: por un lado, recorre diversos lugares de España y Europa, encarnando así una de las más claras representaciones de la figura del peregrino[38], y por otro lado, se caracteriza por un sólido estatismo sentimental, que no le permite apartar los pensamientos de Arbolea y lo obliga a regresar a Sevilla después de diez años. La primera edición de la *Selva*, de 1565, fue modificada con el añadido de dos libros más en la edición de 1583. Mientras en la primera versión Luzmán y Arbolea son destinados a vivir separados en completa dedicación a la vida religiosa, en la segunda versión Luzmán es objeto de las búsquedas de Arbolea, quien se convierte a su vez en peregrina, cambia de nombre (se llamará Tridonio) y, por lo tanto, de apariencia femenina en masculina. Finalmente, encuentra a Luzmán y se casa con él. Como se ve, los finales de la primera como de la segunda versión de la obra de Contreras difieren del final de la segunda parte de la obra de Rich, en que Clarinda (la versión inglesa de Arbolea) pierde todas sus virtudes.

Interesa destacar sobre todo algunos puntos básicos: la presencia constante de Sevilla (ciudad natal de Mexía, Montes de Oca y otros peruleros, como conviene recordar), el tópico de la tormenta que altera los planes del protagonista en su peregrinaje (tal como ocurre también en el prólogo "El autor a sus amigos" de Mexía en su *Primera Parte del Parnaso Antártico*[39]) y la superioridad moral de la

---

[37] Para más detalles sobre el estudio de las filiaciones en el texto de Rich, ver la edición crítica de Norbert Kind (xxxix–xcvi).

[38] Una figura que tuvo influencia directa en *El peregrino en su patria* (1604), de Lope (Teijeiro, "Introducción" a la *Selva de aventuras* XII), y en las *Soledades* (1618) de Góngora. Vilanova (435) afirma incluso que las *Soledades* son "una especie de *Selva de aventuras* de la poesía del seiscientos".

[39] El tema de la tormenta alteradora de destinos es común en la novela bizantina, como ha señalado ya Teijeiro ("Introducción" XXXVIII), y se extiende a la narrativa de peregrinos como agente fundamental del cambio narrativo. Tiene ecos de los *Tristia* de Ovidio (v. Teijeiro, "Prólogo" 160), largo lamento del exiliado donde se narra el incidente que casi le hace perder la vida al autor en su viaje hacia las islas del Ponto Euxino o Mar Negro (v. esp. la Elegía II del Libro Primero; aunque Asensio [130] atribuye la influencia del tema de la tormenta en la "Baltea" a la *Parthenice* de Baptista Mantuano Spagnoli). Los *Tristia* tuvieron, como las demás obras de Ovidio, especial difusión en España. No es nada raro que Mexía directamente aluda también a ese mo-

Arbolea española, igualada por la Clarinda inglesa sólo en la primera parte de la obra de Rich.

Si la obra de Rich de 1581 fue conocida en España, y por lo tanto se dio un reforzamiento del nombre de Clarinda para el paradigma de las virtudes femeninas de las damas sevillanas, es algo que espera mayor investigación[40.] Lo cierto es que Montes de Oca y Salcedo Villandrando pudieron también haberse inspirado en el nombre propuesto por Núñez de Reinoso en 1552, o quizá en alguno de los personajes llamados Clarinda en diversas comedias contemporáneas de Lope de Vega. No es casual que éste proclame como su maestro a Vicente Espinel en el *Laurel de Apolo* (Clarke 9, n. 2), el mismo que le había atribuido, precisamente, la Clarinda de 1591 a Montes de Oca[41.] Lope utiliza el nombre Clarinda para una dama noble en *La infanta desesperada* (compuesta entre 1588 y 1595), en *La contienda de Diego García de Paredes* (1600) y en *Los amantes sin amor* (entre 1601 y 1603). También como dama inglesa noble en *Don Juan de Castro I* (entre 1597 y 1608) y *Don Juan de Castro II* (entre 1599 y 1608). Por último, en menor posición, como villana o dama francesa en *La ocasión perdida* (entre 1599 y 1603), *Los tres diamantes* (entre 1599 y 1603) y *La ventura sin buscalla* (entre 1606 y 1612)[42.]

---

delo cuando se queja de que andaba "barbarizando entre barbaros" (en el prólogo "El autor a sus amigos"), como hace Ovidio en el Libro Quinto, y que se coloque disimuladamente en el papel de un Ovidio español en el destierro americano, donde llevaría, tal como hizo el sulmonés, la lengua imperial a las mayores alturas de expresión, según propondrá su anónima admiradora en el "Discurso". En uno de los sonetos preliminares, de Luis Pérez Ángel, otro de los poetas antárticos, se dice sin cortapisas que "en él [Mexía] renace Ovidio más glorioso".

[40] En su introducción a la edición moderna de *The Nobilytie of Women* (1559) de William Bercher, Warwick menciona que gracias a la amistad del autor con Don Guerau, el embajador español en Inglaterra hacia 1570, éste ordenó una copia que se llevaría a España, donde la hizo circular. Pese a la creciente enemistad política entre ambas potencias europeas, el interés mutuo por la producción literaria permitió una circulación de temas y personajes que, desgraciadamente, no siempre ha quedado documentada, pero que puede rastrearse a través de la aparición esporádica de determinados elementos comunes, según pasa en la relación entre Contreras y Rich, que posiblemente repercutió más tarde en el ambiente letrado sevillano.

[41] No olvidemos que Lope y Espinel alternaron en la Academia sevillana de Pacheco (Sánchez 208), donde el nombre Clarinda no debió ser inusual.

[42] Agradezco a Francisco Márquez Villanueva la primera noticia sobre el uso del nombre Clarinda para algunos de los personajes de Lope. Las referencias precisas sobre su aparición en determinadas comedias y fechas probables provienen de los trabajos de Morley y Tayler y de Morley y Bruerten.

Como materia anecdótica, debo mencionar que el nombre Clarinda sí tuvo una fecunda y prolongada estirpe dentro de la literatura inglesa posterior a Bernabe Rich. Durante los últimos años de la dinastía de los Stuarts existía una afición extendida por los nombres terminados en *-inda*, tales como Clarinda, Dorinda, Florinda, Melinda, quizá sugeridos por la lejana Belinda de Ludovico Ariosto[43]. En el siglo XVII, Rhodolinda es la heroína de la *Alvobine* (1629) de D'Avenant. Alexander Pope inventó su Zephalinda y Gay la cómica ramera Blouzelinda. Los dramaturgos de la Restauración, como Sir Joseph Vanbrugh, abundan en nombres latinizados como Amanda, Berinthia, Belinda, Hortensia, Aminta, Clarissa, Amarinta, Corina y Clarinda. Ya en el XVIII, Lady Mary Wortley Montagu gustaba firmar durante su juventud con el seudónimo de Clarinda, y Henry Baker y John Cunningham tienen sendos poemas titulados "Clarinda". En 1776, el vate escocés Alexander Nicol compone poemas de amor en que la protagonista es una dama en desgracia de nombre Clarinda. Finalmente, para no "incurrir en (mayor) prolijidad", mencionaré que otro poeta escocés, Robert Burns, escribió numerosas composiciones dedicadas a su amante, Agnes MacLehose, a quien llama Clarinda, mientras él firma con el no menos pastoril nombre de Sylvander (posiblemente en referencia a Silvandro o "varón de los bosques"; v. Brown 48).

Así, además de esta genealogía múltiple, el verso de la Clarinda del "Discurso" ("cantando en alabanza de Clarinda") presenta como peculiaridad formal la aliteración nasal al final de sílaba tónica *(-an, -an, -in)*, lo que le otorga, al rimar con "cumbre Pinda", una musicalidad que mal habrían logrado otros nombres trisílabos como Corina, Armenia, Selvagia o Florea. Sin mencionar que Clarinda es fácilmente desmontable en "Clara y linda" o, mejor aun, en "Clarín da", sugiriendo el amanecer, identificable, más que con el personaje femenino aludido, con el competidor de Apolo, Salcedo Villandrando.

4. Conclusiones

Según lo expuesto, los cantores indianos de Clarinda, Pedro Montes de Oca y Juan de Salcedo Villandrando, bien pudieron haber dirigido sus liras hacia tal personaje antes de llegar al Perú y de conocer a la Anónima criolla. También es posible que hayan vuelto a usar el nombre en Lima para referirse a un paradigma pastoril semejante al de Núñez de Reinoso, sin necesidad de que hubiera una dama de carne y hueso que se identificara con él. Si la

---

[43] No descontemos tampoco que en el *Orlando furioso* (1516) aparece Clarindo, rey de Bolga (Canto XIV, estr. 24 y 113), que pudo haber servido como antecedente masculino de las Clarindas inglesas y españolas. Asimismo con la aguerrida Clorinda de *Il Goffredo* (1580), rebautizado y ampliado en 1581 como *Gerusalemme liberata*, de Torquato Tasso.

Academia Antártica existió con todas las prerrogativas y obligaciones de sus miembros, Clarinda pudo haber sido simplemente un tema más de composición, a manera de ejercicio, según se estilaba en las academias italianas y españolas de la época. Y es comprensible que si Menéndez y Pelayo cometió el desliz de identificar personaje y autora, lo hizo para acreditar la condición femenina de ésta. Sin embargo, no es difícil advertir que a los pocos años Palma repetirá el gesto para proponer, más bien, que la Clarinda-autora era una invención masculina, pergeñada por el propio Mexía o alguno de los poetas de la presunta Academia.

Al margen de la disputa sobre el sexo del autor, cosa que poco interesa para fines de análisis del poema, queda en claro que el tradicional nombre no tiene una base más segura que el ferviente deseo de acercar a la Anónima a una más precisa identidad. Y de este uso (aunque reconocía su arbitrariedad) ni el propio Cornejo Polar, siendo el crítico más completo del "Discurso", logró sustraerse.

Sígase empleando o no el nombre de Clarinda para su autora en futuros trabajos sobre el "Discurso", el problema de fondo es realmente otro: la afirmación de una legitimidad cultural por parte de aquellos letrados fronterizos que apelaron a diversas voces para elaborar en el plano de la *republica humanitas* (como ya señalara Colombí-Monguió) lo que en el plano político y legislativo se entendía antes que nada como "Reino" en condiciones análogas a las de otros bajo la misma monarquía universal y no como mera colonia extractiva. Esa identidad criolla, con sus lealtades y sus ambigüedades, debe entenderse en el contexto de las distintas negociaciones que debían ejercer sus miembros letrados no sólo frente a los peninsulares recién llegados y frente a las grandes mayorías indígenas y africanas, sino también al interior de su propia multiplicidad, que revela subjetividades convergentes y divergentes, pero que comulga en su condición de extrañeza y dislocamiento frente a un ideal de sociedad española sólo a medias transplantada en la práctica. Reacciona así como "un amor decepcionado" (Lavallé 1) que, ante el rebajamiento ontológico de un sector del discurso peninsular, se manifiesta mediante una hipérbole exaltadora de la geografía, la calidad humana y, naturalmente, las virtudes poéticas locales.

El aporte de Antonio Cornejo Polar en este su primer libro resulta fundamental para entender el grado de complejidad que llegó a tener la autoafirmación fronteriza y la compensación discursiva que significaba el traslado del *axis mundi* europeo al antártico. Al mismo tiempo, Cornejo Polar reconstruye una historia y una tradición que fortalecen la institución literaria peruana al otorgarle un acercamiento mucho más sólido que el de sus antecesores, a lo Palma o a lo Sánchez, y basado en el ejercicio minucioso de una crítica que parte sobre todo de los propios textos y no de las imaginarias biografías e identificaciones.

Si la mejor crítica literaria es la que logra exhibir la coherencia y el rigor de una nueva lectura, el *Estudio y edición* de Cornejo Polar es una muestra que revela la precocidad de su autor y su evidente capacidad para enfrentar problemas centrales en la reflexión sobre el origen y el devenir de las identidades colectivas en el área andina. Sus trabajos posteriores sobre el indigenismo, la oralidad y la novela contemporánea, que se alimentarán principalmente del paradigma de la heterogeneidad cultural como condición previa a cualquier proceso de transculturación o hibridación, están de alguna manera anunciados en este primer libro, tanto por el método acucioso del que su autor hace gala como por el reconocimiento lúcido de la importancia del pasado en las urgencias y los cosmopolitismos de hoy. Esperamos, pues, que esta nueva edición sirva tanto a los especialistas del campo llamado "colonial" como a todos aquellos que se interesan en el pensamiento del gran maestro peruano y en el candente debate actual sobre la crítica cultural latinoamericana.

Cambridge, Massachusetts, agosto del 2000.

Bibliografía

Adorno, Rolena. "Nuevas perspectivas en los estudios coloniales literarios hispanoamericanos". *Revista de Crítica Literaria Latinoamericana* 28 (1988): 11–28.

Albio Tibulo. *Elegías*. Introducción, versión rítmica y notas de Tarsicio Herrera Zapién. México: UNAM, 1976.

Asensio, Eugenio. "Alonso Núñez de Reinoso, gitano peregrino, y su égloga *Baltea*". En *Studia Hispanica in Honorem R. Lapesa*. Madrid: Gredos, 1972. Vol. 1, 119–36.

Balbuena, Bernardo de. *Grandeza mexicana*. México: Por Melchior Ocharte, 1604. Ejemplar de Houghton Library.

Bandello, Matteo. *Rime*. Edición y anotaciones de Massimo Danzi. Ferrara: Edizioni Panini, 1989.

Barrera, Trinidad. "Introducción" a la edición facsimilar de la *Primera Parte del Parnaso Antártico de Obras Amatorias*, de Diego Mexía. Roma: Bulzoni Editore, 1990. 8–34.

-----. "Una voz femenina anónima en el Perú colonial, la autora del *Discurso en loor de la poesía*". En *Mujer y cultura en la colonia hispanoamericana*. Mabel Moraña, ed. Pittsburgh: Instituto Internacional de Literatura Iberoamericana, 1996. 111–20.

Becker, Gustav. "*The Adventures of Don Simonides*: ein Roman von Barnabe Rich und seine Quelle". *Archiv für das Studium der neueren Sprachen und Literaturen* 131 (1913): 64–80.

Bercher, William. *The Nobylytie of Women* [1559]. Introducción y notas de R. Warwick. Londres: Chiswick Press, 1904.

Brand, Peggy Zeglin, y Carolyn Korsmeyer, eds. *Feminism and Tradition in Aesthetics*. University Park, Pennsylvania: Pennsylvania State University Press, 1995.

Brown, Raymond Lamont. *Clarinda. The Intimate Story of Robert Burns and Agnes MacLehose*. Dewsbury: Martin Black Publications Ltd., 1968.

Cervantes Saavedra, Miguel de. *La Galatea* [1585]. En *Obras completas*. Edición de Ángel Valbuena Prat. México: Aguilar, [1940] 1991. Vol. 1, 733–917.

-----. *El viaje del Parnaso* [1614]. En *Obras completas*. Edición de Ángel Valbuena Prat. México: Aguilar, [1940] 1991. Vol. 1, 71–124.

Cisneros, Luis Jaime. "Reseña" de *Esquividad y gloria de la Academia Antártica*, de Alberto Tauro del Pino. *Filología* III (Buenos Aires, 1951): 152–58.

-----. "Sobre literatura virreinal peruana (Asedio a Dávalos y Figueroa)". *Anuario de Estudios Americanos* 12 (1955): 219–52.

Clarke, Dorothy Clotelle. "Introduction" a las *Diversas rimas*, de Vicente Espinel (*v. infra*). 9–27.

Colombí-Monguió, Alicia de. *Petrarquismo peruano. Diego Dávalos y Figueroa y la poesía de la Miscelánea Austral*. Londres: Tamesis Books, 1985.

-----. "Humanismo y erudición en el Perú virreinal: ¿Discurso del poder o de la inseguridad?". En *Encuentro internacional de peruanistas. Estado de los estudios histórico-sociales sobre el Perú a fines del siglo XX*. Lima: Universidad de Lima y UNESCO, 1998. Vol. 2, 293–99.

Contreras, Jerónimo de. *Selva de aventuras (1565-1583)*. Cáceres: Universidad de Extremadura, 1991.

Cornejo Polar, Antonio. *"Discurso en loor de la poesía. Estudio y edición*. Lima: Universidad Nacional Mayor de San Marcos, 1964.

Cranfill, Thomas, y Dorothy Hart Bruce. *Barnaby Rich. A Short Biography*. Austin: University of Texas Press, 1953.

Chang-Rodríguez, Raquel. "Clarinda, Amarilis y la 'fruta nueva' del Parnaso peruano". *Colonial Latin American Review* 4, 2 (1995): 181–96.

-----. "Clarinda's Catalogue of Worthy Women in Her 'Discurso en Loor de la Poesía' (1608)". *Caliope: Journal of the Society for Renaissance & Baroque Hispanic Poetry* 4, 1-2 (1998): 94–106.

Espinel, Vicente. *Diversas rimas*. Ed. e Introd. de Dorothy Clotelle Clarke. Nueva York: Hispanic Institute in the United States, 1956.

Flora, Francesco. "Matteo Bandello". En *Tutte le opere di Matteo Bandello*. Ed. al cuidado de Francesco Flora. Verona: Arnoldo Mondadori Editore, 1952. Vol. 1, IX-LX.

Hein, Hilde, y Carolyn Korsmeyer, eds. *Aesthetics in Feminist Perspective*. Bloomington: Indiana University Press, 1993.

Horner, Avril, y Angela Keane, eds. *Body Matters: Feminism, Textuality, Corporeality*. Manchester: Manchester University Press, 2000.

Jiménez Ruiz, José. "Introducción" a su edición de la *Historia de los amores de Clareo y Florisea y de los trabajos de Isea*, de Alonso Núñez de Reinoso. Málaga: Universidad de Málaga, 1997. 7–92.

Jones, Jackie, y Stevi Jackson, eds. *Contemporary Feminist Theories*. Edinburgh: Edinburgh University Press, 1998.

Kind, Norbert, ed. *Barnabe Rich, Don Simonides. Kritische Edition mit Eileintung, Kommentar und Glossar*. Tesis doctoral presentada a la Facultad de Filosofía de la Universidad de Colonia. Köln: aus Remscheid-Lennep, 1989.

King, Willard F. *Prosa novelística y academias literarias en el siglo XVII*. Madrid: Anejos del Boletín de la Real Academia Española, 1963.

Lara, Jesús. *La poesía quechua*. México: Fondo de Cultura Económica, 1947.

-----. *La literatura de los quechuas. Ensayo y antología*. Cochabamba: Editorial Canelas, 1960.

Lara, Jesús, ed. *Tragedia del fin de Atawallpa. (Monografía y traducción de...)*. Cochabamba: Impr. Universitaria, 1957.

-----. *Poesía popular quechua. (Colección de coplas recogidas y traducidas por...)*. La Paz: Editorial Canata, 1958.

-----. *Leyendas quechuas. Antología*. La Paz: Ediciones Librería Juventud, 1960.

Lavallé, Bernard. "Americanidad exaltada / hispanidad exacerbada: contradicción y ambigüedades en el discurso criollo del siglo XVII peruano". Ponencia presentada en el congreso "Discours colonial: la construction d'une différence américaine". Université de Montréal, 6 de noviembre de 1999.

Lira, Jorge A. *Farmacopea tradicional indígena y prácticas rituales. (Recogido y anotado por...)*. Lima: Talleres gráficos "El Cóndor", 1946.

-----. *Canto de amor. (Recogido y traducido por....)*. Cuzco: 1956.

Lloyd-Jones, Hugh. "Introduction" a *Females of the Species. Semonides on Women*. Park Ridge, New Jersey: Noyes Press, 1971. 11–33.

Mazzotti, José Antonio. "Introducción. Las agencias criollas y la ambigüedad 'colonial' de las letras hispanoamericanas". En *Agencias criollas. La ambigüedad "colonial" en las letras hispanoamericanas*. José Antonio Mazzotti, ed. Pittsburgh: Instituto Internacional de Literatura Iberoamericana, 2000.

Menéndez y Pelayo, Marcelino. *Antología de poetas hispanoamericanos publicada por la Real Academia Española*. Vol. 3. Madrid: Est. Tip. "Sucesores de Rivadeneyra", 1894.

Mexía de Fernangil, Diego. *Primera Parte del Parnaso Antártico de Obras Amatorias* [Sevilla, 1608]. Edición facsimilar e introducción de Trinidad Barrera. Roma: Bulzoni Editore, 1990.

-----. *La Segunda Parte del Parnaso Antártico de Divinos Poemas* [1619]. Manuscrito Esp. 369 de la Biblioteca Nacional de París. 195 ff.

Mignolo, Walter. "Afterword. From Colonial Discourse to Colonial Semiosis". *Dispositio* 36-38 (1989): 333-37.

Mignolo, Walter. "La semiosis colonial: la dialéctica entre representaciones fracturadas y hermenéuticas pluritópicas". En *Crítica y descolonización: el sujeto colonial en la cultura latinoamericana*. Beatriz González Stephan y Lúcia Helena Costigan, editoras. Caracas: Universidad Central de Venezuela, 1992. 27–47.

-----. "Colonial and Postcolonial Discourse: Cultural Critique or Academic Colonialism?". *Latin American Research Review* 28 (1993): 120–31.

-----. *The Darker Side of Renaissance. Literacy, Territoriality, and Colonization*. Ann Arbor: University of Michigan Press, 1995.

-----. "La razón postcolonial: herencias coloniales y teorías postcoloniales". En *Postmodernidad y postcolonialidad. Breves reflexiones sobre Latinoamérica*. Alfonso de Toro, editor. Madrid: Iberoamericana, 1997. 51–70.

Miller, Beth, ed. *Women in Hispanic Literature. Icons and Fallen Idols*. Berkeley: University of California Press, 1983.

Miller, Nancy K. ed. *The Poetics of Gender*. New York: Columbia University Press, 1986.

Miró Quesada, Aurelio. *El primer virrey-poeta en América (Don Juan de Mendoza y Luna, Marqués de Montesclaros)*. Madrid: Gredos, 1962.

Monguió, Luis. "Compañía para Sor Juana: mujeres cultas en el Virreinato del Perú". *University of Dayton Review* 16, 2 (1983): 45–52.

Montemayor, Jorge de. *Los siete libros de la Diana*. Edición, prólogo y notas de Enrique Moreno Báez. Madrid: Real Academia Española, 1955.

Monterde, Francisco. "Prólogo". En *Grandeza mexicana* de Bernardo de Balbuena. México: UNAM, 1992. V-XXXI.

Morley, Sylvanus Griswold, y Richard W. Tyler. *Los nombres de personajes en las comedias de Lope de Vega. Estudio de onomatología*. Valencia: Editorial Castalia, 1961.

Morley, Sylvanus Griswold, y Courtney Bruerton. *The Chronology of Lope de Vega's Comedias*. Londres: Oxford University Press, 1940.

Mujica, Barbara. *Iberian Pastoral Characters*. Washington, DC: Scripta humanistica, 1986.

Núñez de Reinoso, Alonso. *Obra poética*. Prólogo, edición y notas a cargo de Miguel Ángel Teijeiro Fuentes. Cáceres: Universidad de Extremadura, 1997.

Ovidio Nasón, Publio. *Amores. Arte de amar. Sobre la cosmética del rostro femenino. Remedios contra el amor*. Traducción, introducción y notas de Vicente Cristóbal López. Madrid: Gredos, 1989.

-----. *Tristes*. Trad. De Manuel Antonio Román. Santiago de Chile: Imprenta Cervantes, 1895.

Palma, Ricardo. *Flor de Academias y Diente del Parnaso*. Lima: Oficina Tipográfica de El Tiempo, por L. H. Jiménez, 1899.

Rama, Ángel. *La ciudad letrada*. Hanover: Ediciones del Norte, 1984.

Rich, Bernabe. *Straunge and Wonderfull Adventures of Don Simonides*. Londres: By Robert Walley, 1581.

Rich, Bernabe. *The Second Tome of the Trauailes and Aduentures of Don Simonides*. Londres: By Robert Wally, 1584.

Riva-Agüero, José de la. "Diego Mexía de Fernangil y la Segunda Parte de su *Parnaso Antártico*". En *Del Inca Garcilaso a Eguren*. Vol. 2 de *Obras completas*. Recopilación y notas de César Pacheco Vélez y Alberto Varillas Montenegro. Lima: Pontificia Universidad Católica del Perú, [1914] 1962. 107–63.

Rivers, Elias L. "Apuntes sobre la alabanza de la poesía en España y en América". En *Spanische Literatur. Literatur Europas*. Frank Baasner, ed. Tübingen: Max Niemeyer Verlag, 1996. 276–86.

Rojas Garcidueñas, José. *Bernardo de Balbuena. La vida y la obra*. México: UNAM, 1982.

Romualdo, Alejandro y Sebastián Salazar Bondy, eds. *Antología general de la poesía peruana. (Selección, prólogos y notas de...)*. Con una bibliografía de estudios generales y antologías del mismo tema por Alicia Tisnado. Lima: Librería Internacional del Perú, 1957.

Rostagni, Augusto. *Storia della letteratura latina*. 2 vols. Turín: Unione Tipografico-editrice Torinese, 1949-1952.

Sá Miranda, Francisco de. *Obras completas*. Vol. 1. Texto fixado, notas e prefácio pelo Prof. M. Rodrigues Lapa. Lisboa: Libreria Sá da Costa, editora, 1937.

Sabat-Rivers, Georgina. "Clarinda, María de Estrada y Sor Juana: imágenes poéticas de lo femenino". En *Essays on Cultural Identity in Colonial Latin America. Problems and Repercussions*. Ed. por Jan Lechner. Leiden: TCLA, 1988. 115–34.

-----. "Antes de Juana Inés: Clarinda y Amarilis, dos poetas del Perú colonial". *La Torre (Nueva Era)* I, 2 (1987): 275–87.

Sánchez, José. *Academias literarias del Siglo de Oro español*. Madrid: Gredos, 1961.

Schevill, Rudolph. *Ovid and the Renaissance in Spain*. Berkeley: University of California Press, 1913.

Tauro del Pino, Alberto. *Esquividad y gloria de la Academia Antártica*. Lima: Ediciones Huascarán, 1948.

Teijeiro Fuentes, Miguel Ángel "Introducción" a la *Selva de aventuras* de Jerónimo de Contreras (*v. supra*). V–XLV.

-----. "Prólogo" a la *Obra poética* de Núñez de Reinoso (*v. supra*). 7–78.

Vega, Lope de. *Arcadia* [1598]. Edición, introd. y notas de Edwin S. Morby. Madrid: Castalia, 1975.

Vilanova, Antonio. "El peregrino de amor en las *Soledades* de Góngora". En *Estudios dedicados a Menéndez Pidal*. Madrid: CSIC, 1952. Vol. 3, 421–62.

"DISCURSO EN LOOR DE LA POESÍA"

ESTUDIO Y EDICIÓN

A mi esposa

Prólogo
a la primera edición
(1964)

Las páginas que siguen son el resultado de una investigación acerca de lo que podríamos llamar, no sin inexactitud, las fuentes del "Discurso en loor de la poesía". Iniciada en Madrid durante los últimos meses de 1960 y concluida en Arequipa a comienzos del presente año, tiene para su autor el valor que todos asignamos –tal vez ingenuo orgullo– a nuestras obras primerizas.

Desde mis años de estudiante universitario, llamábame la atención que los tratadistas de nuestra literatura colonial se extrañaran, al unísono, de la vasta erudición que lucía la autora del "Discurso", y que ninguno se formulara seriamente una pregunta que me parecía lógica y necesaria: ¿de dónde extrajo la poetisa su caudaloso saber? Llamado a dictar en 1959 algunas clases del curso de Literatura Peruana en la Universidad de San Agustín, hube de contentarme con señalar, al respecto, la vigencia de Marco Tulio Cicerón, ciñéndome a lo brevemente expuesto por Alberto Tauro.

No era ésta, sin embargo, una respuesta que satisficiera con plenitud mi pregunta. Anotar el influjo de Cicerón sobre "El Discurso" suponía, ciertamente, parte de la contestación buscada, mas no la de mayor importancia[1]. Supuse entonces que si se hurgaba en las poéticas y preceptivas españolas de los siglos XVI y XVII sería dable encontrar una riquísima veta. Realicé este trabajo en España y dime cuenta que mi hipótesis era exacta.

En efecto: estudiando las obras de Sánchez en Lima, García Rengifo, López Pinciano, Carballo, etc., pude comprobar que entre éstas y el "Discurso" existían similitudes evidentes, algunas de las cuales podían significar un conocimiento directo de las primeras por parte

---

[1] La influencia de Cicerón es fundamental, pero Tauro no la ha rastreado en toda su amplitud. No era ésta, por lo demás, su intención.

de la *"señora principal d'este Reino", autora del "Discurso". El serio problema que supone distinguir entre un simple lugar común y una relación concreta, será materia del capítulo central de este libro.*

Por el momento baste observar que incluso si fuera imposible probar que nuestra autora conoció directamente tal o cual preceptiva española, la simple iluminación de analogías notables nos abre una amplísima perspectiva para el mejor conocimiento del "Discurso en loor de la poesía" y, en general, de todo el quehacer literario de la colonia.

Posteriormente creí oportuno ampliar el campo de investigación, abarcando dentro de él a autores españoles muy anteriores –Villena, Santillana, Enzina– y revisando nuevamente los textos clásicos de Platón, Aristóteles, Cicerón, Horacio y Quintiliano. Tal vez sean menos novedosas las conclusiones a que hemos arribado al respecto. En cambio no nos fue posible, por carecer en absoluto de bibliografía adecuada, atender a las poéticas italianas, pero no desesperamos de realizar esta investigación algún día, especialmente porque es casi seguro que la poetisa conociera las poéticas de Vida, Escalígero y Minturno[2].

Por otra parte, y completando así esta primera obra, consideré necesario elaborar algunos breves capítulos que hicieran las veces de marco a la investigación central, la ambientaran y sirvieran de complemento imprescindible. Tal el caso, por ejemplo, de las páginas dedicadas al tráfico de libros en la colonia, al problema del autor o autora del "Discurso", a los poetas citados en esta obra, etc. En este campo –es menester advertirlo de inmediato– nada o casi nada original habrá de encontrarse, pues me he limitado a ordenar ciertos datos ya conocidos y a interpretarlos, según mi criterio de verdad.

El libro concluye con una nueva edición del "Discurso en loor de la poesía". A más de ser la primera que mantiene la ortografía de la príncipe, va acompañada de anotaciones para su mejor inteligencia, en las que mucho nos hemos servido de las de Tauro, y para ejemplificar concretamente las analogías a que nos hemos referido en acápite anterior. Al comienzo de esta transcripción se encontrarán mayores detalles sobre sus características.

Finalmente, no puedo dejar de agradecer al doctor Jorge Puccinelli, Decano de la Facultad de Letras de la Universidad Nacional Mayor de San Marcos, quien, generosamente, auspició e hizo posible la edición de este trabajo. Su decidido apoyo a los profesores que nos iniciamos dice –y muy a las claras– del alto espíritu magisterial que

---

[2] *Además, accesoriamente, hemos recurrido a retóricas y poéticas medievales europeas, sirviéndonos, especialmente, de* Literatura europea y Edad Media latina *de Ernest Robert Curtius, libro que citaremos constantemente.*

honrosamente lo define. Gracias también a mis alumnos, señoritas María Aurora Espinoza y Silvia Loayza y señor Rodolfo Gonzales Wang, quienes colaboraron conmigo en la preparación de la Primera Parte de este libro, especialmente en el parágrafo 2 del Capítulo III. El señor Gonzales, además, ha corregido los originales de mi edición del "Discurso", confrontándolos con el ejemplar de la edición príncipe que guarda la Biblioteca Nacional. A su Director, el doctor Carlos Cueto Fernandini, mi agradecimiento por las facilidades prestadas en esta labor.

Si algún mérito reclamo para este libro primerizo es el de haber sido trabajado, todo él, con estricta seriedad.

PRIMERA PARTE
EL CONTEXTO

Capítulo primero

Tres notas preliminares

Para una mejor inteligencia y evaluación del "Discurso en loor de la poesía", nada más oportuno que intentar una ambientación del mismo, en orden al señalamiento de los rasgos fundamentales de su entorno. Ni novedad, ni erudición, ni profundidad; pero sí determinación de aquello que consideramos necesario anotar –brevemente– para evitar que prejuicios tradicionales enturbien nuestra investigación. Que nada dificulta más el acceso a la verdad que el encontrarse dentro de un complejo de saberes, algunos de los cuales con prestigio cuasi dogmático, basados en interpretaciones más o menos arbitrarias acerca de los méritos o vicios de una determinada realidad; en este caso, de la literatura virreinal peruana. Por lo demás, como queda advertido desde la primera página del libro, las presentes líneas no son, en general, más que síntesis de criterios ya expuestos por otros autores, organizados convenientemente de acuerdo a nuestros fines.

Tales las intenciones y límites de este capítulo.

1. La literatura colonial; juicios y prejuicios

No hay defecto que no se le haya encontrado a nuestra literatura colonial. De recopilar los juicios generales que sobre ella se han formulado, se organizaría –sin duda– una especie de antología del escarnio. Señalemos, al azar, algunos ejemplos:

De José de la Riva-Agüero:

> ¿A qué se reduce, pues, la literatura colonial? A sermones y versos igualmente infestados por el gongorismo[1] y por bajas adulaciones, y a la vasta pero indigesta erudición de León Pinelo, Espinosa Medrano, Menacho, Llano Zapata, Bermúdez de la Torre, Peralta y Bravo de Lagunas: literatura vacía y ceremoniosa, hinchada y áulica, literatura chinesca y bizantina, a la vez caduca e infantil, con todos los defectos de la niñez y de la decrepitud, interesante para el bibliófilo y el historiador, pero inútil y

---

[1] Es corriente considerar el gongorismo como "carácter general" de la literatura de la Colonia, lo que es grave error. Lo mismo que juzgar *a priori* que todo "gongorismo" es vicioso. Cf. *infra*.

repulsiva para el artista y para el poeta (Riva-Agüero, *Carácter de la literatura del Perú independiente* 15).

Es cierto que Riva-Agüero aplacaría luego su ira de juventud y rectificaría, aunque en pequeña parte, su declamatoria imprecación; mas incluso así, sólo se salvan el "Discurso en loor de la poesía", la "Epístola a Belardo", la *Cristiada* y la *Vida de Santa Rosa* (Riva-Agüero, *Carácter,* "Apéndice" 275 y ss.)[2].

De José Carlos Mariátegui:

> La mejor prueba de la irremediable mediocridad de la literatura de la Colonia la tenemos en que, después de Garcilaso, no ofrece ninguna original creación épica[3]. La temática de los literatos de la Colonia, es, generalmente, la misma de los literatos de España, y siendo repetición o continuación de ésta, se manifiesta siempre con retardo, por la distancia. El repertorio colonial se compone casi exclusivamente de títulos que a leguas acusan el eruditismo, el escolasticismo, el clasicismo trasnochado de los autores. Es un repertorio de rapsodias y ecos, si no de plagios (Mariátegui 52).

Mariátegui, antítesis ideológica de don José de la Riva-Agüero, se confunde con éste en la invectiva contra la literatura de la colonia.

De Luis Alberto Sánchez:

> Sólo Menéndez y Pelayo y Medina han llevado a cabo obra seria, concienzuda, erudita, sin escatimar esfuerzos, malgastando talento y energía en escudriñar libros insignificantes o soporíferos infolios, en hurgar aterradores archivos donde se halla reunido algo de lo más soso y difuso que ha producido el ingenio humano: nuestra literatura virreinal (Sánchez, *Los poetas de la colonia y de la revolución* 13).

El juicio de Sánchez corresponde, bueno es advertirlo, a su juventud –apenas veinte años–, pero dice claramente de la idea general que existe[4] sobre este período de nuestro proceso literario.

---

[2] En "El P. Diego de Hojeda y la *Cristiada*" (de 1935), Riva-Agüero afirma: "En 1905 mi apreciación de la *Cristiada* fue desabrida, displicente, casi irónica". Mas, pasados los años y templados los desconcertados ímpetus de la juventud, piensa que "el humilde y santo Padre Hojeda fue sin duda el mejor poeta colonial; y en la naturalidad del estilo, nobleza inafectada y decorosa llaneza en la narración no ha tenido después quien lo equipare" (Riva-Agüero, *Del Inca Garcilaso a Eguren* 65). Como se ve, la retractación es sólo parcial.

[3] No deja de ser curioso que la prueba de mediocridad de la literatura colonial sea, para Mariátegui, la ausencia de un gran poema épico. En este sentido el Siglo de Oro español, que tan parco fue en creaciones épicas, también sería mediocre.

[4] Felizmente se está superando en la actualidad este grave prejuicio. Y los mismos autores que cayeron en él parecen reaccionar en obras más recientes.

Bien puede observarse, pues, que no exagerábamos al presentar la aparición de una antología del escarnio y, probablemente no existe literato, escuela o época que haya recibido más contundente lluvia de azotes críticos: decrépita, adulona, plagiaria, difusa, sosa, mediocre, soporífera; tal es, entre otras cosas, la literatura del Virreinato del Perú.

Ni qué decir que la nota se ha extremado hasta límites punto menos que apocalípticos y que, por tanto, muchos errores han traspasado la poco sutil criba de tan amargos adjetivos. A decir verdad, la crítica ha caído en un lugar común, prejuicioso como tal, y no será fácil borrar tan unánime consenso, ni –lo que es peor– salvar de la picota a quien merezca salvarse.

Sobre todo –claro está– porque la literatura colonial no es un dechado de virtudes, como tampoco responde al negrísimo retrato que acabamos de contemplar. Es evidente, en cualquier caso, la muy escasa utilidad de juicios generales y vale más señalar, concretamente, los defectos o méritos de tal o cual obra, no como resultado de una personal manera de gustar y concebir la literatura, sino como conclusión de un estudio serio acerca de la estructura de los textos materia de crítica. Este es el sentido que conferimos al presente libro.

Cuando en realidad se haya estudiado este período, a través de numerosas y exhaustivas investigaciones monográficas, que ahora apenas si existen algunas pocas, se podrá –sólo entonces– hablar de él como conjunto y será dable, consiguientemente, señalar sus auténticos caracteres, y sus pecados o virtudes. Entonces la declamación, la crítica retórica, habrá perdido todo significado, y la seriedad sucederá a la grandilocuencia.

2. Coordenadas básicas de la literatura colonial

Sin embargo, será menester trazar algunas coordenadas que permitan localizar el "Discurso en loor de la poesía" dentro de su circunstancia literaria, desvirtuando –de paso– un equívoco que pudiera llamar a confusión.

Afirma Augusto Tamayo Vargas:

> Por eso consideramos que acertadamente Luis Alberto Sánchez, en su *Literatura peruana*, divide la influencia española de la conquista en dos momentos diversos: un primer momento popular con las expresiones de las coplas y de los cantares de campamento y un segundo momento erudito en que ya bajo la influencia de los letrados e hidalgos se produce el "reflejo del siglo de oro castellano", a que se refería Riva-Agüero. Efectivamente, existe esa doble oleada: primero de la soldadesca en su mayor parte iletrada y luego de funcionarios e hidalgos en busca de fortuna que

traen los giros italianizantes y la depuración castellana de la época de Fernando e Isabel (Tamayo Vargas, *Literatura peruana* I, 147).

Sucede, empero, que Luis Alberto Sánchez prefiere hablar no de "momentos" sino de "tendencias":

> Hubo, como tenía que ser, dos tendencias sociales y espirituales, diferentes y paralelas desde el comienzo. La una, soldadesca y campesina; burocrática y urbana, la otra (Sánchez, *La literatura peruana. Derrotero para una historia espiritual del Perú* II, 8).

De aquí, entonces, que no pueda sostenerse la sucesividad en el tiempo de las corrientes popular y culta, pues es claro que en el Perú, como en todo el mundo, tales tendencias actúan sincrónicamente, a la manera de fuerzas creadoras paralelas y semi-independientes. En efecto, la vena popular que se inicia simbólicamente con la coplilla de Segovia:

> Pues, señor gobernador,
> mírelo bien por entero
> que allá va el recogedor
> y acá queda el carnicero,

se prolonga a través de toda la época colonial, sea en forma de coplas de campamento, como las llama Sánchez, sea en romances o en sátiras virulentas y desenfadadas.

Casi al mismo tiempo, españoles cultos inician en su nuevo medio la creación de obras eruditas, de acuerdo a los cánones de la poesía del Renacimiento español, y hasta se traduce a Petrarca en 1591[5]. Entre 1570 y 1600 sitúa Tamayo (*Literatura peruana* I, 288) a los poetas de *El Marañón*, muchos de los cuales, con toda evidencia, se alejan radicalmente del populismo de las coplas y romances.

Afirmamos, por esto, que las tendencias popular y culta de la literatura colonial se inician a un mismo tiempo, pues si hay diferencia de algunos años entre los primeros testimonios de una y otra, es de tan menuda cuantía que nada significa para una visión general de la época. Y, sobre todo, es imposible seguir sosteniendo que a un tipo de creación popular sucede otro más bien culto (como si quisiera pensarse que aquél desaparece), puesto que la poesía del pueblo se mantiene intacta dentro de su cauce paralelo al de la erudita, académica o cortesana. Incluso ambas tendencias se desarrollan en la obra de un mismo autor, como bien puede comprobarse en Caviedes, por ejemplo.

---

[5] [Nota de J.A.M.: Se refiere A.C.P. a la traducción del *Canzoniere* de Petrarca hecha por el perulero lusitano Henrique Garcés y publicada en Madrid ese año bajo el título de *Los sonetos y canciones del poeta Francisco Petrarcha, que traduzia Henrique Garces de lengua Thoscana en Castellana*].

Pero así como las antedichas tendencias aparecen como fenómenos sincrónicos, paralelos en el tiempo, existen también –ahora sí– "momentos" en el proceso de nuestra literatura virreinal. De aquí que, frecuentemente, se divida esta época en un período clasicista y otro gongorino, que mejor sería llamar barroco. Claro es que resulta casi imposible fijar un límite entre la primera etapa y la segunda, pero bien puede servir de trazo aproximado el año de 1630, fecha en que el Padre Ayllón publica su *Poema de las fiestas que hizo el convento de San Francisco de Jesús de Lima, a la canonización de los veintitrés mártires del Japón*. En la transición de una a otra etapa, Aurelio Miró Quesada sitúa a Salcedo Villandrando. Afirma:

> Juan de Salcedo Villandrando estuvo vinculado con las dos grandes etapas literarias que se sucedieron en el Perú durante el primer siglo de nuestra vida virreinal: el período llamado clasicista, representado en este caso por Dávalos y Figueroa, y la posterior etapa culterana, que se acostumbra considerar que fue iniciada precisamente por el libro de Ayllón (cit. por Tauro, *Esquividad y gloria de la Academia Antártica* 159–60).

No tenemos por qué ocuparnos ahora en fijar las peculiaridades de ambos períodos, pero sí será oportuno observar que es menester de suma urgencia iniciar una reevaluación del gongorismo en el Perú, a la luz de los trabajos de Dámaso Alonso y de acuerdo a las nuevas ideas que, a partir de 1927, circulan acerca de la poesía de don Luis de Góngora y Argote. Pues –como nadie lo ignora ya– el nombre del poeta cordobés ha dejado de ser sinónimo de mero artificio, buscada cerrazón y refinado mal gusto. Y si sus seguidores –por no tener las alas del maestro– continúan en cuarentena, bien pudiera ser que alguno, como Espinosa y Medrano, merezca la pena de un nuevo estudio con mejores elementos de juicio.

Despréndese de lo anterior, y creemos que con toda evidencia, que la literatura de la Colonia se desliza dentro de dos coordenadas básicas. Una horizontal, formada por la tendencia culta y la tendencia popular, como eje sincrónico o de simultaneidades; y otra, vertical, expresada en los períodos clasicista y barroco, como eje diacrónico o de sucesividades.

No es lo anterior un descubrimiento, ciertamente. Pero sí supone una clara determinación de las estructuras básicas de la literatura virreinal y, por tanto, un instrumento apto para la mejor comprensión de la misma. Por el momento, y todavía en el plano de las evidencias, es claro que el "Discurso en loor de la poesía" inscríbese dentro de la tendencia culta y el período clasicista, extremo este último sobre el que abundaremos más adelante.

3. La vida intelectual en la colonia: el tráfico de libros

La "leyenda negra" de España tiene uno de sus más importantes capítulos en el problema de la evaluación de la cultura de sus colonias. Tradicionalmente se piensa que España intentó aislar sus dominios del tráfico de ideas, formando una especie de invernadero intelectual donde sólo se pudiera respirar un aire preparado, químicamente puro, libre de toda partícula de heterodoxia.

Dícese que tal intención se explica a través de dos grandes motivaciones: una política, destinada a mantener el dominio sobre América; y otra, de carácter religioso, destinada a preservar a los americanos (españoles, mestizos e indios) de los errores de toda herejía, especialmente del protestantismo.

En realidad, dada la idiosincrasia de España, y considerando la lucha de la Reconquista como raíz de este modo de ser, ambas razones se armonizan en un ideal de imperio católico, tal como lo canta Hernando de Acuña:

> Ya se acerca, Señor, o es ya llegada
> la Edad gloriosa en que promete el cielo
> una grey y un pastor solo en el suelo,
> por suerte a nuestro tiempo reservada.
>
> Ya tan alto principio en tal jornada
> os muestra el fin de vuestro santo celo
> y anuncia al mundo, para su consuelo,
> un Monarca, un Imperio y una Espada.
>
> Ya el orbe de la tierra siente en parte
> y espera en todo vuestra monarquía,
> conquistada por vos en justa guerra.
>
> Que a quien ha dado Cristo su estandarte
> dará el segundo más dichoso día
> en que vencido el mar, venza la tierra;

ideal que actúa en América de acuerdo al principio del dominio político como pago de la labor evangelizadora, del derecho de conquista y del deber de cuidar, por todos los medios posibles, la salud moral de los hombres y mujeres encomendados por Dios y su Iglesia a la Corona.

Si bien parece ser que la intención de España fue efectivamente la de mantener a sus colonias en una zona marginal con respecto a la vida intelectual de la época, tal comprobación tendría innegable importancia para juzgar la actitud de España y su papel en el desarrollo de la Cultura de Occidente, pero no serviría mayormente para probar, de hecho, que los dominios de ultramar estuvieron alejados de las tensiones culturales de entonces.

En efecto, se produce una confusión lamentable cuando se intenta deducir de la actitud de España, cualquiera que ésta fuere, la condición intelectual y artística de sus colonias. Porque bien pudiera suceder que una no concuerde con la otra, pues de intención a realidad hay siempre un largo trecho.

En el plano de las intenciones quiso imposibilitar el tráfico de libros profanos hacia la Colonia, elaborando al respecto una legislación marcadamente restrictiva. Y bastará citar algunas disposiciones reales para probar que efectivamente éste fue el espíritu de la legislación en referencia.

Vicente G. Quesada resume así la Ley 1, Título 24, Libro I de la *Recopilación de Indias*, fechada el 21 de septiembre de 1560:

> En las Indias Occidentales, islas y tierras firmes del mar océano, como oficialmente se las llamaba, se mandó que los jueces no consintieran ni permitieran que se imprimiese libro alguno que tratara de materias de Indias, sin especial y previa licencia del Consejo de las mismas, ordenándoles que mandasen recoger, con la mayor brevedad posible, todos los libros que se encontraran y prohibiéndose que librero alguno los vendiese ni imprimiese, so pena de 200.000 maravedíes y pérdida de la imprenta (Quesada 48–49).

El mismo autor sintetiza también la Ley 2, Título 24, Libro I de la mencionada *Recopilación*:

> Estaba prohibido mandar a las Indias libros impresos en España o en el extranjero que pertenezcan a materia de Indias, o traten de ellas, sin ser vistos y aprobados, por el Consejo (Quesada 56).

Ambas disposiciones legales, como fácilmente se desprende de su lectura, restringen el comercio de libros, tanto de importación-exportación, cuanto de impresión, en el caso que traten de asuntos relacionados a las propias colonias. Con ser gravísima esta valla, no tiene, sin embargo, un carácter general. A este extremo llegaría un decreto tal, firmado por la reina, cuyo texto reza así:

> Yo he seydo ynformada que se pasan a las Yndias muchos libros de Romance de ystorias vanas y de profanidad como son el amadis y otros desta calidad y por que este es mal exercicio para los yndios e cosa en que no es bien que se ocupen ni lean, por ende yo vos mando que de aquí adelante no consyntays ni deys lugar a persona alguna pasar a las yndias libros ningunos de ystorias y cosa profanas salvo tocante a la Religión xtiana e de virtud en que se exerciten y ocupen los dhos yndios y los otros pobladores de las dichas yndias por que a otra cosa no se ha de dar lugar. fecha en ocaña a quatro dias del mes de abril de mill e quinientos y treynta y un años. yo la Reyna (cit. por Leonard 18).

La legislación española estaba dirigida, pues, a frenar el tráfico de libros entre la Metrópoli y sus dominios americanos, dentro de un espíritu fuertemente inquisitorial, que inmiscuíase no sólo en el aspecto comercial y externo, sino –sobre todo– en la intimidad de cada quien, en sus lecturas y aficiones literarias.

Irving A. Leonard, empero, trata de distinguir entre lectores españoles avecindados en América y lectores indios, afirmando que las restricciones sólo eran aplicables a éstos, cuya preparación escasísima y notoria inmadurez los pintaban como presas ideales de todas las herejías y desviaciones. Los españoles, en cambio, tenían tanta libertad para leer como la hubieran tenido de permanecer en la Península.

Expresa Leonard al respecto:

> Una simple ojeada a esta serie de normas legales basta para comprender que el objeto primordial de los reyes no era impedir que leyesen obras de ficción los españoles y los criollos del Nuevo Mundo, sino los indios, cuya suerte estaba entregada a la custodia de la Corona por la Vía de la educación cristiana. Era indispensable, pues, que estos ingenuos súbditos no cayesen bajo la influencia de los escritos profanos ni las confundiesen con las obras sanas, tal era el sentido de la legislación prohibitiva, y no el perverso deseo de levantar murallas en torno a las sociedades ultramarinas, para que no les llegase ni la más pequeña luz del pensamiento europeo, como piensan tantos críticos (Leonard 82–83).

Básase Irving Leonard para afirmar lo precedente en la interpretación de dos leyes: la primera –un reglamento que el Rey Fernando dictó en 1506 para el mejor gobierno de las Indias, citado por Fernando de Montesinos en sus *Anales del Perú*– que ordena que "no se permitiera la venta de libros profanos, frívolos o inmorales, a fin de que los indios no se aficionasen a ellos" (Leonard 80), y, la segunda, el decreto real de 1531 cuyo texto hemos transcrito líneas arriba.

Si Montesinos está en lo cierto, tal como dice Leonard, el reglamento de 1506 sólo era aplicable a los indios, pues así lo da a saber explícitamente. En cambio el decreto de 1531 dice, a la letra, que la prohibición que contiene es aplicable a los "yndios e los otros pobladores de dichas yndias". Leonard, defendiendo su tesis, afirma con relación a este punto:

> Por supuesto, el término "otros habitantes" pudo haber incluido a españoles y criollos, pero también es posible que se aplicara más directamente a otro elemento nuevo y cada vez más numeroso de la población: los mestizos de español e india, para quienes se estaban abriendo escuelas (Leonard 83).

Además, y como último argumento, el autor que tratamos estudia el pliego de instrucciones que la reina entregó a Antonio de Mendoza, primer Virrey de México, con fecha 14 de julio de 1536. En dicho documento se insiste en advertir el peligro que suponen las lecturas de libros profanos para los indios, pero nada se dice ya de los "otros habitantes" (Leonard 83). Apenas si se expresa que se debe "procurar" que "los españoles no los tengan en sus casas" ni "permitan que indio alguno lea en ellos" (Leonard 81)[6], lo que equivale –según anota Leonard– a una recomendación a los españoles para que "no dejen rodando por su casa libros de ese género" (Leonard 83).

Al parecer la legislación española sobre el comercio y lectura de libros profanos abarcaba, con sus prohibiciones, a todos los habitantes de América. Las interpretaciones de Leonard –sin duda sagaces– no convencen cabalmente, pues si bien de los textos legales fluye una preocupación esencial –la de cuidar la salud moral de los indios– también se hace mención expresa de los españoles. Por lo demás, no hay evidencia de que cuando la ley alude a los "otros habitantes" de las Indias se quiera referir a los mestizos, como afirma el citado autor.

Fuere éste el espíritu de la legislación o fuera, más bien, como pensamos nosotros, el de englobar al común de los pobladores del Nuevo Mundo, lo cierto es que todas las leyes e instrucciones fueron, en la práctica, de notoria inutilidad. Hoy está demostrado, en efecto, que pese a las restricciones legales, América colonial fue un excelente mercado bibliográfico. Existió por muchos años, sin embargo, un consenso contrario, tal como lo señala el mismo Irving Leonard a través de citas de Francisco Icaza, Miguel L. Amunátegui, José Toribio Medina, Vicente Quesada, José M. Vergara y Carlos González Peña, los mismos que ocupan un largo período que va de 1878 a 1940 (Leonard 78–80).

La más significativa de estas citas es, probablemente, la de José Toribio Medina, tanto por su explicitez cuanto por ser origen, en gran parte, de todas las demás:

> Por mandato de los reyes de España se prohibió bajo las penas más severas que los colonos de América leyesen lo que se dio en llamar ociosos libros de ficción, poesías, novelas, dramas, etc. No había medio entre nosotros de deleitarse con la obra maestra del genio de Cervantes, no se podía leer ni a Lope de Vega, ni a Quevedo, ni a Moreto (cit. por Leonard 78).

En el extremo opuesto se encuentran, entre otros, José Eusebio Llano Zapata, José Torre Revello, Guillermo Furlong y el ya citado Irving A. Leonard.

Llano Zapata, en el siglo XVIII, escribía:

> Son sus bibliotecas los mejores tesoros que guarda Lima. Las públicas que yo he visto en Sevilla, que son las del señor Cardenal de Molina en el Colegio de San Acacio, la del señor Cardenal de Belluga en el Colegio de Santa María de Jesús, y la de San Pablo en el convento de la orden de

---

6 Inclúyese el texto completo de las instrucciones.

Predicadores, son muy diminutas en comparación a las de aquellos particulares. Esto no causará admiración al que contemplare que, así como (según los viajeros más verídicos y políticos más juiciosos) se han sepultado en el Mongol todas las riquezas de oro y plata de nuestras Indias, del mismo modo se han juntado en ellas (las bibliotecas americanas) los más singulares libros que venera la república de las Letras. Las ediciones de los elzevirios, grifios y stéfanos, que hoy apenas se encuentran en Europa, no hay baratillo, ropavejería o tendejón en nuestra América, principalmente en Lima, donde no se encuentren (cit. por Furlong 16–17[7]).

Torre Revello es más conciso:

Las obras impresas que eran leídas en la Península, se leían a la par en las Indias Occidentales (cit. por Furlong 20).

Y Guillermo Furlong comenta así la cita precedente:

Podemos ampliar el aserto del señor Torre Revello, afirmando que las obras impresas y leídas no sólo en la Península, España y Portugal, pero aun las impresas y leídas en Francia, Italia, en los Países Bajos y en Alemania (siempre que el idioma no fuera insalvable obstáculo) se leían a la par en Río de la Plata (Furlong 21).

Finalmente, en *Los libros del conquistador* de Leonard podemos leer:

[...] documentos existentes en España y en Ibero-América, los cuales prueban de una manera concluyente que durante todo el período colonial llegaron a América y circularon allí sin interrupción, grandes cantidades de libros de todos los géneros literarios (Leonard 78–79).

Tales documentos, que van desde contratos de flete marítimo, hasta infolios testamentarios, han sido ya publicados por Torre Revello, Furlong y Leonard, entre otros, demostrándose así que efectivamente el tráfico de libros entre Europa y América fue intenso durante la dominación española[8]. Compruébase, entonces, que es errado tratar de colegir de la legislación, interpretada como intención oficial del Estado español, la realidad de este tráfico y, en general, el nivel de cultura en América. Esta normación jurídica no fue, pues, acatada –como lo prueban adicionalmente, las múltiples requisitorias que las autoridades dirigieron a sus funcionarios, incitándolos a poner más celo en sus labores de aduana y censura– y,

---

7 Como apéndice VIII, el libro de Furlong (136–43) contiene la "Carta del autor al ilustrísimo señor don Cayetano Marcello de Agramonte, dignísimo arzobispo de Charcas" en "Las bibliotecas americanas a mediados del siglo XVIII", incluida en *Memorias histórico-físicas-apologéticas de la América Meridional que a la Majestad del Señor Don Carlos III dedica Don José Eusebio de Llano Zapata*, Cádiz, 1758.
8 Leonard incluye nueve documentos de singular importancia; Furlong transcribe siete. Torre Revello –cuya obra *El libro, la imprenta y el periodismo en América durante la dominación española* no me ha sido posible conseguir– incluye también numerosos documentos.

por tanto, la legislación "no pudo contener la avalancha de literatura popular que recorrió las colonias durante todo el período de la dominación española" (Leonard 88).

No es suficiente, empero, afirmar escuetamente que existió en realidad este comercio de libros. Debe quedar establecido, complementariamente, cuál fue su cuantía, qué preferencias literarias lo dirigieron y con qué prontitud o retardo ingresaban a las Indias las obras editadas en Europa, especialmente en la Metrópoli.

Es sabido que en los primeros años de la Colonia los embarques de libros se realizaban conforme al sistema general del comercio marítimo, aplicable a los impresos como a cualquier otra mercadería. De aquí que las notas de remisión –documentos importantísimos– sean por entonces de un laconismo exasperante, señalando el número de cajones en que se transportaban las obras, y sin hacer mención a sus títulos o características.

Sólo en 1550 se ordena que los embarques de libros con destino a América sean acompañados de una relación circunstanciada de su contenido, en un nuevo esfuerzo oficial por implantar una efectiva censura sobre el comercio de libros (cf. Leonard 95 y Quesada 62). Del cumplimiento de esta disposición hay documentos que datan de 1583 y gracias a ellos hoy nos es posible averiguar, siquiera en parte, las peculiaridades de tan importante comercio.

Sin embargo, aun con anterioridad a la ordenanza del año de 1550, existen aislados documentos que algo pueden aclarar al respecto. Así, por ejemplo, consta que don Pedro de Mendoza llevaba consigo volúmenes de Virgilio, Petrarca y Erasmo, de acuerdo a informaciones que se refieren a 1534; que Antonio de Mendoza llevó a México, también por esa misma época, una caja con doscientos libros, y que, en 1549, se embarcó a bordo de "La Magdalena" un lote de setenta y nueve libros, consignados por Alonso Cabezas, de Lima, a nombre de Pero Hortiz, vecino de Nombre de Dios (Leonard 90, 97; Furlong 23).

De tan aislados datos nada puede colegirse con respecto al volumen del tráfico de libros, especialmente porque cada embarque de "cajas" –que es lo que más aparece en los documentos– puede significar tanto diez como cien o más libros. Sin embargo, Irving Leonard afirma que "no es raro encontrar embarques de más de mil volúmenes" y que "hay uno despachado en febrero de 1601 con un total de diez mil libros" (Leonard 125), refiriéndose, evidentemente, a fletes más tardíos y posteriores a 1550[9].

---

[9] Para México en 1576 hay dos despachos, de 341 y 1190 libros respectivamente; y en relación a Lima, un pedido de 2,000 volúmenes que data de 1583.

Un justo sopeso de toda esta información nos lleva, pues, al convencimiento de que el caudal bibliográfico volcado hacia las Indias fue de proporciones considerables, sobre todo si se estima la población de la época y sus índices de analfabetismo. Vuelve a quedar en claro, entonces, que todas las trabas, limitaciones y restricciones legales pudieron poco ante la intensidad de este comercio, cuyas ganancias, al parecer fabulosas, presionaban fuertemente en favor de una mayor libertad, o al menos, de una notable laxitud en lo que atañe al cumplimiento de las ordenanzas de la Corona.

Anota Irving A. Leonard, por otra parte, que "los libreros sevillanos tenían a sus lectores de las Indias españolas al corriente de las últimas novedades editoriales, y que el tiempo que tardaban en difundirse las ideas de España en el Nuevo Mundo era mucho más corto de lo que en general se cree" (Leonard 96), afirmación que puede comprobarse mediante los siguientes datos puramente ejemplificatorios:

> La *Historia Imperial y Cesárea* de Pedro Mexía apareció en España en el transcurso de 1544 y en 1545 ya era enviada a América. En 1530 se envía un ejemplar de *Los siete sabios de Roma*, obra caballeresca que ese mismo año había salido de las prensas. El *Examen de Ingenios* de Huarte de San Juan, cuya edición príncipe data de 1581, era ampliamente conocido en la Lima de 1583. Es de todos conocido, finalmente, que en 1605 ya estaba en viaje hacia las Indias *El ingenioso hidalgo don Quijote de la Mancha*, que en ese mismo año había ya quien lo poseía en Lima y que en 1606 llegaron varios otros ejemplares de la misma obra (Leonard 96, 188 y 223–52).

Tal vez exagere Leonard al señalar que se hacían todos los esfuerzos, por parte de los libreros peninsulares, "para que no pasara el año sin que las novedades editoriales llegasen al público de ultramar, tan dispuesto a comprarlas a magníficos precios" (Leonard 117), pero lo cierto es que en América se podían encontrar prácticamente todas las obras que se leían en España, con casi ningún retraso en relación a su aparición en la Metrópoli. Fuera un año o más lo que demorara la llegada a las colonias de los libros peninsulares, es notorio que los pobladores de Indias no se encontraban tan aislados del mundo de las ideas como comúnmente se piensa, pues debe considerarse –además– que no sólo es cuestión de sumar meses o años entre una edición príncipe y su arribo a América, sino que es menester observar que la vigencia general de algunas obras claves coincide en los mercados de España y América, como puede comprobarse en los casos de *La Celestina*, *El Lazarillo de Tormes*, los libros de caballería y las novelas pastoriles, las obras de Garcilaso de la Vega, Fray Luis de León y Lope de Vega, por ejemplo.

Es justo anotar, por consiguiente, que entre España y sus dominios de ultramar existió un tráfico de impresos efectivo, caracterizado, además, por su importante volumen y por la prontitud de su trámite. Debemos advertir, por último, qué gustos y preferencias dirigían este negocio, para así poder esclarecer con mayor exactitud el tipo de influencia que sufrió la literatura virreinal.

Es evidente, por lo pronto, que un fuerte porcentaje de las obras que llegaban a América se relacionaban directamente con asuntos religiosos, incluyendo aquí apologías, tratados teológicos, devocionarios, libros hagiográficos, manuales de moral y numerosas Biblias. Existía para estas obras un buen mercado en el Nuevo Mundo, cuya población eclesiástica era ciertamente considerable.

Los documentos existentes prueban, además, que casi todos los despachos incluían libros de las más distintas disciplinas, desde tratados de ciencia náutica hasta filosofía, pasando por uno que otro libro de medicina y jurisprudencia. Todos estos aspectos no interesan para nuestros fines, pero —en cambio— es necesario que nos detengamos en el análisis de aquella parte del envío de libros que atañe directamente a la literatura.

Por lo pronto, en lo que se relaciona a la literatura griega, sabemos que en 1583 se solicitaban desde Lima "4 ulisea de omero en ochabo de pliego en tablas de papel y cueros de color"[10]; y que otros virreinatos pedían o recibían "5 Eluxias (Ulixea) de Homero, en romance, y griega, yn 8, a 5 reales" (México, 1576); "Obras de Aristóteles en siete tomos a 22 reales" (*idem*); "Opera Aristóteles, de Novi, en un tomo, yn folio" (*idem*); "Etica de Aristóteles con comento" (Sevilla [hacia Nueva España], 1600); "Platonis Opera omnia. En griego y latín. Con comento de Serrano" (*idem*); "Omero comentado por Espondano" (*idem*); "Las tragedias de Sofocles" (*idem*); "Las obras de Pindaro, comentadas por Juan Loniçero. En latin" (*idem*); etc., etc.

Infinitamente más numerosos son los datos referentes a la literatura latina. De Lima, en 1583, se pedían "50 Epístolas de tulio de las medianas y chicas en tablas de papel"; "25 epístolas de obido en tablas de papel y cuero de color"; y en 1606, otras "28 Epistolas de Siseron" y "Plinio, primera y segunda parte"[11]. En documentos que atañen a otras ciudades del Nuevo Mundo pueden leerse los nombres de Horacio, Valerio Máximo, Séneca, Lucano, Marcial (México, 1576; 21 de julio); Lucrecio, Silio Itálico, Catulo, Tibulo y Propercio, (Sevilla [hacia Nueva España], 1600); etc., etc. De un recuento general de todos los documentos del caso se colige, fácilmente, que Cicerón era el autor latino más solicitado en todo el territorio ame-

---

[10] Todas las citas que siguen están tomadas de los apéndices de *Los libros del conquistador*, por lo que simplemente anotamos el año y la ciudad a que alude el documento.

[11] Hay dos documentos fechados en Lima durante 1606, uno del 5 de junio y otro del 6 del mismo mes, ambos entre Miguel Méndez y Juan Sarria. El dato consta en el primero.

ricano, seguido de Virgilio, cuyas obras, en distintas ediciones, son anotadas en un solo documento hasta sumar 64 volúmenes (México, 1576, 22 de diciembre).

De literatura italiana son menos numerosos los datos que poseemos, pero no por esto dejan de ser significativos. En el documento limeño de 1583 se solicitan "6 horlando enamorado en pergamino". A otras ciudades: "Parto de la Virgen" y "arcadia de sasaro [Sannazaro]" (Manila, 1583); "Petrarca en ytaliano con anotaciones del Dolche", "Dante, poeta comentado. En ytaliano", "La Fiammeta, en Laberinto, Ameto, comedia de Boçaçio", "La flor de rrimas de poetas zelebres de Ytalia por Geronimo Rruçeli", "Petrarca, De prospera y adbersa fortuna", "Laberinto de Amor de Juan Bocasio y los Asolanos de Pedro Bembo", "Rime de Torquato Taso, quinta y sesta parte. En ytaliano", "Los sonetos de Petrarca. En Romance" (Sevilla [hacia Nueva España], 1600), etc., etc. Jacopo Sannazaro y Petrarca son, en este capítulo, los autores más leídos.

Naturalmente, la literatura española está profusamente representada en estos documentos. Citando sólo a autores de obras estrictamente literarias, tenemos que de Lima, en 1583, se pedían 12 ejemplares de *La Celestina*, 12 obras de Castillejo, 12 de *La Propaladia* de Torres Naharro y de *La vida de Lazarillo de Tormes*, 30 de Fray Luis de Granada, 6 comedias de Lope de Rueda, 6 de Garcilaso de la Vega y 6 de "todas las obras" de Fray Luis de León, a más de algunas novelas de caballería. De Lima también, pero en el año de 1613, datan contratos sobre las obras de Antonio de Guevara, el *Romancero General*; y en 1606 se acusa recibo de numerosísimas obras de Lope de Vega ("36 angelica... 14 Peregrino de su patria... 11 arcadia.... 1 rrimas de lope de vega... etc.), de 149 *Romanceros* en distintas ediciones (5 de junio), y, en ese mismo año, más obras de Lope de Vega, *La Araucana*, *Don Quijote*, *La vida de Lazarillo*, obras de Fray Luis de Granada y Fray Luis de León, etc., etc. (6 de junio).

Finalmente, nos interesa subrayar la presencia de algunas poéticas y preceptivas en estos despachos. Por lo pronto sabemos ya que en América se leía a Aristóteles, Cicerón y Horacio. Se encuentra, igualmente, las "Instituciones Oratorias" de Quintiliano (Sevilla [hacia Nueva España], 1600). Y también las poéticas italianas de Minturno y Escalígero (*idem*), así como la de García Rengifo (*idem*)[12], La *Retórica* de Arias Montano y la de Cipriano Suárez[13] y numerosísimos datos relacionados a las obras de Antonio de Nebrija en sus distintas ediciones (*idem*).

---

12 Y "Ditionario Poetico" que Leonard señala como la *Poética* de Rengifo. En 1771 se remataba en Buenos Aires, entre otros libros, el de Rengifo, y en 1772 aparece en una Biblioteca de Córdoba, Argentina (Furlong 60 y 66).
13 Prácticamente en todos los documentos.

Los datos precedentes tienen, sobre todo, un carácter meramente ejemplificatorio. Apenas hemos citado aquellos títulos que mayormente podían servir a nuestros fines, olvidando centenares de informes, ciertamente importantes, que sólo tangencialmente tenían que ver con el propósito de estas líneas. En cualquier caso, e incluso si hubiéramos decidido transcribir al detalle todos los documentos, la información siempre hubiera quedado incompleta, pues es evidente que miles de libros pasarían a América sin dejar rastro documental alguno de su arribo a nuestro continente.

Queda en claro, en todo caso, que el mercado bibliográfico de las Indias presentaba lo que llamaríamos un repertorio amplio, variado y novedoso, apto de ser utilizado por cualquiera en la labor de vivir a la par –o casi– con el movimiento literario español. El tópico del "retraso" cultural de América queda, entonces, y por lo menos en ese aspecto, esencialmente modificado. No porque supongamos ingenuamente que el Nuevo Mundo era un emporio de cultura siempre al día, sino porque ahora podemos decir que no eran tantas y tan esenciales sus lagunas de cultura, ni tan graves las limitaciones que la frenaban. Que si el servicio editorial no era deficiente, tampoco lo sería en extremo grado el ambiente cultural de entonces. En cualquier forma, ya no es necesario extrañarse cuando se encuentra una obra colonial que corre pareja con sus similares españolas.

De esta suerte, y en la medida de nuestras posibilidades, hemos tratado de cumplir con el propósito del presente capítulo: dibujar el entorno del "Discurso en loor de la poesía".

Capítulo segundo

El problema del autor

1. Alcances y límites del problema

Sin llegar a propiciar una "historia de la literatura sin nombres", como lo hace Wolfgang Kayser (*Interpretación y análisis de la obra literaria* 53)[1], es evidente que la actual ciencia de la literatura, para llamarla de alguna manera, caracterízase por conceder al texto una primacía absoluta sobre el contexto, entendiéndose por tal todo aquello que no está presente, de por sí, en la estructura lingüística de la obra. Puesto que el autor es parte del contexto, en cuanto la obra se independiza prontamente de él e inicia una vida autónoma, en calidad de espíritu objetivado plenariamente, los problemas que resultan de toda anonimia son ciertamente secundarios, salvo muy raras excepciones. Y no es tal el caso del "Discurso en loor de la poesía", evidentemente.

Un despreocupado historiador de la disciplina literaria podría considerar que esta nueva actitud no es más que una reacción dialéctica ante el extremo contrario, vale decir, ante los principios y prácticas de la crítica penúltima, construida sobre preocupaciones biográficas y circunstanciales. La verdad es que el movimiento pendular que suele dominar el itinerario del saber humano ha podido llevar a ciertas exageraciones, pero el principio antes anotado tiene validez sustancial en la ciencia de la literatura y no mera importancia histórica dentro de su proceso de desarrollo.

En efecto, el desconocimiento absoluto que sufrimos en relación a los autores de ciertas obras fundamentales y la nebulosidad que rodea a otras figuras igualmente importantes, no implican impedimentos para gozar de dichas obras, ni mellan su valor poético, como tampoco dificultan una apreciación crítica de las mismas. Esto es notorio. Pero hay más: la obra literaria, según anota el mismo Kayser, se conforma como una "estructura lingüística completa en sí misma" (7), lo cual indica que todo texto tiene un sentido propio –sentido formalizado– que lo sitúa en una dimensión casi absoluta,

---

[1] El autor posteriormente resta amplitud a su juicio primario.

al margen de las contingencias que lo hicieron posible y existente[2] y por sobre la circunstancia biográfica que pudo darle origen.

Anótese, complementariamente, que por "sentido formalizado" entendemos todo complejo expresivo que sólo es en cuanto dicho, de suerte que el tradicional concepto dicotómico (contenido como conjunto de ideas, afectos, voliciones, etc. que luego se traduce lingüísticamente en una forma), pierde validez en cuanto todo redúcese a una forma que es, en sí misma, significativa. Por esto es lícito afirmar, con Warren y Wellek, que la palabra literaria distínguese por su opacidad, esto es, por no ser un mero cristal que deja traslucir un "fondo", sino –contrariamente– como un objeto que atrae la atención sobre sí mismo (Warren y Wellek 32)[3]. Por esto también son extraordinariamente luminosas las siguientes palabras de Boris de Schloezer, referidas a la música, pero aplicables a la literatura en la medida en que sea poética: "Lo que hay en la obra de más íntimo, de más profundo, es su misma epidermis, su cuerpo, en el que se halla completamente encarnada su alma" (Schloezer 31). Adviértase, además, que todos los juicios precedentes aluden directamente a obras esencialmente poéticas, y con extrema a mediana laxitud a todo el resto de la literatura. Sirven, en todo caso, para justipreciar los problemas que nacen de la anonimia de textos literarios.

No está demás decir que el conocimiento de las circunstancias virtuales que dieron nacimiento a la obra permite, si se le usa con tino, disponer de instrumentos auxiliares de conocimiento. De ellos podrá colegirse, por ejemplo, qué vía de acceso a la obra tiene mayores posibilidades de certidumbre, qué derrotero puede tomarse para conocer lo que la obra tiene de esencial, etc. En cualquier caso, toda aproximación a la literatura que se base en elementos biográficos (como también históricos, sociológicos, psicológicos) tendrá siempre dos características negativas: su excentricidad y su parcialidad. Pues la obra literaria –dice Vossler– no es nunca un simple documento (aunque puede realizar sus veces), sino un "monumento", un documento de sí misma (Vossler, *Filosofía del lenguaje* 60; cf. además Reyes, *El deslinde*, esp. cap. 3 y, más concretamente, 145).

Siendo esto así, como creemos que lo es, entonces el laberinto de hipótesis construidas acerca del autor o autora del "Discurso en loor de la poesía" se tiñe, por así decirlo, de un claro matiz de inutilidad o, simplemente, de error en la perspectiva. Complementariamente, porque el "Discurso" es una obra hasta cierto punto "objetiva", de tono intelectual, más que una eclosión afectiva de raigambre lírica. De aquí que incluso si se aceptase la importancia del conocimiento

---

2 Contingente en un sentido esencial, no genético, como es evidente.
3 Sobre el fenómeno de la formalización, cf. Alonso, Amado, *Materia y forma en poesía*, especialmente los tres primeros ensayos.

del autor, en este caso concreto el problema resultaría siempre superfluo, porque nada nuevo se aportará el día que se sepa cómo se llamaba quien escribió nuestra obra. Ella seguirá siendo lo que es, significando lo que significa y valiendo lo que vale.

Sin embargo, y siempre con el afán de ambientar el estudio del "Discurso" en cuanto texto, reseñaremos las principales hipótesis que se han formulado acerca de este tema, intentando aprovecharlas –además– como instrumentos auxiliares de conocimiento, de acuerdo a lo afirmado líneas arriba.

2. El encanto de una tapada colonial

Casi todos los historiadores de la literatura peruana están de acuerdo en afirmar que el dato histórico sobre la identidad del autor o autora del "Discurso" es, en definitiva, algo secundario. Sin embargo, ninguno resiste la tentación de hurgar, concienzudamente o como al desgaire, en busca de ese dato que más de una esperanza ha concitado y más, por cierto, de un desengaño. Y es que la "tapada" de nuestra literatura incita al sortilegio, azuza el ingenio adivinador y, en suma, tienta con su impenetrable misterio y su romántica nebulosidad.

Para evitar un exceso de amplitud en este capítulo, y porque Alberto Tauro ha sintetizado ejemplarmente las distintas hipótesis que se han insinuado sobre nuestro tema, preferimos transcribir "in extenso" una de las conclusiones de *Esquividad y gloria de la Academia Antártica* del mencionado crítico, autoridad en el "Discurso" y Amarilis. Es la siguiente:

> Atraídos por la excelencia del "Discurso en loor de la poesía" y por el recato de su anónima autora, eruditos y críticos han formulado las siguientes hipótesis:
>
> a) Ricardo Palma: "superchería" de algún poeta que pretendió halagar a Diego Mexía y fue encubierto;
> b) Ventura García Calderón, Luis Alberto Sánchez y Ella Dunbar Temple: "superchería" de Diego Mexía o tal vez de Diego de Avalos y Figueroa;
> c) Carlos Wiesse, Carlos Prince y Phillip Ainsworth Means: "Clarinda", según la arbitraria denominación que le aplicara Ricardo Palma a fin de atribuir imperfección al presunto fingimiento de su femineidad[4];
> d) Javier Prado: "Clarisa", que posiblemente es una errada transcripción de "Clarinda";
> e) Augusto Tamayo Vargas: Sor Leonor de la Trinidad, persona verdadera que se ocultaría tras el anónimo primero, y luego bajo el seudónimo de Amarilis; y

---

[4] Aunque arbitraria, nosotros aprovechamos esta denominación para facilitarnos la exposición.

f) Marcelino Menéndez y Pelayo, José de la Riva Agüero y, en cierta manera, Ventura García Calderón y Luis Alberto Sánchez en sus más recientes pronunciamientos sobre el tema: admiten que no es posible develar el anónimo (Tauro, *Esquividad* 200).

Alberto Tauro, por su parte, admite que no se puede señalar el nombre de la poetisa, adscribiéndose así al apartado "f" de la cita anterior, pero se siente atraído por la hipótesis de Tamayo Vargas, aunque no la respalde. Dice:

> Pero no deja de ser sugestiva la tendencia a buscar una base biográfica, susceptible de ser rastreada en la "Epístola a Belardo" y en el "Discurso en loor de la poesía", y merced a la cual se pruebe la identidad entre Amarilis y la anónima (Tauro, *Esquividad* 41).

Consideramos, por nuestra parte, que no hay ninguna razón valedera para sostener que fue varón el autor del "Discurso", pues hay en su texto reiteradas alusiones a la condición femenina de quien lo escribiera. Que fuera mínima la preparación intelectual de las mujeres en el Virreinato y muy notable, en cambio, la erudición de nuestra poetisa, como algunos lo afirman siguiendo a don Ricardo Palma[5], no es prueba suficiente a favor de la masculinidad de Clarinda.

En efecto, no tiene más valor que el de una suposición el razonar que la escasa preparación intelectual de la mujer del Virreinato imposibilitaba, de hecho, el surgimiento de una poetisa. Es lógico pensar, en cambio, que también las damas tuvieron acceso al mundo de los libros, por lo menos a aquéllos que por su índole teórica se alejaban de las mal afamadas obras de ficción.

Además, y en contra de lo que muchos afirman, la mujer en la Lima colonial tenía posibilidades de instruirse en centros especialmente dispuestos para la enseñanza de jóvenes y niñas, como lo demuestra la creación, en el año 1562, del Colegio Santa María del Socorro (especial para niñas desvalidas), del colegio de Santa Cruz (especial para huérfanas) y la presencia de escuelas en casi todos los monasterios de Lima. Existía, además, el Colegio de San Andrés. Se prueba así que incluso las niñas pobres tenían acceso a la enseñanza (cf. Quesada 229 y 234).

Es cierto que tales centros de instrucción dedicáronse en lo esencial a la enseñanza religiosa y doméstica, pero no por ello puede creerse que se abstuvieron en absoluto de tratar algunas otras disciplinas. En el peor de los casos, las educandas recibirían

---

[5] Cf. el "Prólogo" de Ricardo Palma, ed., a *Flor de Academias y Diente del Parnaso*. Con muy ligeras variantes el mismo texto aparece, bajo el título "Las poetisas anónimas", en *Cachivaches* 95–102; y vuelve a aparecer en *Mis últimas tradiciones y Cachivachería* 297 y ss., no dentro de *Cachivachería*, sino en *Mis últimas tradiciones*.

lecciones de lenguaje y aritmética, despejándose así el prejuicio que Ricardo Palma sentó sobre las mujeres de la época, punto menos que analfabetas para nuestro ilustre escritor:

> La educación de la mujer, en el siglo XVII, era tan desatendida que ni en la capital del virreinato abundaban las damas que hubiesen aprendido a leer correctamente, y aun a éstas no se las consentía más lectura que la del *Año Cristiano* u otros libros devotos (Palma, *Cachivaches* 95–96).

Más aún: consta que damas de la Colonia dedicaron sus afanes a las artes, especialmente a la poesía, y en el Perú existió, por lo menos, una gran poetisa –Amarilis– de cuya femineidad casi nadie ha dudado. Y en el "Discurso en loor de la poesía" leemos los siguientes versos:

> i aun yo conozco en el Piru tres damas,
> que han dado en la Poesia heroicas muestras (vv. 458-459).

Javier Prado es muy explícito al respecto:

> [...] conventos de monjas, en donde cultivaban la rima religiosa y laudatoria algunas de ellas, como sor Rosa Corvalán, Sor Violante de Cisneros, Sor Josefa Bravo de Lagunas, de la Concepción de Lima; o la capuchina Sor María Juana, o la trinitaria Sor Juana Fuentes, o la Superiora de las Catalinas, Sor Juana de Herrera y Mendoza. Tampoco la hallaremos (la "natural y suave poesía" de los primeros tiempos) en los aristocráticos salones de doña Manuela de Orrantia, de la marquesa de Casa Calderón, versada en las lenguas eruditas, de doña Isabel de Orbea, y, en fin, de doña Manuela Carrillo de Andrade y Sotomayor, la poetisa culterana llamada por sus contemporáneos, la "limana musa" (Prado, *El genio de la lengua* 64)[6].

Y Vicente Quesada, aludiendo a México durante el siglo XVII, anota en su ya conocida obra:

> [...] no pocas poetisas [existieron en México], porque la mujer americana fue a las veces dedicada al culto de las bellas letras, sin menoscabo de las honestas atenciones que su sagrada misión de madre de familia le imponía: no pudo, en general, achacársele la proverbial ignorancia con que escritores extranjeros han querido hacerla pasar a la posteridad (Quesada 58–59).

Consta también que a las academias de entonces nunca dejaban de asistir damas, especies de musas, que concitaban los galanos versos de poetas cortesanos, cuando no intervenían en las justas poéticas con su femenil ingenio. Sabemos, por lo menos, y según lo dicho por el mismo Ricardo Palma, que a la academia del marqués de Castell-dos-Rius concurrían "las más aristocráticas señoras de la sociedad limeña" (Palma, ed., XV).

---

[6] Aunque los datos que Prado consigna son de época poco posterior al "Discurso", sirven para probar nuestro acierto.

Debe insistirse, pues, en que ninguna razón justifica el creer que fue varón el autor del "Discurso". Y es lógico pensar, en cambio, que Diego Mexía, al comienzo de cuyo *Parnaso Antártico* se encuentra nuestro poema, no mentía al afirmar que a ingenio de mujer se debía tal obra, concretamente a una "señora principal d'este Reino, mui versada en lengua Toscana, i Portuguesa", lamentando que "por cuyo mandamiento, i justos respetos" quedara su nombre en el olvido, tal vez para siempre.

Supuesto, entonces, que el "Discurso" es obra escrita por alguna dama, cabría preguntarse si fue nacida en España y avecindada luego en el Perú, o si, por el contrario, fue nacida y vecina del Perú, probablemente limeña.

Afirmaba Sánchez al respecto:

> De todos modos, si mujer fue la discutida "Clarinda", habrá que convenir en que era vieja y no peruana, y que había leído mucho a los clásicos (Sánchez, *Los poetas* 68).

En realidad es claro que no hay por qué preocuparse de la edad de nuestra poetisa, pues, además de no significar dato de interés, es siempre una descortesía adivinar los años de las damas... Puede ser de importancia, en cambio, tratar de determinar si fue peruana o española nuestra vieja o joven poetisa, que para estudiar las fuentes del "Discurso" podría ser útil saber si parte de su cultura la adquirió en España o si toda ella fue asimilada en el Nuevo Mundo.

Parécenos que Clarinda fue peruana y nos basamos, para así sostenerlo, en una comprobación simple: cuando un poeta elogiaba a su colega nacido en España, tenía siempre buen cuidado en dejar establecido este origen. Tal vez porque ya entonces se sentía la preeminencia del español puro sobre el español indiano. El propio "Discurso" nos da buena prueba.

Diego Mexía estampa de sí mismo: "natural de la ciudad de Seuilla, i residente en la de los Reyes, en los riquissimos Reinos del Piru"[7]. Por su parte, la anónima nos dice que Duarte Fernández era sevillano, mediante alusiones al Betis y a Luso (Guadalquivir-Sevilla y Portugal, respectivamente, vv. 526-534); que Sedeño era toledano, pues nos habla del Tajo (vv. 541-549); que Miguel Cabello era natural de Archidona (vv. 562-564); y, por último, que Ojeda y Gálvez eran sevillanos (vv. 577-579), con lo que queda demostrado que era costumbre aludir a la ciudad de origen de los poetas, extremo éste que podría reafirmarse recurriendo a la lectura de cualquier elogio de la época.

---

[7] [Nota de J.A.M.: Ver el título completo de la obra en la Bibliografía general].

Y de nuestra poetisa se dice, escuetamente, que era "señora principal d'este Reino", aludiéndose con ello al Perú y sin que se haga mención de su hipotético origen peninsular, como hubiera tenido que ocurrir de acuerdo a la costumbre, de ser española la anónima. En el soneto que Mexía escribe para retribuir los elogios que ha recibido de Clarinda llama a ésta: "deidad de nuestro polo", sin tampoco hacer ninguna otra mención. En todo caso, y ya que no hay prueba objetiva, parece mucho más acertado suponer que Clarinda fue peruana y no, como quiere Sánchez, española.

3. Amarilis: ¿autora de dos poemas?

Para el final de este capítulo hemos dejado un problema de indudable interés. Nos referimos a la tesis de Augusto Tamayo Vargas, quien pronúnciase a favor de la existencia de una sola autora para la "Epístola a Belardo" y el "Discurso en loor de la poesía". En una primera instancia completábase esta tesis con la afirmación de que la escritora sería sor Leonor de la Trinidad[8]. Esta última parte ha sido ya superada por el propio Tamayo, al parecer, pues en su última aportación al problema no alude para nada a dicha monja, manteniendo en cambio su idea central acerca de la existencia de una autora para ambos poemas (cf. Tamayo Vargas, "Amarilis: autora de dos poemas").

Sobre la parte central de su tesis, Augusto Tamayo ha escrito en su *Literatura peruana*:

> Muy pocos años han transcurrido, desde la primera composición que aparece en 1608 y la segunda que está considerada en *La Filomena* de Lope, conocida en 1621. Las dos poetisas vienen del convento. –¿No habían dicho Palma y Sánchez que los clásicos griegos estaban en "latín y en los conventos"? Si Amarilis –monja convicta y confesa– escribe en la misma época que Clarinda, cuyo anonimato no se rompió por especiales "respetos", y si el clasicismo resuena en ambos como dos notas de un mismo instrumento, –decía ya en *Apuntes para un estudio de la literatura peruana*– por qué no hablar de una autora, de una sola poetisa...? (Tamayo Vargas, *Literatura peruana* I, 262).

Y más adelante, en el mismo libro:

> El "nombre" de la autora no interesa mayormente. Quedémonos con Amarilis o Amarilis Indiana y estudiemos muy seriamente la posibilidad de identificación que señalaría la presencia de una sola gran poetisa

---

8 Tal se afirma en *Apuntes para un estudio de la literatura peruana* de Augusto Tamayo Vargas, opinión comentada por Alberto Tauro en *Esquividad* 38–41. Ventura García Calderón, en el "Prólogo" a *El apogeo de la literatura colonial* dice: "Fue sin duda su corresponsal (de D. Mexía, Sor Leonor de la Trinidad) persona cultísima, muy al tanto de mitologías poéticas. ¿No podría ser ésta una 'poetisa anónima'?" (García Calderón, "Prólogo" 12).

peruana, cuyos dos poemas son la más alta expresión de aquel momento de nuestra literatura, junto con *La Cristiada* de Hojeda y los *Comentarios Reales* de Garcilaso, el Inca (Tamayo Vargas, *Literatura peruana* I, 263).

Finalmente, en artículo aparecido a fines de 1962, cuyo título es ya suficientemente explícito: "Amarilis: autora de dos poemas", escribe:

Ambos (la "Epístola" y el "Discurso"), pienso, corresponden a una misma "señora principal de este reino", muy versada en lengua toscana y portuguesa, a más de la castellana, y no tiene por qué tener otra nominación que no sea la hermosa de Amarilis. Sería ésta la autora de los dos mejores poemas líricos del Perú de comienzos del siglo XVII (Tamayo Vargas, "Amarilis").

Ahora bien: ¿qué argumento presenta Tamayo Vargas para sostener su tesis? En realidad, a través de *Apuntes para un estudio de la literatura peruana*, de 1947; *Literatura peruana*, de 1953; y "Amarilis: autora de dos poemas", de 1962, Tamayo ha ido acumulando argumentos, algunos sumamente sugestivos, a favor de su hipótesis. Séanos permitido, en afán de claridad, analizar por separado los más importantes, comenzando por los que atañen a la forma.

En este sentido cabe señalar las siguientes frases:

Las palabras "dulce" y "dulzura" aparecen en total 13 veces en el poema ["Discurso"]. –Será del caso anotar que asimismo en la Silva de Amarilis "dulce", "dulcemente" y "dulzura" alcanzan 8 expresiones (Tamayo Vargas, *Literatura peruana* I, 254)[9].

Es de señalarse la igual profusión de algunos términos: "dulce", "cielo" y los verbos "decir", "ver", "poder", "querer" fuera de los usuales "ser", "tener", "haber", que adquieren asimismo iguales matices; y particularmente el verbo "dar", 55 veces en el "Discurso" y 9 en la "Epístola", que significa entrega y deseos de beneficio para otros; y no simplemente repetidos por escasez de vocabulario. Asimismo es interesante confrontar: "más que mi rustica se atreva" (Amarilis), "Hará mi lengua rustica memoria" (Clarinda) (Tamayo Vargas, *Literatura peruana* I, 257).

Se trata, pues, de análisis comparativos de carácter léxico, cuya capacidad probatoria depende del encuentro de peculiaridades muy concretas y saltantes, comunes a dos o más textos, y no de simples similitudes numéricas o generales, incapaces de actuar como indicios o pruebas en problemas de paternidad literaria. Y Tamayo Vargas utiliza en su argumentación, como es notorio, palabras no sintomáticas; vale decir, términos que por usuales y comunes (cielo, decir, querer, ser, tener, etc.) no permiten arriesgar ninguna hipótesis sobre la base de su presencia en dos poemas, aunque apa-

---

[9] Se insiste en este mismo argumento en el artículo de *El Comercio*.

rezcan profusamente. Señálase, por otra parte, que los verbos "ser", "tener" y "haber" muestran similares matices en la "Epístola" y en el "Discurso", pero hasta que no se demuestre qué matices son éstos –que no los hay según me parece– tampoco tienen eficacia probatoria. Veremos luego que un análisis verbal serio lleva a conclusiones completamente distintas. Nada puede afirmarse, ni a favor ni en contra, con fundamentos tan extraordinariamente genéricos, que las citadas son palabras absolutamente comunes y propias no de dos, sino de todos cuantos textos se lean.

Hay más exactitud en precisar, dentro del mismo método comparativo, lo que concierne a la palabra "dulce" y derivados. Se afirma, al respecto, que es sintomática la profusión de estas palabras, en ambos textos, pues en el "Discurso" se leen 13 veces sobre 808 versos y en la "Epístola a Belardo" 8 veces sobre 334 versos. Es engañosa esta similitud, sin embargo, porque tampoco la palabra en cuestión puede hacer las veces de indicio por ser parte del léxico normal de cualquier poema y porque las cifras sólo dan una paridad muy relativa: 1.59 % en el "Discurso" y 2.39 % en la "Epístola".

Expónese otra prueba de esta misma índole: el verbo "dar" aparece 55 veces en el poema de Clarinda y 9 veces en el de Amarilis, con sentido de "entrega y deseos de beneficio para otros". Hay aquí una mayor especificación, pues alúdese a una significación que se supone típica de ambos poemas y, consiguientemente, apta de ser considerada como prueba de que en realidad un autor produjo las dos obras. Pero no es así, en modo alguno. En el aspecto puramente estadístico se comprueba que la frecuencia en el "Discurso" es de nada menos que 6.80 % y en la "Epístola" de sólo 2.69 %, existiendo, pues, una enorme diferencia. Más aún: la significación de "dar" como "entrega y deseos de beneficio para otros" es casi tan vieja como la palabra misma, ésta aparece en 1140 y su derivado "dádiva", cuya significación es precisamente la que anota Tamayo, data de alrededor de 1184 (cf. Corominas, *Breve diccionario etimológico de la lengua castellana*), con lo que queda demostrado que desde entonces "dar" funcionaba en tal categoría semántica de manera normal, sin que sea buena probanza su aprovechamiento en dos poemas.

Acotaremos, finalmente, que la palabra "rústico" es común en las obras clásicas y que se encuentra relacionada, con frecuencia, al tópico de la falsa modestia[10], como precisamente sucede en el "Discurso" y la "Epístola", siendo igualmente imposible encontrar en esta coincidencia un índice de la presencia de un solo autor.

Formalmente, pues, no existen pruebas de que los poemas en referencia sean creación de un mismo ingenio. Hay, en cambio, una

---

[10] Cf. Curtius, Ernest Robert. *Literatura europea y Edad Media latina* I, 127–31, donde se estudia el origen y desarrollo del tópico en referencia.

certidumbre en contra, la misma que será tratada al terminar este capítulo.

Pero Augusto Tamayo Vargas tiene, además, otra serie de argumentos importantes:

> El dato peruano se halla presente en ambos poemas. En uno ("Epístola") a través del conocimiento de los poetas "peruanos" de entonces (Tamayo Vargas, *Literatura peruana* I, 258–59).

> En ambos poemas la autora da a entender que reside en el Perú, en una ("Epístola") por las señales geográficas que muestra; en el otro ("Discurso") por los componentes de la Academia Antártica –establecida en Lima– de quienes con tanto conocimiento y amistad se refiere (Tamayo Vargas, "Amarilis").

Habrá que advertir al respecto que, precisamente, el "dato peruano" distingue nítidamente ambos poemas, porque en el de Amarilis se abunda en alusiones histórico-geográficas referentes a Huánuco sin mencionar para nada a los poetas del Perú, mientras que en el de Clarinda se habla en extenso de los poetas y apenas si se alude a Lima de pasada. El "dato peruano" es, pues, distinto en los textos en cuestión y el hecho de que aparezca en ambos, genéricamente, no prueba absolutamente nada. Creo que todos los poemas coloniales tienen, de una u otra forma, referencias a su condición antártica.

Tamayo Vargas expone otra serie de breves argumentos:

> Ambas poesías [...] son de origen conventual (Tamayo Vargas, *Literatura peruana* I, 258).

> Muy pocos años han transcurrido, desde la primera composición que aparece en 1608 y la segunda que está considerada en *La Filomena* de Lope, conocida en 1621 (Tamayo Vargas, *Literatura peruana* I, 262).

> Para ambas los contemporáneos cumplieron silenciosamente el mandato de la no identificación (Tamayo Vargas, "Amarilis").

Efectivamente, parece ser que los dos poemas tienen origen conventual. Es casi seguro en el caso de Amarilis, aunque Luis Alberto Sánchez acaba de negarlo:

> Con todo, y a pique de parecer contradictorio, apuntaré que Amarilis, si mujer fue, no tuvo nada de monja, como creyeron Menéndez y Pelayo, Medina, Palma, García Calderón; sino que fue mujer de mundo, creyente eso sí en Dios y en Jesucristo y muy piadosa (Sánchez, *Amarilis. Un pespunte* 3).

Y es probable en el caso de Clarinda, pese a que en el "Discurso" no hay ninguna referencia al estado religioso de su autora. Pero nada puede colegirse de esta igualdad de estado, porque justamente no era extraño en la época —ni mucho menos— el que las mujeres ingresaran al convento y, por tanto, nada indica que fuera posible la existencia casi simultánea de dos monjas poetisas, o muchas más. Que el mismo Tamayo muéstrase de acuerdo en aquello de que la cultura colonial estaba "en latín y en los conventos".

Es exacto, por otra parte, que no es mucha la diferencia cronológica que separa ambos poemas. No es lógico, empero, suponer que en esos años sólo una mujer estuviera en condiciones de versificar.

Es cierto, por último, que el anonimato fue celosamente guardado. Es claro, sin embargo, lo que nada puede derivarse de tal similitud, como tampoco de la conjunción de esta serie de tres argumentos.

Desde otro ángulo, Augusto Tamayo Vargas expresa que en la "Epístola" hay "aficiones mitológicas similares a las del 'Discurso' y a los otros poemas clasicistas" (*Literatura peruana* I, 255), pero que en aquélla la erudición está "limitada", mientras que en éste "se le deja correr" en libertad (Tamayo Vargas, "Amarilis").

En este sentido, sin embargo, la diferencia es clarísima: en el "Discurso" las alusiones mitológicas, así como las referencias al mundo clásico en general, son muchísimo más numerosas que en la "Epístola". Y no es sólo que en uno la erudición ande suelta y limada en el otro, como cree Tamayo, sino que Clarinda hace gala de su conocimiento y lo despliega cuantas veces puede y lo aprovecha continuamente como recurso para elevarse a un "lenguaje poético", mientras que Amarilis lo aprovecha en escasos momentos, con mesura, sin ese regusto de su colega y, tal vez, con menos seguridad y desenfado.

Pero hay algo más importante: Amarilis alude a los siguientes aspectos de la cultura clásica, incluyendo cuestiones mitológicas: Apolo, Atlante, Tebas, Pindos, Aristarco, Baco, Alcides, Neptuno, Tasso y las Musas. La lista, como se ve, incluye un escritor clásico: Aristarco, y da la casualidad que precisamente él no es nombrado en el "Discurso", pese a que en sus versos se cita más de una decena de poetas y escritores grecolatinos. A Apolo se alude en la "Epístola" a través del mito de Dafne y éste no es tratado en el "Discurso", aun cuando son numerosísimas las alusiones a Apolo. Tampoco en el poema de Clarinda se lee nada de Neptuno y a Baco se le llama Bromio, nombre éste que no usa Amarilis. Así, sólo coinciden las alusiones a Tasso, Tebas, Pindos, Alcides y las Musas, las cuales pertenecen al caudal típico de la época y, por tanto, no constituyen semejanzas probatorias de la tesis de Tamayo, como él mismo lo afirma en otra ocasión:

> Cheesman da excepcional importancia a la similitud de referencias a Tebas, Orfeo y Apolo entre el soneto de Arriaga y el "Discurso" de la Anónima para sugerir que tal vez aquél sea el autor del poema en "loor de la poesía". Pero si repasamos por todos y cada uno de los poetas

veremos que los mismos temas asoman en ellos (Tamayo Vargas, *Literatura peruana* I, 250).

Que es, precisamente, lo que nosotros afirmamos. Por otra parte, Clarinda no demuestra un conocimiento amplio de la geografía mítico-científica de su época, pues apenas si habla de los ríos Betis, Tajo, Polaco y Mauro; mientras que Amarilis ocupa toda una estan-cia de su silva en referencias de esta índole: Arabias, Cambaya, Cefala, Mar Rojo, Rarsinga, Ceylanes, etc., etc.[11].

Los argumentos hasta aquí reseñados son, dentro de la tesis general de Augusto Tamayo Vargas, menos importantes que el que se expone luego. Este es, por tanto, el centro donde parece gravitar el pensamiento del citado autor. Es necesario conocerlo en todos y cada uno de sus aspectos.

Transcribimos al detalle los textos pertinentes:

Si al parecer hubiera dos caminos distintos: la nota "intelectiva" del "Discurso" y la marcadamente "sensible" de la "Epístola", esto no es, ni en mucho, muestra de dos manos diferentes, sino por el contrario parecen indicar una misma experta pluma que ataca el tema, desde dos ángulos –que se complementan– y siguiendo un igual plan (Tamayo Vargas, *Literatura peruana* I, 257).

Ambos poemas centralizan al "amado", al poeta a quien se dirigen como expositores de un lenguaje sublime, y que son un retruécano de la "dama medieval trovadoresca", el "amante ideal" a quien no se pretende materialmente, sino a quien se desea tener al lado en el goce mismo de Dios, más allá de la vida (*ibidem*).

Al igual que en Clarinda es éste (el de Amarilis) amor por la poesía. El poeta sublimado no es sino un vehículo de expresión poética. Amarilis buscará la poesía de los labios de Belardo, del poeta que en la gloria, "en santo amor" gozará. El es productor de "conceptos bellos" y tiene una entonación dulce y un "estilo milagroso". Por él su palabra llegará a la Verdad y ella que tiene el "gusto y el consuelo" puestos en dulce coloquio con el cielo, lo incita a producir poesía por Santa Dorotea, como manera de alabar a Dios, supremo don. Y aquí, una vez más, se confunden ambos mensajes poéticos, porque la "señora principal d'este reino" invita también a componer poesía en homenaje a Dios, ya que aquella "dama es ilustre cuanto bella", cuando se compone en homenaje de "su Dios" (Tamayo Vargas, *Literatura peruana* I, 258).

He aquí los principales motivos de ambos poemas: una exaltación del poeta, que corresponde a una exaltación de la poesía para el cumplimiento del círculo neoplatónico de reverter hacia Dios el amor que éste nos ha insuflado. Y si el "Discurso" es un poema que prologa las *Heroidas* o sea las cartas que Ovidio pone como compuestas por las heroínas de la leyenda para los héroes de la misma, ¡qué otra cosa que una carta

---

[11] Nos servimos de la edición de la "Epístola" de García Calderón en *El Apogeo de la literatura colonial*. La estrofa en referencia: pág. 47.

más de Ovidio –bajo su inspiración y tema– es la "Epístola de Amarilis a Belardo"! Ambos poemas están bajo el signo ovidiano a todas luces. El "Discurso" provocó la composición de la "Epístola" (Tamayo Vargas, "Amarilis").

El argumento en cuestión, aunque complejo, es unitario. Permítasenos, sin embargo, y por razones expositivas, analizarlo en sus elementos más importantes.

Por lo pronto, Tamayo afirma que el "Discurso" y la "Epístola" tienen igual tema e igual plan, a la vez que reconoce que uno es intelectivo y el otro sensible –afectivo, mejor sería decir–. Pero, ¿cuál es ese mismo tema? Dícenos Tamayo que es el amor al poeta, que deviene en amor a la poesía y culmina en una dimensión divina al propiciarse una poesía de índole religiosa.

Parécenos que en modo alguno este planteamiento es común a los dos poemas. En efecto, el "Discurso" no deja traslucir en ningún momento dicho amor por el poeta, en este caso, por Diego Mexía. Los versos que cita Tamayo:

> Si tu eres mi Parnaso, tu mi Apolo
> ....
>
> Eres el Delio, el Sol, el Febo santo;
> sè, pues, mi Febo, Sol y Delio solo
> ....
>
> Febada tuya soy[...]
> ....
>
> Y pues eres mi Delio, ten la rienda
> al curso con que buelas por la cumbre
> de tu esfera, i mi voz i mi metro enmienda
> para que dinos queden de tu lumbre[,]

son otras tantas expresiones de admiración por las virtudes poéticas de Mexía, pero no palabras de amor por él. Que todos los nombres que le asigna –Delio, Sol, Febo– son alusiones a Apolo, dios de la poesía. Y no hay manera de entender en ellos aquel rendimiento amoroso que sí captamos –luminosamente– en Amarilis:

> Y tendré gran culpa
> si el amarte sin verte, fuera culpa [...]
> ....
>
> Y Amor, que nunca tuvo paz conmigo,
> te me representó parte por parte [...]
> ....
>
> Finalmente, Belardo, yo te ofrezco,
> un alma pura a tu valor rendida [...]
> ....
>
> Pero si he parecídote atrevida
> a lo menos parézcate rendida,

> que fines desiguales
> Amor los hace con su fuerza iguales [...]

En Clarinda, entonces, hay admiración –encendidísima– por Mexía[12]; en Amarilis hay amor –encendidísimo– por Lope de Vega. Que sea éste lo que comúnmente llámase "platónico", y que, además, se traslade al plano divino en ansias de comunión ante Dios, no quita que el sentido último de la "Epístola" sea, en verdad, de un depurado erotismo, en el mejor de los sentidos de esta palabra.

Precisamente, Clarinda no se eleva hasta esta altura y su relación con Mexía queda en el plano terreno de la admiración, sin encumbrarse hasta la cima de Amarilis, porque no parten de un mismo punto, como acabamos de verlo. Así, el "tema" del "Discurso" no puede ser centrado en el amor del poeta, como sí puede y debe serlo en la "Epístola".

Por otra parte, es exacto que el amor al poeta deviene en amor a la poesía en el caso de Amarilis, mas no en el de Clarinda. Esta recorre el camino inverso: puesto que ama a la poesía, y a ella canta en loor, admira a los poetas, a todos los buenos poetas, y especialmente, al mejor de ellos: Mexía. Consideramos evidente que el centro de la poesía de la de Huánuco es Lope, como hombre y como poeta, a quien ama; y de la inspiración de Clarinda, la poesía, don de Dios, virtud excelentísima, compendio de artes y ciencias.

Además, tampoco es exacto pensar que en ambas obras la poesía adquiere una dimensión religiosa. Amarilis pretende que Lope escriba versos religiosos –en homenaje a Santa Dorotea– y, por ello, alaba este tipo de poesía. Clarinda, en cambio, asume una postura mucho más radical: elogia las obras religiosas –es cierto–, pero piensa que la poesía deviene de Dios y que Dios la inspira a los hombres. Es, pues, muy distinto propender a que alguien escriba un poema hagiográfico, a sostener que la poesía en general tiene su fuente única en la divinidad.

Igualmente es extraño que se piense que la "Epístola" y el "Discurso" están bajo el signo de Ovidio. Por lo menos en lo que atañe al último esto es, en absoluto, falso. ¿No es excesivamente simplista calificar una obra de ovidiana porque aparece a manera de prólogo a una traducción del poeta latino sin que –por lo demás– se haga siquiera una alusión a esta circunstancia?[13]. En verdad, el "Discurso" nada tiene que ver con las *Heroidas*, salvo el accidente

---

[12] Adviértase que Tamayo esgrime entre sus pruebas el verso de Clarinda "soy mariposa y temo al fuego" que supone dedicado a Mexía cuando en realidad es a Pérez Ángel. Por lo demás, el relacionar a Apolo con el poeta elogiado es un recurso que la poetisa utiliza como alabanza casi general para todos los poetas que nombra.

[13] "A manera de prólogo": en realidad, el "Discurso" es un elogio al traductor y no "prologa", en sentido estricto, el poema de Ovidio.

de haber aparecido en un mismo volumen. Y la "Epístola", aunque no podamos afirmarlo tajantemente, es probable que tampoco esté en la línea del mencionado clásico.

Sostenemos, en suma, que entre el "Discurso" y la "Epístola", no hay una sola coincidencia apreciable que permita pensar, con un mínimo de rigor, que ambos poemas fueron producto de una misma autora. Es notorio, como acabamos de apreciarlo, que existen similitudes secundarias, pero éstas –siempre– son excesivamente generales, de carácter marcadamente tópico, y nada prueban ni de por sí ni en relación con otras coincidencias semejantes. El "Discurso" y la "Epístola", sobre todo, son expresiones distintas de distintos espíritus, el uno ocupado en loar a la poesía y ensalzarla, para lo cual se adentra con paso firme en la teoría literaria de entonces; y la otra, mucho más modesta en su dimensión teórica, pero de inspiración más genuina, más constante, más poética, preocupada por un amor altísimo, y entregado a la delicia de un afecto casi sobrehumano.

Pero hay más: en una tesis presentada en 1960 a la Facultad de Letras de la Universidad Nacional de San Agustín de Arequipa, José Augusto Garaycochea (cf. Bibliog.) prueba, mediante métodos rigurosos, la imposibilidad de que nuestros poemas provengan de una misma pluma. Garaycochea aprovecha el método de los índices verbales expuesto por Criado de Val (cf. Bibliog.) y analiza, consecuentemente, las modalidades que aparecen en cada texto en lo que atañe al uso del verbo, específicamente del modo subjuntivo.

En consideración a la importancia de esta tesis, verdadero ejemplo de investigación universitaria, y dado que no es conocida más que por un reducido grupo de catedráticos de San Agustín, insertamos a continuación las conclusiones que interesan a nuestros fines:

6.- La forma "amara" es utilizada por Clarinda 13 veces a lo largo de 808 versos. Su significado tiene un mayor valor hipotético orientado al futuro. También se le usa con valor condicional y, en menor escala, como ponderativo, subjuntivo común y desiderativo.

Se combina, preferentemente, así: Infinitivo - Imperfecto en -ra, llevando el primero un sufijo pronominal. También es común la combinación: Imperfecto en -ra - Imperfecto en -ra. En menor número interviene un presente indicativo y, también en un solo caso, un pretérito indicativo.

7.- Amarilis emplea la forma "amara" 12 veces en 335 versos. Hay un mayor número de ejemplos con valor condicional, interviniendo, algunas veces, la partícula "si". Es igualmente importante la utilizaión como forma desiderativa, empeando siempre el verbo "querer" (quisiera, quiera). Usos menores: hipotético futuro, pronderativo, subordinado a tiempos no pasados.

Se combina, sobre todo, con un infinitivo pero en sentido inverso al empleado por Clarinda: Imperfecto en -ra -Infinitivo. Este no lleva sufijo pronominal. Varias veces encuentra el "amara" independiente; más raramente va unido con un futuro hipotético y sólo una vez con otro imperfecto en -ra.

8.- Clarinda utiliza el "amase" 11 veces; generalmente como subjuntivo común, es decir, su forma más corriente. Desbordando su sentido normal es empleado para sustituir al "amara" como hipotético con matiz de futuro, como ponderativo y como comparativo, siendo aquí introducido por la frase "como si".

Se combina integrando siempre el segundo término oracional. Lo hace en bastante cantidad con un pretérito indicativo que influye en tres, dos o uno imperfectos en -se. También un pluscuamperfecto de indicativo combina a tres "amase". Otras combinaciones se realizan con gerundio y con infinitivo.

9.- Amarilis no utiliza el imperfecto en -se sustituyéndolo por el "amara" al que da, algunas veces, tono de subjuntivo común.

10.- En el "Discurso en loor de la poesía" encontramos 6 ejemplos de futuro hipotético. Con este carácter se le usa siempre. Sólo se le combina con un futuro indicativo que es el del Verbo "ser" (será). A veces el será introduce a dos "amare".

11.- La "Epístola a Belardo" tiene 6 futuros hipotéticos. Se le emplea como tal, pero con cierta propia característica que le da un tono condicional.

Se combina sólo una vez con un futuro indicativo y otra con un imperfecto en -ra; pero las más de las veces en forma independiente. Aquí marca una rotunda diferencia con los usos que le da Clarinda que sigue la regla gramatical general.

12.- Dos veces utiliza Clarinda el condicional y siempre con valor de obligación en el pasado.

Se combina con un pluscuamperfecto de indicativo y con un gerundio. En ambos casos es influenciado de manera tan opuesta a su propio valor de probabilidad, que llega a conformar una afirmación; lo que nos hace ver su empleo con su valor más antiguo de obligación en el pasado.

13.- Amarilis no utiliza el condicional, pero, en cambio, juega con las otras formas subjuntivas para poder reemplazarlo.

14.- Sólo una vez utiliza Clarinda una forma compuesta que es "hubieran dado" con valor hipotético de pasado.
Amarilis no utiliza formas perfectas.

15.- Ni Clarinda ni Amarilis usan las formas Perfecto en -se, Futuro Perfecto en -re, condicional compuesto.

16.- La conclusión evidente en relación con el problema de autoría que venimos tratando, es la de no poder ser un solo autor quien haya escrito el "Discurso en loor de la poesía" y la "Epístola a Belardo". Las distintas formas subjuntivas utilizadas y las maneras antagónicas como las emplean, nos lo demuestran (Garaycochea 102-04).

No resta sino explicitar nuestra concordancia con las conclusiones de José Augusto Garaycochea. Y, por tanto, insistir en nuestra afirmación primaria: la "Epístola a Belardo" y el "Discurso en loor de la poesía" son obras de distintas autoras. En el caso del "Discurso", parécenos que no hay por qué negar la femineidad de quien

lo escribiera, pudiendo colegirse que fue una dama –tal vez monja–
nacida en el Perú, cuyo nombre y circunstancias biográficas no
pueden, por ahora, precisarse.

SEGUNDA PARTE
EL TEXTO. ESTUDIO

Capítulo tercero

Estructura temático-formal del "Discurso en loor de la poesía"

Aunque enemigos de actuar cognoscitivamente sobre la literatura de acuerdo a la tradición didáctica de parcelar toda obra en forma y contenido, no nos queda más camino que aprovechar tan simple esquema para estudiar el "Discurso en loor de la poesía", pues corresponde, con toda notoriedad, a un cierto tipo de literatura en el cual es efectiva la separación de lo que se dice y su revestimiento lingüístico, en la medida precisa en que se aleja de la poesía genuina donde sólo hay una forma significativa, según hemos tenido oportunidad de afirmarlo en el capítulo anterior[1].

1. Estructura temática del "Discurso"

El "Discurso" es, como su título nos lo dice, un elogio de la poesía. No una poética ni una preceptiva, aunque de aquélla tenga algo al dedicarse, para probar la justicia de su loanza, a especulaciones teóricas sobre el origen, funciones, caracteres e historia de la poesía. Su organización es simple, casi lineal, y está regida por los principios retóricos de Cicerón, según lo afirma Alberto Tauro (*Esquividad* 107). Se desarrolla, además, de acuerdo al sistema tópico de los elogios de las artes. Escribe Robert Curtius al respecto:

> He aquí (en *De la Música* de Plutarco) un modelo *laudatio* de un arte. Su tópica abarca los siguientes puntos: 1) inventores humanos y divinos del arte; 2) utilidad moral y política de éste; 3) el conocimiento enciclopédico y la filosofía como presupuestos del arte, 4) catálogo de héroes (Curtius II, 761).

Todos estos tópicos aparecen en el "Discurso" con exacta nitidez, y hasta con igual ordenamiento, como también pueden leerse en el *Panegyrico por la poesía*, anónimo sevillano de 1627, que lamentablemente no me ha sido posible conocer; en la Introducción de Alonso de Valdés a las *Diversas rimas* de Espinel, edición de Madrid, 1591; en la "Qüestión sobre el honor debido a la poesía" de

---

[1] No significa que el "Discurso" sea mala poesía. Simplemente que no alcanza ese grado de pureza poética que es patrimonio de la lírica, caracterizada –para nosotros– por esa fusión absoluta de fondo y forma.

Lope de Vega (Curtius II, 760–75)[2]. Y, finalmente, en casi todas las poéticas españolas que habremos de analizar con detenimiento en el próximo capítulo.

El "Discurso" comienza, siguiendo los cánones clásicos, con una invocación a Apolo, dios de la poesía, para que otorgue a la autora la inspiración necesaria a sus deseos de loar y defender a la poesía. Alúdese, en seguida, a los seres míticos que gozaron de sobrehumano poder gracias a su canto, haciéndose especial mención –por cierto– a Orfeo y Anfión. En realidad, la invocación de nuestra poetisa proyéctase hacia cuantas fuentes de inspiración conoce: Ninfas (que para ella son del Sur), Pimpleides, Agua Medusea, Fuente de Hipocrene, etc., etc., para culminar en Diego Mexía, encarnación americana de Apolo. Concluye esta primera parte, meramente introductoria, que corre del verso 1 al 60, con un nuevo tópico, el de la modestia:

> Bien sè qu'en intentar esta hazaña
> pongo un monte mayor qu'Etna el no[m]brado
> en ombros de muger que son d'araña (vv. 52-54)[3].

Ingresando ya al tratamiento del tema, Clarinda se remonta hasta la creación del mundo y el hombre por Dios:

> De fragil tierra, i barro quebradizo
> fue hecha aquesta imagen milagrosa
> que tanto al autor suyo satisfizo (vv. 73-75).

para pasar de allí a fijar, con nitidez, el origen de la poesía. Y narra, al efecto, una breve y hermosa historia: Dios forjó el caos y de él extrajo el "mapa milagroso" de la tierra, las esferas, la creación íntegra, al mismo tiempo que, con infinita sabiduría, iba concordando en gratas armonías todos los elementos. Y lo mejor de la creación ("la suma, i lo mejor de cada cosa") lo fundió en el hombre; tanto, que "quedó d'el ombre Dios enamorado". Y por amor, culminó su donación de virtudes y perfecciones con el regalo de la poesía.

La poesía es, pues, don de Dios, máxima donación del Creador a su creatura, extremo de amor. De aquí, entonces, que la poetisa realice una progresión: lo mejor del cosmos fue puesto en el hombre, el hombre recibió todas las virtudes, y la mejor, la más valiosa, la que corona toda ciencia y sabiduría, la que compendia las artes en

---

[2] Sería interesantísimo conocer el *Panegyrico*. Por las citas y resumen que trae Curtius, es evidente que tiene gran similitud con el "Discurso". Además fue editado en Sevilla y apenas 19 años después que éste. [Nota de J.A.M.: Se ha identificado el *Panegírico* como de Fernando de Vera y Mendoza desde la segunda edición (Sevilla: E. Rasco, 1886). Así lo afirma también la edición de Valencia: Cieza, 1968].

[3] Todas las citas del "Discurso" se refieren a la edición príncipe, que es la que transcribimos al final de este libro.

que corona toda ciencia y sabiduría, la que compendia las artes en su conjunto, es la poesía: "don eminente qu'abita en los coros celestiales".

Sin embargo, Dios no otorgó a los hombres el poder de transmitir por enseñanza lo que le había sido donado. Sólo Dios, por esto, podrá insuflarse en cada hombre para alentar en su espíritu el don de poetizar. Y el hombre tendrá que estar preparado para este advenimiento. Deberá florecer en toda ciencia y en toda arte, ser de alto entendimiento y eminente en los estudios, discreto y espiritual.

Establecido el origen de la poesía –tarea que le ha ocupado del verso 61 al 129– Clarinda inicia lo que podríamos llamar la "historia" de la literatura. Comienza de nuevo, lógicamente, en Dios, mas ahora concreta su teoría:

> D'esta región empirea, santa, i bella
> se derivò en Adan primeramente,
> como la lumbre Delfica en la estrella (vv. 130-132).

Adán: primer poeta. ¡Cómo no habría de entonar su voz con melodía –dice la Anónima– al saberse amado por su Dios! Y Eva, primera poetisa:

> I cantasse a su Dios muchas canciones,
> i qu'Eva alguna vez le ayudaria (vv. 137-138).

Luego del pecado, ahora como ser culpable y sufriente, Adán continuaría ejerciendo su potencia poética, pero ya no en cánticos de júbilo, sino en tristes elegías.

Pasados los siglos, los descendientes de Adán dividiríanse en dos bandos o parcialidades. Unos, la mayoría, olvidaron a Dios y cayeron en la barbarie; otros, los menos, continuaron en el temor de Dios, alabándole, y tuvieron "en suma reverencia el don de la Poesía". Se alude, como se comprende fácilmente, al pueblo escogido.

Se pasa luego revista a los grandes poetas judíos, para lo cual Clarinda nos habla de Moisés, Jahel, Barac, Débora, David, Judit, Job, Jeremías, etc. Y, en seguida, a personajes del Nuevo Testamento que alguna vez prorrumpieron en dulce metrificar: Simeón, Zacarías, la Virgen María, etc. Se aclara, a propósito, que nadie debe extrañarse de este catálogo de autores, pues la Iglesia no sólo no rechaza la poesía, sino se sirve de ella en sus cultos y oraciones.

Háblase luego, genéricamente, de algunos escritores medievales (Paulino y Juvenco) y "modernos" (Arias Montano, Jerónimo Vida, Sannazaro, etc.).

Clarinda se ocupa luego de los hombres que olvidaron a su Creador. Inicia una apasionada imprecación contra aquéllos y anota que cias a la labor de los poetas. Al respecto expónese una concepción extremadamente amplia y elogiosa del poeta: filósofo, moralista, naturalista, caudillo; en suma, civilizador. Los poetas, así, "enseñaron las cosas celestiales", "mostraron de naturaleza los secretos", fundaron pueblos e instauraron la nobleza, "pusieron en preceto las virtudes morales", "limaron el lenguaje", "domesticaron el vivir salvaje" y hasta fueron

> [...] fundamento
> de pulicia en el contrato, i trage (vv. 272-273).

Finalmente, los hombres convenciéronse de las virtudes de la poesía y, consecuentemente, tributaron honda admiración a sus cultivadores, hasta el extremo de que

> [...] el nombre de Poeta
> casi con el de Iove competia (vv. 284-285).

Se ingresa así a lo que podríamos llamar la "Edad de Oro" de la poesía. Se le rinde culto, los poetas son reverenciados, y todos concuerdan en tributar elogios a tan elevado y provechoso arte. Clarinda intercala aquí algunos versos sobre la necesidad de que el poeta sea un dechado de moralidad, pues la poesía –además de producir deleite– debe ser adoctrinadora, docente. Y se pregunta:

> Que puede dotrinar un disoluto?
> que pueden deleytar torpes razones? (vv. 293-294).

Se abunda sobre lo que hemos denominado la "Edad de Oro" de la poesía, aunque sin atender específicamente a los poetas de tal época, sino al consenso laudatorio que en dicho tiempo había acerca de la literatura. Especial mención merece Roma:

> Corona de laurel como al que doma
> barbaras gentes, Roma concedia
> a los que en verso onravan su Idioma (vv. 325-327).

Se explaya la Anónima en este tema, relatando anécdotas que demuestran hasta qué punto en esos tiempos ("¡Oh tiempo veces mil y mil dichoso!") se honraba a la poesía. Con este propósito se narran anécdotas de Julio César y Virgilio; Alejandro, Homero y Píndaro; Apolo y Arquíloco; Bromio y Sófocles, etc., confundiéndose historia, leyenda y mito.

Se menciona luego, con detalle, una de las virtudes más importantes de la poesía: su poder de inmortalizar mediante la fama al hombre que la produce, al poeta, y a las personas que son cantadas en los versos, los personajes. De manera especial se alude, en este contexto, a Virgilio-Eneas:

> Conocido es Virgilio, que a su Dido
> rindio al amor con falso dissimulo
> i el talamo afeò de su marido (vv. 406-408).

Se continúa con una enumeración escueta, sin ningún sistema, de escritores clásicos famosos: Pomponio, Horacio, Itálico, Catulo, Marcial, Valerio, Séneca, Avieno, Lucrecio, Juvenal, Persio y Tibulo. Algo más explícita es la mención a Ovidio y Lucano.

Naturalmente, Clarinda quiere hacer un aparte para las famosas poetisas. Mienta a Safo, Pola y Proba Valeria, para culminar en el plano de la mitología con las Sibilas, Fébadas y Tiresia Manto. Dice también que en la Italia de sus días muchas matronas dedicaban sus afanes a la poesía y que en el Perú sucedía lo mismo:

> Tambien Apolo s'infundio en las nuestras
> y aun yo conozco en el Piru tres damas,
> qu'an dado en la Poesia eroicas muestras (vv. 457-459).

Pasa de inmediato a la literatura española. No da el nombre de un solo autor, pero se prodiga en alabanzas para la Metrópoli y sus poetas. Dice:

> En ti vemos de Febo el estandarte,
> tu eres el sacro templo de Minerva,
> i el trono, i la silla d'el orrendo Marte (vv. 490-492),

con lo que alude al tópico de las armas y las letras.

De España pasa a América, concretamente al Perú, y, según común parecer, a los poetas de la Academia Antártica que funcionaría en Lima por entonces. Cita a Figueroa, Duarte Fernández, Montescoca (Montes de Oca), Sedeño, Pedro de Oña, Miguel Cabello, Juan de Salcedo y Villandrando, Diego Avalos, Luis Pérez Ángel, Antonio Falcón, Diego de Aguilar, Cristóbal de Arriaga y Pedro Carvajal.

A todos ellos reparte elogios desmesurados. Alguno es mejor que Homero, otro que Tasso; quien sobrepuja a Dante, etc., etc. Alberto Tauro acertó con justeza envidiable al llamar a estos poetas, o al menos a la mayoría, "poetas elusivos" (*Esquividad* 121). En efecto, de algunos no se conoce ninguna obra; de la mayoría, uno que otro verso de circunstancia y no pasan de cuatro los que realmente poseen méritos apreciables, muy singularmente Diego de Hojeda y Pedro de Oña.

Con este recuento de los poetas antárticos culmina la "historia de la literatura" que elabora Clarinda. Corre, pues, del verso 130 al 630, pudiendo subdividirse en varios apartados: 1) Adán y los poetas judíos; 2) algunos poetas medievales y "modernos"; 3) la poesía en la gentilidad y el surgimiento en ella de la poesía; 4) la "Edad de Oro" de la poesía y su honra universal; 5) nómina de poetas clásicos; 6) las poetisas; 7) elogio de España; y 8) alabanza de los poetas de la Academia Antártica.

En seguida, Clarinda, en ramplones versos, trata de probar la importancia de la poesía por otros medios, para lo cual recurre al señalamiento de la importancia de todos los elementos de la creación (bajo el principio de que todo es importante), determinando –además– los grandes provechos que recibe el hombre de la poesía en las más variadas circunstancias, alzando de nuevo su inspiración:

> Es de provecho en nuestra tierna infancia,
> porque quita, i arranca de cimiento
> mediante sus estudios, la inorancia.
>
> En la virilidad es ornamento,
> i a fuerça de vigilias, i sudores,
> pare sus hijos nuestro entendimiento.
>
> En la vejez alivia los dolores,
> entretiene la noche mal dormida,
> o componiendo, o rebolvie[n]do Autores.
>
> Da en lo poblado gusto sin medida,
> en el campo acompaña, i da consuelo,
> i en el camino a meditar combida (vv. 667-678).

De inmediato nuestra poetisa arremete contra los malos poetas, aquéllos que desprestigian la poesía, a los que califica de "torpes", "viciosos", "malos", "sucios" y "asquerosos". Arremete también contra los que creen que la poesía debe ser rechazada por los espíritus sanos y las mentes católicas afirmando que no porque algunos malos poetas la desprestigien, la poesía será mala en sí. Y ejemplifica:

> Necio: también serà la Teología
> mala, porque Lutero el miserable
> quiso fundar en ella su heregia? (vv. 700-702).

Y en cuanto a la utilización por poetas cristianos del legado clásico; esto es, pagano, incluyendo la mención de sus dioses, Clarinda se lanza a una larga disquisición –la parte menos importante del "Discurso"– en la que señala que así como en las iglesias a veces se ven "retratos" de gentiles, para ornato de la misma, así también la poesía puede utilizar este legado. Sobre todo, porque se sobreentiende que los dioses antiguos están a los pies de Cristo:

> Assi esta dama ilustre cuanto bella,
> de la Poesía, cuando se compone
> en onra de su Dios, que pudo hazella:
>
> Con su divino espiritu dispone
> de los Dioses antiguos, de tal suerte,
> qu'a Cristo sirven, i a sus pies los pone (vv. 751-756).

E inicia así la Anónima la última alabanza de la poesía, subrayando nuevamente sus provechos en toda índole de asuntos: desde la celebración de las proezas militares, hasta el dulce canto del casto amor, pasando (¡ciertamente!) por la alabanza a Dios y el servicio a su Iglesia. Esta parte final, que va del verso 631 al 808, concluye con una nueva invocación a Diego Mexía:

> I tu Mexia, que eres d'el Febéo
> va[n]do el principe aceta nuestra ofrenda,
> de ingenio pobre, i rica de desseo.

> I pues eres mi Delio, ten la rienda
> al curso, con que buelas por la cumbre
> de tu esfera, i mi voz, i metro enmienda
> para que dinos queden de tu lumbre (vv. 802-808).

2. Síntesis de los temas centrales del "Discurso"

Aun a costa de ser reiterativos, parécenos conveniente realizar una síntesis de los temas centrales del "Discurso", evitando así que nuestra reseña anterior, hasta cierto punto "argumental", peque de incompleta al no remarcar, con suficiente nitidez, los principios teóricos básicos que sobre la poesía expresa Clarinda.

Por lo pronto, sabemos ya que dícese que la poesía es don de Dios. Se acepta, por tanto, un origen divino, lo cual es, en verdad, la idea central del "Discurso", cuyo corolario evidente es el otorgamiento de suma dignidad a esta actividad que proviene del mismo Ser Supremo.

Complementariamente, el alto mérito de la poesía –segundo gran tema del "Discurso"– pruébase por argumentos de tipo histórico: los antiguos, en efecto, tenían a la poesía en gran estima. Y se recurre, también, a argumentos histórico-religiosos: las grandes figuras de la Biblia utilizaron el dulce metrificar para loar a Dios, hecho del cual nace que la Iglesia ordene y aconseje en su liturgia el uso de la poesía.

Ahora bien: no basta acentuar la divinidad de la poesía y su consiguiente dignidad. Es menester, además, probar para qué sirve la poesía. Y éste es, precisamente, el tercer tema central de nuestra obra. Al respecto, como acabamos de ver, afírmase que la poesía adoctrina y deleita. La fruición que de ella procede abarca toda la vida del hombre, en las más disímiles circunstancias. Y la enseñanza engloba tanto cuestiones religiosas, cuanto filosóficas, morales y hasta científicas.

Sirve también la poesía para otorgar honra y fama a quienes la escriben y de quien trata, con lo cual pueden distinguirse hasta tres funciones de la poesía: producir deleite, el enseñar buena doctrina y el proporcionar fama y renombre.

Por otra parte, Clarinda intérnase en el tema de la vena y el arte; esto es, de la inspiración y de la técnica. Y aquí en verdad, se muestra poco rigurosa. En efecto, se ha partido de un principio absoluto: la poesía es insuflada por Dios en cada hombre y éste no puede enseñarla a sus semejantes. Debemos suponer, entonces, que la "vena" en el "Discurso" equivale no a natural inclinación, sino a inspiración divina y que, sobre todo, tiene un carácter absoluto. Sin embargo, Clarinda afirma más adelante que es menester realizar esfuerzo ("vigilias, i sudores" [v. 671], dice) para escribir poesía, dando a entender que algún papel juega también el trabajo humano, en cuanto al arte, para la creación de la poesía. Más aún: se nos afirma que "la vena sin el arte es irrisible", lo cual niega el juicio primario acerca de la poesía como puro don de Dios, incomunicable de hombre a hombre. La problemática de la vena y el arte es, entonces, el cuarto tema esencial del "Discurso".

Otros temas, igualmente importantes dentro del texto, son los siguientes: la poesía como regalo de Dios, encierra en sí cuantas ciencias y artes el hombre posee. Tiene, pues, un poder abarcador universal. De aquí se desprende que el poeta habrá de ser erudito, sabio en toda suerte de saber. Y, además, un hombre íntegro en cuanto a moralidad.

Sobre un esquema muy similar al presente, y por afán de claridad, construiremos el capítulo siguiente, el mismo que tratará, como queda ya anunciado, de las "fuentes" del "Discurso en loor de la poesía".

3. Notas sobre los poetas citados en el "Discurso"

Justo será iniciar esta brevísima noticia[4] sobre los poetas antárticos elogiosamente citados por Clarinda, haciendo alusión a Diego Mexía, su autor preferido, a quien dedica su "Discurso" y en cuyo *Parnaso Antártico* se lee el poema de la Anónima. Nos es necesario reconocer, previamente, que la gran mayoría de los datos que luego se exponen provienen de *Esquividad y gloria de la Academia Antártica,* obra en la que Alberto Tauro estudia con detenimiento a los poetas en referencia.

La biografía de Diego Mexía de Fernangil ha quedado dibujada en sus rasgos esenciales desde 1914, gracias a la erudición de don José de la Riva-Agüero[5]. Desde entonces nada substancial se ha

---

[4] Nuestra intención es muy limitada: dar una idea somera de los poetas que gozaron de prestigio en la Lima de Clarinda, a quienes ella misma elogia con desmesura, para así tener un nuevo elemento de juicio acerca del entorno del "Discurso".

[5] Nos referimos a la ponencia presentada por Riva-Agüero al Congreso de Historia y Geografía Hispanoamericanas, Sevilla, 1914, con el título: "Diego Mexía de Fernangil, poeta sevillano del siglo XVI, avecindado en el Perú y la Segunda Parte de su *Parnaso Antártico* existente en la Biblioteca

añadido al conocimiento de la vida del poeta, el mismo que debe ser recordado –en lo fundamental– como atinado, eficiente y notable traductor de Ovidio (*Primera Parte del Parnaso Antártico*) y como poeta inspirado de vena religiosa y cultura clásica, como lo demuestra la "Segunda Parte" de su obra[6]. El mismo Riva-Agüero ha demostrado que las traducciones de Mexía son, con frecuencia, inspiradas paráfrasis de su modelo clásico, juzgando, globalmente, que es "muy apreciable en su conjunto esta traducción de las *Heroidas*, a pesar de sus desigualdades y altibajos" (Riva-Agüero, *Del Inca Garcilaso* 122). Con más o menos entusiasmo todos los críticos coinciden en este aspecto. Sánchez, por ejemplo, considera que Mexía se acerca a su modelo [...] realizando una proeza que hasta hoy celebraron los editores de Ovidio" (Sánchez, *La literatura peruana* III, 33). Como poeta original –hemos dicho– Mexía de Fernangil tiende a una poesía de inspiración religiosa. Y aunque en el prólogo a la *Primera Parte del Parnaso Antártico* afirma, siguiendo a Horacio, que la "Poesía que deleita sin aprovechar con su doctrina no consigue su fin" ("Prólogo al lector"), no produce una poesía fríamente docente, sino que se deja llevar por sus íntimas creencias y construye una obra de matiz místico, apreciablemente valiosa en su nivel estético. Claro que del canto de sus cuitas a lo divino se desprenden consejos y moralidades, mas la intención del poeta no es –al menos constante y primariamente– la de obrar didácticamente sobre sus lectores, sino la de expresar sus profundos sentimientos relativos a Dios. También es importante remarcar su preocupación por sucesos "nacionales" y el tono manriqueño[7] que suele conferir a tal temática. En general, de manera harto sintomática, la crítica está llana a conceder a Mexía indudables méritos literarios y un lugar de importancia dentro del proceso de nuestra literatura virreinal.

Clarinda elogia también al "doctor Figueroa", poeta de difícil conocimiento, de notable prestigio en su época, a quien Tauro –a nuestro criterio con acierto– identifica con el dominico Francisco de Figueroa, nacido en Huancavelica, doctor ya en 1596, cuyas obras conocidas no pasan de algunos versos de circunstancia (en el *Arauco domado* y en la *Miscelánea austral*), a más de un *Tratado breve del dulcísimo Nombre de María* y una extensa obra en siete tomos, hoy perdida (Tauro, *Esquividad* 135–41).

También son escasos los datos acerca de Duarte Fernández. Menéndez y Pelayo se limita a repetir lo dicho por Clarinda; esto es, que fue sevillano, de ancestro portugués, y que pasaría a Potosí a

---

Nacional de París". Reeditada con el título: "Diego Mexía de Fernangil y la Segunda Parte de su *Parnaso Antártico*", en el vol. 2 de su ya citado *Del Inca Garcilaso a Eguren*.

[6] Primera parte, cf. Bibliog. Segunda Parte: descripción del manuscrito de la Biblioteca de París,. cf. Riva-Agüero, *Del Inca Garcilaso* 124–63.

[7] Así lo anota, acertadamente, Tamayo Vargas. Cf. *Literatura peruana* I, 283.

principios del siglo XVII (*Historia de la poesía hispanoamericana* II, 273). Alberto Tauro es, también, aquí mucho más preciso y completo. Anota que Fernández estudió jurisprudencia, que ejerció su profesión en Lima y Potosí, concluyendo por hacerse clérigo y ser nombrado –en 1625– Visitador de Ica. Señala Tauro, además, que salieron de su pluma la traducción de una no identificada *Historia de la expedición cristiana*; comentarios propios a un texto de Plinio; un tomo de *Relaciones del Perú*; y, finalmente, su diario. Para el autor que seguimos lo más importante de la figura de Duarte Fernández son su espíritu y actitud renacentista y su avidez por "irrumpir en todos los campos de la cultura" (Tauro, *Esquividad* 123; cf. además, desde 129).

De Pedro de Montes de Oca (Montesdoca) apenas conocemos un soneto en alabanza de Vicente Espinel. Sin embargo fue elogiado por Miguel de Cervantes en dos oportunidades y por el ya citado Espinel, lo que nos demuestra que fue grande su fama, mas escasa su fortuna: hoy nos es un simple enigma en el aspecto literario, aunque se tengan noticias bastante exactas de su vida, perfectamente documentadas en la ya citada obra de Tauro (*Esquividad* 147–52).

Juan Sedeño ha corrido peor suerte. Nada sabemos de él; "su obra se desconoce en absoluto", anota Tauro (201).

En cambio, Pedro de Oña, gracias especialmente a su *Arauco domado*, es ampliamente conocido. Limitarémosnos a señalar, conforme a nuestras intenciones, lo esencial de su obra. Anota Luis Alberto Sánchez que el *Arauco domado* (1596) es "una obra de juventud y, como tal, se resiente de muchos defectos" (*Los poetas* 83). Sin embargo, algunos de sus cantos tienen auténtica altura épica y no escasas virtudes formales, a pesar de sufrir casi constantemente inoportunas influencias de Virgilio, Tasso y Ariosto. Menéndez y Pelayo, para quien Oña "tendrá todos los defectos de gusto y educación que se quiera, y su libro es sin duda imperfectísimo; pero lo que sobra en él son destellos de poesía" (cit. por Sánchez, *Los poetas* 84), advierte que el *Arauco domado*, aunque afeado por cierto tono artificioso, no deja de mostrar una sugestiva lozanía (Menéndez y Pelayo, *Historia de la poesía* II, 310). En general, puede decirse que su obra está a caballo entre las "balbucientes crónicas rimadas" del llamado "ciclo araucano" y el refinamiento renacentista italianizante (Sánchez, *Los poetas* 75). Otras obras de Oña son: *Ignacio de Cantabria, El Vasauro, Canción Real*, a más de poemas prologables en diversos libros de la época y una crónica en verso del temblor que sacudiera Lima en 1609. Pedro de Oña fue elogiado por Lope de Vega en *La Dragontea*.

Miguel Cabello de Balboa es también autor conocido, de manera especialísima por sus obras históricas. Entre éstas destacan *Verda-*

dera descripción y relación de la provincia y tierra de las Esmeraldas, Orden y traza para poblar la tierra de los chunchos y, sobre todo, su célebre *Miscelánea antártica*. Su vena poética sólo ha dejado dos muestras: un soneto de alabanza a Diego de Aguilar y Córdova y una paráfrasis del Salmo CXXVI de David. Clarinda nos da noticias de otras obras para nosotros perdidas: *La Volcánea* (que para Sánchez sería un poema épico relacionado con la erupción del Pichincha [*La literatura* III, 14]), *El militar elogio* (que también sería una obra épica según piensa Tauro [*Esquividad* 179]), *La entrada de los Moxos* (cuyo original, al decir de Sánchez [*La literatura* III, 14], estaría en poder del erudito ecuatoriano Jacinto Jijón), *La Comedia del Cuzco* y *La Vasquirana* (dos piezas dramáticas para algunos autores –Sánchez y Lohmann Villena– o una sola para otros críticos –Riva-Agüero y Tauro– [cf. Tauro, *Esquividad* 179 y nota]). Alberto Tauro dibuja así, para concluir, el retrato de Cabello de Balboa: "Hombre de su siglo, un renacentista a quien la acción permitió conciliar la fe dogmática y las afinidades humanísticas. De allí la sencilla intensidad, la coherente versatilidad, la amena y prolija minuciosidad de su obra" (*Esquividad* 171; cf. además hasta 195).

Aunque también elogiado por Cervantes, el Capitán Juan de Salcedo Villandrando no ha tenido mejor suerte que sus colegas de Academia. Se conocen de él dos sonetos laudatorios (dedicados a Diego de Avalos y al Padre Ayllón) y se tiene noticia de otra breve composición suya, también circunstancial, en honor de Olivares. Al parecer su vena era de índole erótico-cortesana, pues se sabe que, al decir de las gentes, gozaba de especial inspiración al cantar a Clarinda. Es interesante anotar el desarrollo de su poesía desde el soneto de Diego de Ávalos, a la manera italiana del Renacimiento, al soneto dedicado al Padre Ayllón, muchos años más tarde, en el que ya es perceptible la influencia culterana, al extremo que Aurelio Miró Quesada, en texto ya citado, cree ver en Salcedo una especie de eslabón entre ambas etapas (cf. Miró Quesada, "Cervantes y el Perú"; también Tauro, *Esquividad* 156–60).

Clarinda elogia a la vez a Diego de Hojeda y a Juan de Gálvez, seguramente llevada por la coincidencia de ser ambos religiosos sevillanos, venerados por su sapiencia y virtudes. Pero en realidad, es mucha la distancia que separa al uno del otro, pues mientras Hojeda es "el primero de nuestros épicos sagrados", según Menéndez y Pelayo (*Historia* II, 170), Gálvez no pasó de ser un santo y sabio sacerdote, sin mayores preocupaciones por los afanes literarios. Alberto Tauro señala como obras de Gálvez las siguientes: un soneto dedicado al Marqués de Montesclaros, *Historia Rimada de Hernán Cortés* (hoy perdida) y algún poema sobre la vida de Cristo, obra ésta que Tauro colige –tal vez apresuradamente– del elogio que le brinda Clarinda. El hecho de señalar que tiene su pluma dedicada a Cristo puede significar lo que Tauro cree, o más probablemente, una apreciación general sobre el tema religioso de su poesía (*Esquividad* 143–44; cf., además, hasta 146).

Diego de Hojeda, en cambio, es famoso, y el consagratorio juicio de Menéndez y Pelayo citado líneas arriba es ampliamente compartido por todos los críticos. Sánchez, por ejemplo afirma que "los doce cantos de *La Cristiada* constituyen, sin duda, una de las más bellas y elevadas expresiones de las letras coloniales" (*La literatura* III, 52). Ya sabemos además de qué elogiosa manera trocó su juicio primitivamente negativo don José de la Riva-Agüero, hasta el punto de anotar que el "Padre Hojeda fue el mejor poeta colonial" (cf. Cap. 1, n. 2). Su *Cristiada* es, en cualquier caso, una extraordinaria obra épica, llena de verdadero impulso místico, de fuerza expresiva, modelada sobre la doctrina de Santo Tomás, consonante en la forma con los principios estéticos del Renacimiento, aunque alguna octava nos preanuncie del barroquismo de Ayllón, y matizada con moderadas y oportunas alusiones a su ambiente físico y social. Por lo demás, no todas las deficiencias de gusto que la crítica ha encontrado en sus versos –Riva-Agüero en su primera época y Sánchez–, son de culpa exclusiva de nuestro autor (cf. Riva-Agüero, *Carácter* 14–15 y 277–92; y Sánchez, *Los poetas* 118–23). Las más pertenecen al plano de los tópicos religiosos, con frecuencia más ligados a la oratoria sagrada y al devocionismo que a la poesía. Además de *La Cristiada*, Hojeda escribió una canción para el *Arauco domado* y, probablemente algunos tratados teológicos. Debe establecerse, finalmente, que es probable que Clarinda al tiempo de escribir su "Discurso" no conociera *La Cristiada*, pues ésta fue editada en 1609, aunque tal vez correrían por el ambiente literario de Lima algunas de sus octavas manuscritas.

De Juan de la Portilla no se conoce obra alguna. De Gaspar de Villarroel apenas si han llegado hasta nosotros cuatro poemas, todos laudatorios dirigidos a Pedro de Oña, Juan de Castellanos y –dos– a Enrique Garcés, traductor de Petrarca. Al decir de Tauro "las orientaciones que impartió fueron más trascendentales que su obra" (*Esquividad* 168; cf., además, desde 161), pues promovió el ambiente literario de la época como docto de vasta cultura y exquisitas aficiones literarias.

Mucho más conocido –y famosísimo en su tiempo– es Diego de Ávalos y Figueroa (Diego Dávalos para Sánchez y Tamayo), autor de la *Miscelánea austral* y de *Defensa de damas*, ambos poemas renacentistas por su espíritu y forma, aunque Luis Alberto Sánchez distinga en ellos cierta "presión de la Edad Media" (*La literatura* III, 42). La primera de las obras mencionadas es un texto complejo donde se habla de muy diversos temas, dando siempre preferencia al del amor. La segunda es una apología feminista que intenta demostrar la falsedad de los conceptos negativos que pesan sobre las mujeres. Esta obra ha sido estudiada por Luis Jaime Cisneros[8]. Diego de Ávalos, por otra parte, luce una amplísima cultura de dimensión enciclopédica, con profundo conocimiento de los clásicos, encarnando así el ideal de poeta que, al respecto, proclama Clarinda.

Nada se sabe de Luis Pérez Ángel, salvo lo que la propia Clarinda nos da a entender y que recibe Menéndez y Pelayo (*Historia de la poesía* II, 169, en nota). Igualmente es el "Discurso" la única fuente que tenemos para conocer a Antonio Falcón, el mismo que escribiría a la manera italiana, pues Clarinda lo compara con Dante y Tasso (cf. Tauro, *Esquividad* 127–28).

Diego de Aguilar fue, sin duda, escritor de gran predicamento en el ambiente literario de la Colonia. Su obra *El Marañón*, casi completamente desconocida en la actualidad, hasta el punto de haberse dudado si era escrita en verso o prosa (cf. Sánchez, *La literatura* III, 9–12), le granjeó una envidiable reputación que Miguel de Cervantes coronó con elogiosísimos versos en su *Galatea*. Lo que mayormente ha ocupado a la crítica han sido los poetas que escriben en sus preliminares. De aquí que Tamayo escriba que tal obra es la que otorga "la primera posibilidad de agrupación" de los poetas coloniales (*Literatura* I, 225). Aguilar, además, escribió algunos versos dedicados a Enrique Garcés.

De los dos últimos poetas que elogia Clarinda –Cristóbal de Arriaga y Pedro Carvajal– casi no se tienen noticias en torno a sus aficiones literarias. El primero de los mentados insertó un poema suyo en la obra de Oña y Tauro lo tipifica como hombre de estudio, probablemente helenista de nota (*Esquividad* 121–22). Del segundo se desconoce toda producción literaria, pero se poseen datos biográficos que Tauro pormenoriza en sus tantas veces citada *Esquividad y gloria de la Academia Antártica* (123–25).

No es posible desprender de las noticias anteriores el criterio y las preferencias literarias que tuviera Clarinda. Al parecer el elogio de los poetas antárticos se basa en circunstancias de amistad y coetaneidad, más que en principios de índole estética. Empero –como es evidente– todos los escritores citados se mueven dentro de los límites del italianismo renacentista, algunos en el sentido de la inquietud humanista por el saber universal, otros llevados por el espíritu de la exquisitez cortesana y todos –cual más cual menos– admiradores fervientes de la cultura clásica y su resurrección italiana. Tal vez en uno o dos poetas, como excepción, se encuentren anuncios del barroquismo, pero tal nota no justifica –claro está–

---

8 [Nota de J.A.M. Ver Cisneros, Luis Jaime, "Estudio y edición de la 'Defensa de Damas'" y "Misoginia y profeminismo" en la Bibliog.].

pensar que la Anónima gustara ya de los extremos culteranos[9]. Por lo demás, las obras en las que podrían percibirse estos matices barrocos, aunque de autores mencionados por Clarinda, son posteriores al "Discurso".

Por otra parte, la poetisa carece de una jerarquía axiológica y prodiga por igual elogios a poetas de méritos incuestionables (como Hojeda y Oña) y a versificadores menos que medianos (Arriaga, Fernández, etc.). Este caso axiológico no es defecto exclusivo de Clarinda. Recordemos que Cervantes y Lope de Vega, en similares circunstancias, tampoco acertaron a distinguir lo efectivamente valioso de lo simplemente atractivo. Es lógico pensar que fuertes influencias de amistad y compromiso gravitaban sobre la Anónima, al tiempo que le faltaba esa "perspectiva histórica" que distingue lo auténticamente poético de los fugaces brillos de rimadores sin genio.

Clarinda, además, hace gala de una amplitud meritoria. A ella le interesan desde escritos históricos hasta poemas épicos, pasando por obras religiosas y cortesanas. No de su elogio, mas sí de su teoría, se puede desprender que eran las obras de carácter religioso las que situaba a mayor altura.

En suma, nuestra poetisa recuenta y alaba a los escritores que por entonces gozarían de amplia fama, todos clasicistas más por ambiente literario que por encuadre de escuela, todos cultos a la manera humanista, la mayoría con inspiración religiosa (constante o esporádica) y todos, también, con preocupaciones por su situación americana. Sobre todo, admiración común, sincera, por cada una de las más elevadas formas del espíritu.

4. Estructura formal del "Discurso en loor de la poesía"

Formalmente, el "Discurso" se inscribe de lleno dentro de las normas, técnicas e ideales renacentistas. Sabemos, a propósito, que su autora era "mui versada en la lengua Toscana", lo cual nos sugiere que admiraba la literatura itálica y que podía conocerla en sus propias fuentes. Sabemos, complementariamente, que a la Colonia llegaban obras escritas en el idioma de Petrarca, tal como quedó dicho en el Capítulo I de este libro. Pero incluso si esto no hubiera sucedido, y si tampoco Clarinda hubiera dominado el italiano, la vigencia de las formas renacentistas habría podido ejercerse a

---

[9] Martín Adán cree que Clarinda, como Amarilis y Miramontes, produjeron obras barrocas, aunque establece que el barroco americano es distinto del español. Cf. su art. "Amarilis".

través de la literatura española, renancentista e italianizante desde hacía casi un siglo.

El "Discurso", como es de común conocimiento, está escrito en tercetos dantescos, de lo que importa: a) la utilización de versos endecasílabos, y b) el sometimiento a la rima encadenada y perfecta, dentro del esquema ABA, BCB, CDC [...] XYXY, cuarteto final que impide que un verso quede suelto.

Podríamos preguntarnos, de primera intención, por qué Clarinda escogió el terceto como esquema estrófico. Sánchez de Lima, autor de *El arte poética en romance castellano* –que al decir de Emiliano Díez Echarri es "el primer libro (escrito en España) en que se recogen deliberadamente las doctrinas poéticas de la escuela italiana" (*Teorías métricas del Siglo de Oro* 65)– afirma:

> Los tercetos siruen para tratar larga materia; como es vna epistola, o vna historia, o narracion, vna elegia y cosas d[e] esta calidad (Sánchez de Lima, *El arte poética en romance castellano* 60).

Y García Rengifo, en su *Arte poética española*, señala:

> [El terceto sirve para] escriuir historia seguida. Porque offrece su compostura, y cadena vn inmortal discurso (f. 60).

Nuestra poetisa, que sin duda conocía tan común criterio, optó por utilizar el terceto como forma de expresión, pues le permitía tratar materia larga, exponer una historia (la de la poesía) y, en fin, desarrollar de seguido un extenso discurso[10]. Por lo demás, Juan de la Cueva, para fines similares, decidióse también por el terceto, así está escrito su *Exemplar poético*[11].

La forma general para versificar en tercetos está dada por Caramuel, quien no hace más que repetir lo conocido por todos:

> Despues de las Octauas el verso mas graue son las Cadenas, que vulgarmente llamamos Tercetos. Se texen de dos maneras: la usual (ABA, BCB, CDC... PQPQ) y otra menos trabada (ABA, CDC, EFE...) (cit. por Díez Echarri, *Teorías métricas* 238).

A lo que hay que añadir que en el terceto los "pies conuiene que tengan onze syllabas cada vno", según lo normado por Sánchez de Lima (60). Y, finalmente, de acuerdo al mismo autor, que "el postrero de los tercetos quieren todos los poetas que acabe[n] en quarteto, que tiene otro pie más" (Sánchez de Lima, *El arte poética* 62). Re-

---

[10] Dice Vossler: "Encontramos, pues en la 'terza rima' una simbólica estrofa encadenada, y que puede servir para objetivos de narración, personales, religiosos, satíricos, didácticos, o para la solemnidad del homenaje". Este último, es el caso del "Discurso". Cf. Vossler, *Formas poéticas de los pueblos románicos* 215.

[11] Menéndez y Pelayo se refirió a esta similitud formal dando su voto a favor del "Discurso" (*Historia* II, 163).

glas todas que se cumplen en el "Discurso en loor de la poesía", dentro de la manera "usual" a que alude Caramuel en cita precedente.

Pero los preceptistas, además, estipulaban normas especiales para los tercetos. Al respecto, y con gran insistencia proclamábase la necesidad de que cada terceto fuera una unidad de sentido. Lo dicen Sánchez de Lima, Fernando de Herrera y Rengifo:

> Está obligado el Poeta a acabar razo[n] de tres en tres pies (Sánchez de Lima, *El arte poética* 62).

> En estas elegias o tercetos vulgares se quiere acabado el sentimiento con el fin del terceto, i donde no acaba si no se suspende con juicio i cuidado, viene a ser el poema aspero i duro, con poca o ninguna gracia (cit. por Díez Echarri 238).

> En este metro no se ha de suspender el concepto, de vn terceto para otro (Rengifo, *Arte poética española* f. 61).

Clarinda parece querer acatar tal norma, pero en la práctica sus tercetos no siempre cierran en sí su sentido, produciéndose, entonces, numerosos encabalgamientos estróficos. Lo curioso es que en el "Discurso" se trata de ocultar este pecado de lesa preceptiva –que el mismo Garcilaso había cometido, según comenta compungido Rengifo– recurriendo a erróneas puntuaciones. Por ejemplo:

> El verso con que Homero eternizava
> lo que del fuerte Aquiles escrevia,
> i aquella vena con que lo ditava.

> Quisiera qu'alcançaras Musa mia,
> para qu'en grave, i sublimado verso,
> cantaras en loor de la Poesia (vv. 13-18).

Es evidente que el punto después de "ditava" no tiene razón de ser, pues el sentido prosigue en el siguiente terceto: "aquella vena con que lo ditava / quisiera qu'alcançaras [...]". Pero Clarinda creyó oportuno no contradecir a los preceptistas y prefirió artificialmente el límite entre los tercetos. Y no es ésta una excepción. En realidad hay varios casos similares a través de todo el texto. En algunas otras oportunidades, menos numerosas, la poetisa separa dos tercetos mediante dos puntos o (casi nunca) coma, sin evitar que a veces el encabalgamiento estrófico se produzca. Por ejemplo, entre los versos 126-127; 135-136; 162-163; 180-181, etc., etc.

Debe observarse, además, que el terceto es una forma esencialmente culta. Lo es por su origen[12] y por su uso, pero también porque, siguiendo en esto al profesor Rafael de Balbín, se inscribe dentro de las formas pluriestróficas simétricas, –puesto que el esquema

---

[12] Según Vossler, su origen es el serventesio provenzal (*Formas poéticas* 213).

abstracto del terceto se repite a lo largo de toda la obra–, las cuales son típicas de la poesía erudita[13].

El terceto dantesco supone, como queda dicho, la utilización de versos endecasílabos. Es sobradamente conocido que el endecasílabo triunfó en la literatura española, a pesar de Castillejo, gracias al genio de Garcilaso de la Vega: "después de repetidos intentos a lo largo de la Edad Media, Boscán y Garcilaso logran imponerlo", dice Pedro Henríquez Ureña, máxima autoridad en materia de versificación castellana (*Estudios de versificación española* 284).

El mismo autor anota:

> El tipo A predomina en nuestro idioma y se convierte en eje; el tipo B y sus variantes funcionan como formas subsidiarias. En castellano, el predominino del tipo A influye en que se prefiera, entre las variantes de B, el tipo B-2, y desde el final del siglo XVI los tratadistas declaran legítimos sólo esos dos tipos (*Estudios* 284–85).

Debe aclararse que Henríquez Ureña entiende por endecasílabo tipo A el acentuado en sexta sílaba (comúnmente llamado heroico); por tipo B-1, el acentuado en cuarta (que Rubén del Rosario [cf. Bibliog.] llama "endecasílabo primario"); por tipo B-2, el acentuado en cuarta y séptima (al que suele llamársele dactílico o de gaita gallega). Se sobreentiende que todos los tipos llevan acento en décima sílaba (Henríquez Ureña, *Estudios* 346).

Pues bien: en el "Discurso en loor de la poesía" se aprovecha, en general, versos endecasilábicos del tipo A, modalidad predominante en castellano, según acabamos de verlo:

> que/dio/mu/ra/lla a/Te/bas/la/fa/mo/sa (v. 9).
> lo/que/del/fuer/te A/qui/les/es/cre/vi/a, (v. 14).
> i/su/je/to a/la/muer/te, i/sus/pa/sio/nes: (v. 141).

Esta preferencia por el endecasílabo heroico es absoluta: de los 150 primeros versos del "Discurso", que hemos analizado para ese efecto, 133 son de este tipo.

Por excepción se encuentran endecasílabos sáficos (tipos B-2), los mismos que, en igual extensión, apenas suman una decena:

> i/dio/le in/fu/sas/por/su a/mor/las/cien/cias. (v. 84)
> la/v/ma/na/cien/cia,/i or/de/nò/qu'el/da/llo (v. 92)[14].

---

13 Así lo explica en su cátedra de "Estrofa Española" en la Universidad de Madrid.
14 Obsérvese que para salvar la unidad métrica se tiene que realizar una lectura con hiato en "i or/de/nò"; de no ser así, además, se produciría una triple sinalefa: "cien/cia i or/de/nò", que no se da en el "Discurso".

De endecasílabo primario, tipo B-1, apenas si hay muestra:

i a/que/lla/ve/na/con/que/lo/di/ta/va (v. 15)

Igualmente, aunque también en porcentaje insignificante, se leen algunos versos deficientes, de acentuación irregular, que constituyen verdaderos errores de versificación. En otros casos, los errores son de medida, no de acentuación, y, en general, quedan salvados mediante oportunas diéresis en las ediciones modernas. De éstos anotaremos algo en la misma edición del "Discurso".

Los endecasílabos heroicos que son el nódulo del "Discurso" presentan, dentro de su acentuación fija en sexta y décima, diversas acentuaciones secundarias. Los sistemas que más se usan son: acentos en cuarta, sexta, octava y décima; en segunda, cuarta, sexta y décima; y, por último, en segunda, sexta, octava y décima lo que supone un riguroso ritmo yámbico.

En algunos casos, y a causa de acentuaciones arrítmicas[15], se producen versos poco eufónicos:

Di/vi/die/ron/se en/dos/par/cia/li/da/des (v. 148)

En este ejemplo, a la acentuación sobre sílabas pares en sexta y décima –pues es heroico– se ha sumado un acento sobre sílaba impar –tercera– que rompe el ritmo yámbico del verso.

Mucho peor es, naturalmente, cuando los acentos, mal distribuidos, son antirrítmicos (cf. n. 14).

las/gen/tes,/si/guio/a/Dios/la/mas/pe/que/ña, (v. 149).

Aquí, como es notorio, al acento regular en sexta se le ha yuxtapuesto otro en quinta, lo que determina una aspereza fónica muy clara.

Estadísticamente, y siempre sobre el estudio de los 150 primeros versos del "Discurso", podemos señalar que en 95 la acentuación es estrictamente yámbica, normal, adecuada; en 26, se presentan acentos de carácter arrítmico; y, por último, en 29 versos se leen acentos antirrítmicos.

Deben advertirse, asimismo, otras dos características referentes a la versificación del "Discurso". Por una parte, la superabundancia de sinalefas, algunas de las cuales aparecen en el texto de la edición príncipe como elisiones: "d'aquel", por "de aquel"; "d'el", por "de él"; "qu'elegías", por "que elegías", etc., etc. En el texto, por otra parte,

---

15 Usamos la terminología del profesor Balbín: acento arrítmico es el que cae sobre sílaba impar cuando el ritmo es yámbico, o sobre sílaba par cuando el ritmo es trocaico. Llámase acento antirrítmico cuando éste se yuxtapone inmediatamente a otra sílaba normalmente acentuada.

la sinalefa no se produce cuando se lee alguna "h" intermedia, salvo, como excepción, en el verso 3:

> i el/a/gua/co[n]/sa/gra/da/de Hi/po/cre/ne (v. 3).

Por otra parte, es también evidente la presencia de múltiples encabalgamientos a lo largo del "Discurso".

> Que ya qu'el vulgo rustico, perverso
> procura aniquilarla [...] (vv. 19-20).

> Tus huellas sigo, al cielo me levanto
> con sus alas [...] (vv. 46-47).

> Despues que Dios con braço poderoso
> dispuso el Caos [...] (vv. 61-62).

En cuanto a la rima hay, en verdad, poco que decir. Su esquema quedó fijado al afirmar que el "Discurso" está escrito en tercetos dantescos: ABA, BCB... XYXY. Añadiremos, tan sólo, que la rima es perfecta, consonante, y que se produce siempre en palabras graves, nunca agudas, esdrújulas o sobreesdrújulas. De otra parte, la rima del "Discurso" es rara vez "rima rica", pero tampoco se utilizan iguales palabras para rimar entre sí más de las veces necesarias. Como excepción podrían señalarse los versos 2 y 6 que riman mediante "tierno" e "infierno" y los versos 163 y 165 que riman, igualmente, en "tierno" e "infierno".

Por último, en el "Discurso" se comprueba fehacientemente lo que Menéndez Pidal afirma en su *Manual de gramática histórica española*:

> Como muchas voces cultas ofrecen grupos de consonantes extraños a la lengua popular, resultan de pronunciación difícil, que se tiende a simplificar. Esta simplificación fue admitida en el habla literaria; los poetas, hasta el siglo XVII, hacían consonar *dino* (por *digno*), *malino* (por *maligno*) y *divino*; *efeto* (por *efecto*), *conceto* (por *concepto*) y *secreto*; *coluna* (por *columna*) y *fortuna*, etc. (11, énfasis en el original).

Este fenómeno idiomático se produce con notable frecuencia en nuestra obra. Por ejemplo: "ditava" (por dictaba) rima con "eternizava" y "guardava" (vv. 11, 13 y 15); "preceto" (por precepto) rima con "sujeto" y "perfeto" (por perfecto, vv. 68, 70 y 72).

En lo que respecta a lo que los antiguos preceptistas gustaban llamar "galas del lenguaje" –tropos y figuras–, el "Discurso en loor de la poesía" es de notable pobreza. Tenía que ser así porque su índole doctrinal y su tono expositivo no dan ocasión para muy subidas elaboraciones formales. De aquí que su lenguaje sea más sobrio y efectivo que abundante y peregrino, lo que condice bien con la estructura "forense", sobre el módulo de las oraciones ciceronianas, que en él encuentra Alberto Tauro[16].

---

16 Dice: "[...] basta atenerse a la significación del título y a las comprobaciones

Es menester observar, desde otro ángulo de mira, que no es muy exacta la tipificación del "Discurso" que hace Menéndez y Pelayo, quien dice de él que es un "curioso ensayo de *Poética* [...], un bello trozo de inspiración didáctica" (*Historia de la poesía* II, 163), como tampoco lo es la de Julio Leguizamón, para quien el "Discurso" –dice– "tiende a clasificarse, por el tema, entre las composiciones didácticas, pero su forma relativamente libre (juicio que no es exacto) y la inspiración con que alza el vuelo la lección estética, lo desplazan hacia la lírica" (Leguizamón I, 241). En efecto, la intención de Clarinda no es exactamente la de actuar docentemente sobre sus lectores, sino la de defender y alabar el arte de la poesía; y sus desbordes líricos son en verdad, muy limitados y esporádicos. Por lo demás, tampoco puede decirse que sea una poética, aunque de ella tenga algunos elementos, porque distinta es su intención y diferente su estructura. En realidad, el "Discurso en loor de la poesía" –si fuera necesario calificarlo tipológicamente– corresponde más al género de las alabanzas de las artes ("laudatio"), pues, como ya se ha dicho, mantiene su disposición y agota sus tópicos (cf. parágrafo 1 de este capítulo).

Siendo ésta, entonces, la naturaleza del poema de Clarinda, es claro que su estilo, según ya lo adelantamos, será más eficaz que brillante y carecerá de galas lingüísticas. Sin embargo, en lo que a sintaxis se refiere, es muy notorio que la Anónima tiene singular preferencia por la construcción anafórica; ésta vertebra largos fragmentos del poema. Por ejemplo:

> Despues que Dios con braço poderoso (v. 61).
> Despues qu'en la celeste vidriera (v. 64).
> Despues que concordò los elementos (v. 67).

O también:

> Alli avràs visto por nivel dispuesta (v. 727).
> Avràs visto doceles, i un tesoro (v. 730).
> Avràs visto poner muchos retratos (v. 733).

Más extensa es la anáfora que engarza hasta siete tercetos mediante la reiteración, en el primer verso de cada estrofa, de "Tú eres...", la misma que va del verso 763 al 781.

Es evidente, por otra parte, la marcadísima preferencia que tiene Clarinda por la organización bimembre de su frase, sea yuxtaponiendo sustantivos ("arboles i peñas", v. 276), adjetivos ("eroicos i sagrados", v. 192), o verbos ("quita i arranca", v. 667). En casi todos los casos la "i" hilvana los dos términos, siendo rarísimo

---

de un ligero análisis para establecer cuán estrictamente se ajustan su concepción y su plan a los principios que Cicerón aplicó a la oratoria. Es, por su tema y su estructura, una pieza [...] que el latino habría estimado afín a las oraciones forenses por su feliz defensa de la poesía" (*Esquividad* 107).

el que ambos aparezcan separados por una coma: "orrifica, terrible", por ejemplo (v. 556).

El caso máximo de bimembración expresiva nos la da el siguiente terceto:

> Que Poema tan graue, i sonoroso
> Barac el fuerte, i Debora cantaron,
> por ver su pueblo libre, i vitorioso (vv. 169-171),

en el cual encontramos tres formas duales: "graue i sonoroso", "Barac i Debora", "libre i vitorioso", una por cada verso. Un recuento simplemente aproximativo de estas formas nos da un total que sobrepasa los sesenta casos, lo cual indica de por sí el alto grado de preferencia que Clarinda tenía por la organización bimembre de la frase.

En cambio son menos numerosas las estructuras de tres miembros, pues suma poco menos de veinte casos. En su gran mayoría los términos segundo y tercero van unidos por la cópula "i", aunque a veces se leen también numeraciones trimembres asindéticas: "De monarcas, de Reyes, de señores" (v. 340)

De cuatro miembros sólo hemos leído un caso ("con salmos, himnos, versos i canciones", v. 230) y, de más de cuatro, también un solo caso: "necia, inorante / bárbara, ciega, ruda, i sin prudencia" (vv. 245-246).

En las formas bimembres es normal que ambos términos sean reiterativos, formando así, aunque sólo en cierto aspecto, lo que Dámaso Alonso llama "sintagmas no progresivos bimembres". En efecto, la poetisa no alude a un segundo significado con el último término de su oración, sino que repite el primero con simples variaciones de matiz: "dinidad i icelencia" (v. 156), "dulce i tierno" (v. 163), repetido en el verso 400, "bendigamos i alabemos" (v. 183), "espanto i orror" (v. 471), "vigilias i sudores" (v. 671). "metros i canciones" (v. 771), etc, etc. En general, estas reiteraciones semánticas cumplen un papel intensificativo con respecto al sentido primario, equivaliendo a una especie de superlativo, como se puede comprobar en el caso de "espanto i orror" (v. 471), "orrifica i terrible" (v. 556), etc. Algunas veces, empero, pueden ser consideradas como formas ripiosas: "vando i seña" (v. 151), "reja i arado" (v. 143), etc.

Claro que a veces la bimembración de la fase es progresiva en el sentido de que el segundo término alude a una nueva significación, como en "arboles i peñas" (v. 276), "espejo i almohada" (v. 370), "hazia i cantava" (v. 178), "de justo i de poeta" (v. 222), etc., pero incluso en estos casos la poetisa guarda una notable unidad semántica, sin que ruptura alguna disloque la unitaria totalidad de la frase. Muy similares comprobaciones pueden efectuarse en los casos de trimembración.

Esta prioridad de organización bimembre tal vez signifique un espíritu armónico, enamorado de la simetría, hasta el extremo de estar a punto de monotonía en la expresión. En todo caso, préstale solidez al "Discurso", planta firme y poderosa fuerza convictiva.

Asimismo sobresale en la obra de Clarinda un gusto especial por el uso de interrogantes retóricas, buena parte de ellas empleadas dentro del tópico de lo indecible; esto es, para remarcar que algo es tan excelente que no puede ser dicho por el lenguaje, por el humilde estilo de la poetisa:

> Mas como vna muger los peregrinos
> metros d'el gran Paulino, i d'el Hispano
> Iuvenco alabarà siendo divinos? (vv. 235-237).
>
> Quiero contar d'el cielo las estrellas? (v. 419).
>
> Quién te podrà loar como mereces?
> i como a proseguir serè bastante
> si con tu luz m'assombras, i enmudeces? (vv. 784-786).

El resto de interrogantes retóricas no son más que recursos tradicionales de la forma poética y, en general, tienen también un sentido intensificativo al presuponer una determinada contestación:

> I cual serà el ingrato, qu'alcançare
> merced tan alta, rara, i esquisita,
> que en libelos, i en vicios la empleare? (vv. 793-795).

Más claramente aún:

> Quien duda qu'advertiendo allà en la mente
> las mercedes , que Dios hecho l'auia
> porque le fuesse grato, i obediente:
>
> No entonasse la voz con melodia[?] (vv. 133-136)[17].

Por otra parte, Clarinda acusa como ya se ha dicho una fuerte tendencia a aprovechar alusiones mitológicas que, para los efectos de nuestro análisis, podemos agruparlas con las menciones bíblicas. En muchos casos tales menciones son necesarias al desarrollo temático del poema y se efectúan directamente. En otros, sirven de recurso formal para elevar el tono de la obra y, especialmente, en relación a los elogios y alabanzas. Esto último se ve claramente en el verso que sigue:

> Aquel qu'en la dulçura es un Orfeo (v. 589).

---

[17] El verso no lleva interrogación en la ed. príncipe, pero es evidente su carácter interrogativo.

Además, es frecuente que las alusiones mitológicas y bíblicas se lean en forma que podríamos llamar de enigmas, como se ve claro en:

> I que dire d'el soberano canto
> d'aquel, a quien dudando allà en el te[m]plo
> quitò la habla el Paraninfo santo? (vv. 217-219),

terceto que alude a Zacarías, como el siguiente a Anfión:

> La celebre armonia milagrosa
> d'aquel cuyo testudo pudo tanto,
> que dio muralla a Tebas la famosa (vv. 7-9).

Clarinda usa también, aunque moderadamente, de formulaciones hiperbólicas tales como:

> Bien sè qu'en intentar esta hazaña
> pongo un monte, mayor qu'Etna el no[m]brado
> en ombros de muger que son d'araña (vv. 52-54).

O también:

> Pues nombrallos a todos es en vano,
> por ser los d'el Piru tantos, qu'eceden
> a las flores que Tempe da en verano (vv. 514-516).

Por otra parte, la Anónima también aprovecha otras figuras ampliamente divulgadas —como apóstrofes y metáforas— pero en número reducidísimo. De apóstrofe tenemos este ejemplo:

> Necio: tambien serà la Teologia [...] (v. 700).

Y de metáfora:

> porque [por qué] arrojas al mar mi navecilla? (v. 506).

Esta metáfora es, ciertamente, poco original; como también lo es el llamar "celeste vidriera" al cielo (v. 64), lo que nos demostraría que no era la imaginación el principal atributo de Clarinda. En efecto, ambas metáforas, aunque "puras" si usamos la terminología de Dámaso Alonso (cf. *Estudios y ensayos gongorinos* 40, en nota), no suponen un esfuerzo imaginativo, sino un simple y convencional acatamiento de formas ya establecidas en la tradición literaria.

Puede afirmarse lo mismo en relación a la adjetivación que emplea la Anónima. Aquí tambien está ausente por completo la originalidad, el chispazo expresivo que ilumina con nueva luz una determinada realidad, el hallazgo de un adjetivo distinto y clarificador. En cambio, leemos reiteraciones de lo tradicional o de lo común: Mexía y Paulino son "grandes", Apolo es "divino", Aquiles es "fuerte", el oro es "rutilante", la Virgen María es "dulce", etc., etc.

Tampoco son nuevos los juegos de palabras con que Clarinda, a veces, quiere matizar su exposición. Algunos son, definitivamente, de muy mal gusto:

> compusieron aquel Trisagros trino
> qu'al trino, i uno [...] (v. 122-123).

No es mejor este verso:

> d'el Bruto en no[m]bre, i en los echos bruto (v. 351).

Más sutiles, pero no por ello menos tradicionales, son las disemias que emplea Clarinda: "plumas" de ave, para volar, y "plumas" como pluma de escribir:

> Ojeda, i Galvez si las plumas vuestras
> ....
> Tal vez os las poneis, i a las sagradas
> regiones os llegais tanto [...] (vv. 571-575)[18].

O entre "vena" como veta de algún metal precioso y "vena" como inspiración:

> que vale mas su vena, que las venas
> de plata, [...] (vv. 530-531).

En suma, el estilo de Clarinda distínguese por su afán de armonía, que se entiende como simetrismo expresivo, por su carencia de poder imaginativo y su dependencia con respecto a formas y modos tradicionales, todo ello dentro de una versificación italianista no brillante, pero sí correcta.

---

[18] Se repite este mismo juego en los vv. 473 y ss.

Capítulo cuarto

Las fuentes del
"Discurso en loor de la poesía"

Queda anotado que éste es el capítulo central del presente libro. Los anteriores, especialmente los dos de la Primera Parte, no tienen más razón que la de precederlo, sirviendo para su mejor comprensión. Dijimos ya, igualmente, que se originó ante nuestra extrañeza por la común admiración que despertaba la erudición del "Discurso" y la poca atención, casi ninguna, que se prestaba a una pregunta lógica: ¿de dónde bebió Clarinda su variado saber?

A tal pregunta, y en la medida de lo posible, contestamos en las páginas siguientes.

1. Aclaraciones previas y terminología

Previamente será menester definir el sentido que conferimos a la palabra "fuentes", pues no siendo un término unívoco —como no lo son casi todos los que empleamos en literatura— bien podría llamar a confusión. Y es éste un término que utilizaremos de continuo.

Como se sabe, la terminología alemana alude con la denominación "fuentes literarias" a la procedencia del "asunto" de una obra. Mediante su estudio, por consiguiente, se intenta averiguar dónde nace un asunto y cómo se desarrolla —y por qué cauces— hasta llegar al texto que se atiende. Defínese "asunto" como "lo que vive en la tradición propia, ajeno a la obra literaria, y va a influir en su contenido. El asunto —se añade— está siempre ligado a determinadas figuras, y comprende un período de tiempo. Está, pues, más o menos fijado en el tiempo y en el espacio" (Kayser 87).

Propiamente hablando, el término "asunto" sólo se relaciona con las llamadas obras de ficción —literatura creadora— de acuerdo a lo dicho por Wolfgang Kayser (*ibid.*). Pero como quiera que ahora tratamos un texto que no es precisamente de ficción poética, sino, más bien, de exposición teórica o ideológica, la versión germana de la palabra "asunto" no nos es de utilidad, al menos si queremos adoptarla rigurosamente para el estudio de las fuentes del "Discurso en loor de la poesía".

De aquí, entonces, que entendamos el término "fuentes" en un sentido apreciablemente más amplio, el mismo que sólo es aprovechable –adviértase de inmediato– para este caso concreto y a manera de simple instrumento. Mediante investigación de fuentes nosotros significamos –aquí y ahora– la búsqueda del origen de ciertas ideas o concepciones, itinerario de las mismas a través de textos que las documentan, y, secundariamente, indagación acerca de si es o no comprobable cierto tipo de relaciones concretas entre dos obras, en el sentido de que una deviene directamente de la otra.

Reconocemos, nosotros los primeros, una extremada laxitud en dicho concepto, mas no dudamos de su capacidad instrumental para esta ocasión, en la medida en que nos proporciona una amplia libertad para encontrar, según cada circunstancia, el camino que nos lleva a la contestación de la pregunta básica: ¿de dónde extrajo Clarinda su notable erudición?

Adviértase, por lo demás, que en lo fundamental no tratamos más que del origen y desarrollo de ciertas ideas que se leen en el "Discurso", y que sólo secundariamente nos atrevemos a precisar específicas relaciones de dependencia. Señalaremos, cada vez que nos sea posible, de dónde "pudo" haber obtenido Clarinda tal o cual idea, determinando el grado de posibilidad y –sobre todo– tratando de inscribir su pensamiento en las coordenadas de la cultura de entonces. Que no sólo es útil saber con exactitud, documentalmente si se quiere, que la obra A proviene del texto B, sino también, ciertamente, que las obras A, B y C exponen ideas similares a las expresadas en D, cuyo ambiente ideológico, por consiguiente, es común al de las primeras.

2. Fuentes del "Discurso" tratadas por la crítica

Todos los críticos que han estudiado el "Discurso" coinciden en afirmar que su autora poseyó una vasta cultura humanista, propia de las cultivadas mentalidades del Renacimiento, mas casi ninguno ha investigado concretamente qué autores influyeron en Clarinda, a través de qué textos y sobre qué aspectos de su obra. Prado y Riva-Agüero nada nos dicen al respecto. Sánchez se mantiene en un nivel de generalidades y equivócase al señalar que la Anónima "glosa con acierto a Aristóteles, Plinio, Estrabón, Virgilio, Horacio, Catulo, Marcial, Juvenal, Persio, Séneca y Lucano" (*La literatura* III, 33). En el poema de Clarinda no se lee comento alguno con respecto a estos autores, a los que apenas nombra de pasada, aunque unos pocos (Aristóteles, Virgilio y Horacio), influyen sobre ella con intensidad y en proporciones muy desemejantes, según luego tendremos oportunidad de explicitar.

Augusto Tamayo Vargas recuerda, al tratar de Clarinda, a Juan de la Cueva y Cervantes ("ambos utilizantes del terceto y ambos empeñados en destacar el valor de la poesía"), a Jerónimo Vida y "a los más lejanos consultadores de una poesía considerada no sólo como inspiración sino como ejercicio y aprendizaje: Aristóteles y Horacio" (*Literatura* I, 225). Apreciaciones también generales que dicen poco acerca del problema que nos ocupa y que, exageran algo en relación a la importancia que concede Clarinda al "aprendizaje", pues para la poetisa –recuérdese– lo fundamental es la inspiración divina.

Menéndez y Pelayo, aunque no toca este punto, advierte en una nota que la última parte del "Discurso" es un comentario poético a la oración *Pro Archia* de Cicerón, juicio exacto que determina una fuente real y de gran importancia (*Historia de la poesía* II, 164 [en nota]).

Alberto Tauro es más explícito. Alude él a Aristóteles, quien habría influido en lo que atañe a la concepción de la poesía como suma y compendio de artes y ciencias[1], y en la consideración acerca de las condiciones que el poeta debe poseer (vv. 322 y ss.). Cicerón estaría vigente en el planteamiento del problema de la vena y el arte (vv. 262 y ss.), en la apreciación del poeta como civilizador de la humanidad (vv. 310 y ss.), en la naturaleza armónica de la poesía (vv. 307 y ss.), y, como ya se ha dicho, en la estructura general del poema. Plutarco sería la fuente de la anécdota que tiene por objeto el "cofre de Darío" (vv. 373 y ss.). Clarinda coincidiría con Cervantes, por último, en esta misma anécdota (vv. 373 y ss.), en el catálogo de autores latinos (vv. 409 y ss.), en el tema de la vena y el arte (vv. 310 y ss.), y en la poesía como suma de saberes (vv. 97 y ss.). En las páginas siguientes haremos la crítica a estas afirmaciones.

Este es, pues, el estado en que se encuentra la investigación de fuentes (en el sentido amplio que hemos adoptado) con relación al "Discurso". La información es, con toda evidencia, excesivamente vaga y notoriamente parcial, atañe tan sólo a algunos aspectos de la cultura grecolatina y olvida todo precedente medieval y toda relación con las poéticas y preceptivas españolas. Llenar estos vacíos es la intención de este capítulo.

3. Sistema de exposición y obras fundamentales

No es tarea fácil organizar los datos –numerosísimos– que sobre las fuentes del "Discurso" pueden obtenerse. Córrese el riesgo de

---

[1] Nos referimos en todas las citas a las notas de Tauro a su edición del "Discurso", vv. 85 y ss.

sepultar, con erudición más o menos difícil, lo que realmente interesa: la filiación intelectual del poema en estudio. Y córrese, también, el riesgo de reiterar hasta el infinito ideas muy similares. Esto sucedería, indefectiblemente, si nos propusiéramos comparar el "Discurso" con cuantas obras tiene o puede tener relaciones, analizando en cada caso la naturaleza de las mismas, dentro de los límites ya fijados en páginas anteriores.

Por esto, y porque lo consideramos más sistemático, hemos adoptado el método siguiente: relacionar cada tema central del "Discurso" con las obras que traten este mismo tema. La exposición se organiza así bajo principios temáticos, internos en este caso, y no en referencia a autores, lo que significaría, por una parte, excentricidad, y, por otra, desorden[2].

Ahora bien: nuestra intención más importante atañe a las poéticas y preceptivas españolas anteriores al "Discurso", mas hemos creído oportuno ampliar nuestro campo de investigación, incluyendo en él obras clásicas grecolatinas y algunos textos medievales o renacentistas no hispánicos.

A continuación, y también con el mismo afán de salvar repeticiones, enumeramos los textos básicos que habrán de servirnos luego, anotando la edición sobre la que trabajamos y el año de su primera publicación:

> -Santillana, Marqués de: "Prohemio é carta quel Marqués de Santillana envió al Condestable de Portugal con las obras suyas", 1499 (Apéndice III de *Historia de las ideas estéticas en España* de Marcelino Menéndez y Pelayo, en *Obras completas*, Vol. I. Ed. del Consejo Superior de Investigaciones Científicas[3], Santander: Ed. Aldus S.A. de Artes Gráficas, MCMXL, 495–510).

> -Enzina, Juan del: *Arte de la poesía castellana*, 1496. (Apéndice V de *Historia de las ideas estéticas*. Cf. Supra. 511–24).

> -Sánchez de Lima, Miguel: *El arte poética en romance castellano*. Ed. de Rafael de Balbín Lucas conforme a la ed. príncipe (Impresso en Alcalá de Henares en casa de Iuan Iñiguez de Lequerica. Año 1580). Madrid: CSIC, Biblioteca de Antiguos Libros Hispánicos, 1944.

> -Díaz Rengifo, Ivan (Diego García Rengifo): *Arte Poética Española con vna fertilissima sylua de consonantes comunes, proprios, esdruxulos y reflexos y vn diuino. Estimulo del Amor de Dios, por ...., natural de Auila. Dedicada a D. Gaspar de Zvñiga y Azeuedo Conde de Monterrey, y Señor de la casa de Viezma y Vlloa*. Con priuilegio. En Salamanca, en

---

[2] Sin embargo, organizamos por autores las conclusiones de este capítulo tanto porque siendo sintéticas no hay riesgo de desorden, cuanto porque así complementamos la visión general del problema de las fuentes.

[3] En lo sucesivo mencionaremos por sus siglas (CSIC) al Consejo Superior de Investigaciones Científicas.

casa de Miguel Serrano de Vargas. Año 1592. (El ejemplar que nos ha servido es el R.3175 de la Biblioteca Nacional de Madrid)[4].

-Carballo, Luis Alfonso de: *Cisne de Apolo*. 2 vols. Ed. de Alberto Porqueras Mayo conforme a la ed. príncipe (en Medina del Campo, por Iuan Godinez de Millis. Año 1602). Madrid: CSIC, Biblioteca de Antiguos Libros Hispánicos, 1958.

-Cueva, Juan de la: *Ejemplar poético*. Ed. de Francisco A. de Icaza conforme al autógrafo, manuscrito 10.182 de la Biblioteca Nacional de Madrid. (En Juan de la Cueva, *El Infamador. Los siete infantes de Lara y el Ejemplar poético*. Madrid: Espasa-Calpe, Clásicos Castellanos, 1953). La ed. príncipe del *Ejemplar poético* data de 1606.

-López Pinciano, Alonso: *Philosophía antigua poética*. 3 vols. Ed. de Alfredo Carballo Picazo conforme a la ed. príncipe (en Madrid, por Thomas Iunti. MDXCVI). Madrid: CSIC, Biblioteca de Antiguos Libros Hispánicos, 1953.

-Carrillo y Sotomayor, Luis: *Libro de la erudición poética*. Ed. de Manuel Cardenal Iracheta conforme a la ed. príncipe (*Obras de Don Luys Carrillo y Sotomayor*, en Madrid, por Juan de la Cuesta. Año de MDCXI). Madrid: CSIC, Biblioteca de Antiguos Libros Hispánicos, 1956.

Además, los siguientes tratados clásicos:

-Aristóteles: *Poética*. Versión directa, introducción y notas por el Doctor Juan David García Bacca. México: Universidad Autónoma de México, Biblioteca Scriptorum Graecorum et Romanorum Mexicana, 1945.

-Cicerón: *Obras completas de Marco Tulio Cicerón*. 8 vols. Traducidas del latín por D. Marcelino Menéndez y Pelayo. Ed. Luis Navarro. Madrid, 1882.

-Horacio: *Epístola de Q. Horacio Flaco a los Pisones. Sobre el Arte Poética*. En *Preceptistas latinos*, por Alfredo Adolfo Camus. Madrid: Imp. de M. Rivadeneyra y Comp., 1846. La *Epístola*: 296–327. Edición bilingüe.

-Quintiliano: *Instituciones Oratorias de N. Fabio Quintiliano*. 2 vols. Traducidas del latín por Ignacio Rodríguez y Pedro Sandier. Madrid: Lib. de la Viuda de Hernando, Biblioteca Clásica, 1887.

En las páginas que siguen nos limitaremos a señalar las noticias bibliográficas mediante el nombre del autor del libro y la página y tomo de la cita, salvando así la dificultad de una anotación excesiva y molesta. Cuando recurramos a otros textos, no presentes en la nómina anterior, señalaremos su referencia bibliográfica completa. En cualquier caso, las citas mantendrán escrupulosamente la ortografía de los originales.

---

4 "Ya Nicolás Antonio reveló el nombre verdadero del autor de la *Sylua* y del *Arte poética española*, afirmando ser éste el Padre Jesuita Diego García Rengifo, que por motivos ignorados quiso ocultar su nombre bajo el de su hermano Juan, adjudicándose de paso, para mejor guardar su anonimato, el apellido Díaz" (Díez Echarri 71).

4. Del origen divino de la poesía

Para Clarinda la poesía es don de Dios. Regalo, el más excelente y preciado de todos, que el Creador hizo al hombre, llevado de su amor por él, como espléndido broche de su creación. Así, lo infundió en Adán, primero entre todos los poetas.

Es Platón, en Occidente, el primero que recurre a la divinidad para explicar la poesía, pero antes había ya un consenso, tal vez no explicitado, pero firme, que relacionaba la creación poética con la presencia de una inspiración sobrehumana. No otra cosa significan las invocaciones a las Musas —o deidades semejantes— cuya antigüedad corre a la par con el nacimiento mismo de la literatura.

"Cosa ligera, alada, sagrada, es ser poeta; ninguno está en disposición de crear antes de haber sido inspirado por un dios, de estar fuera de sí y de no contar ya con su razón, pues mientras conserve esta facultad todo ser humano es incapaz de poetizar y de proferir oráculos", dice Platón. Y añade: "no son ellos (los poetas) quienes dicen cosas maravillosas —ya que están fuera de su razón—, sino la divinidad misma, que habla por su mediación para hacerse oír de nosotros". Por ende, "estos hermosos poemas no tienen carácter humano, ni son obra de los hombres, sino divinos y provenientes de los dioses" (Platón 341–42).

La poesía es, pues, don de Dios. Los romanos insistieron en la misma idea con más o menos firmeza, sobre todo con ocasión de las ya conocidas invocaciones a las Musas. Pero en Quintiliano hay más que un llamado, hay un esbozo de teoría que, aunque referido a la oratoria, concuerda con la doctrina platónica: es la oratoria —leemos en sus *Instituciones Oratorias*— "la cosa mejor que los dioses han concedido a los hombres" (lib. XII, 365).

El advenimiento del cristianismo supuso, evidentemente, una revisión de estas ideas. Las Musas, aunque mantenidas por algunos poetas de la nueva religión, fueron reemplazadas por personajes y símbolos cristianos e, incluso, por el propio Cristo. Por otra parte, y a partir de San Jerónimo, la Biblia comenzó a considerarse como documento literario, lo que condujo, necesariamente, a pensar que el mismo Dios dictó los poemas de Moisés, David o Salomón, como habremos de verlo con más detenimiento en otro parágrafo.

Esta interpretación de la Biblia como obra literaria llevaría, pues, al convencimiento de que Dios es el origen de la poesía, a lo cual aludirían San Agustín, San Jerónimo, San Isidoro y Casiodoro, entre otros. "Al lado de la invocación a las Musas, la poesía antigua conocía la invocación a Zeus. La poesía cristiana pudo continuar esta tradición, identificando el paraíso con el Olimpo, y a Dios con Júpiter", afirma Ernest Robert Curtius (I, 331; cf., además, I, 324–48 y II, 631–59, 760–75. También: Dawson, esp. cap. 3).

Esta idea tiene una larga tradición en España, tanto, que Díez Echarri afirma, aludiendo a los tratadistas del Siglo de Oro, que "apenas saben decirnos otra cosa que la poesía es algo que viene del cielo, de carácter infuso" (102). Y, en general, esto es así.

Pasemos, para comprobarlo, una rápida revista de autores medievales y renacentistas hispánicos.

Alfonso Álvarez de Villasandino (1340?-1425?), "el poeta más abundante y famoso de su tiempo", al decir de Valbuena Prat (I, 208), escribió los siguientes versos, consignados en el *Cancionero de Baena*, publicado como se sabe en 1445:

> ....non se engañe
> Alguno diziendo que non so letrado;
> Pues cada qual tiene su don otorgado
> D'aquel Glorioso que es más que profeta,
> E yo sy abriere mi arte secreta,
> Daré que fazer a algunt graduado (cit. por Lapesa 31).

Y el mismo Juan Alfonso de Baena, en el "Prólogo" de su *Cancionero* estampa las siguientes palabras :

> [...] la igual çiençia é avisaçión é doctrina [la poesía] es avida é rreçebida é alcançada por graçia infusa del señor Dios que la da é la embya é influye en aquel ó aquellos que byen é sabya é sotyl é derechamente la saben fazer (9).

Otros poetas del mencionado *Cancionero* tienen igual parecer. Así, por ejemplo, Fernant Manuel de Lando quien afirma:

> Que graçia es magna que enbia el Señor,
> E non çiençia de ningunt dotor (Baena 278).

Y Fernand Peres de Gusman, para quien "el trobar sea un saber divino" (Baena 610).

En el mismo origen de la lírica castellana, cuando todavía suena nítidamente su filiación galaica, encontramos ya la idea del origen divino de la poesía. No importa, ciertamente, que Menéndez Pidal se indigne ante la yuxtaposición de un arte mediocre ("puesto al servicio de amores ajenos y la mendicidad propia") y la concepción de la poesía como "gracia infusa de Dios, don divino del que pocos podían jactarse" (Menéndez Pidal, "La primitiva poesía lírica española" 217), pues, por ahora, sólo nos interesa subrayar la honda raigambre histórica de la idea que venimos rastreando.

Iñigo López de Mendoza, Marqués de Santillana, se mantiene en esta línea y en su "Proemio é carta" podemos leer:

> [...] a quienes estas sçienças (entre ellas, especialmente, la poesía) de arriba son infusas (en Menéndez y Pelayo, *Historia de las ideas* 496).

Dando un salto de poco más de un siglo, en *De los nombres de Cristo* de Fray Luis de León, cuya edición príncipe data de 1583, se escribe :

> [...] porque sin duda la inspiró Dios en los ánimos de los hombres, para con el movimiento y espíritu de ella levantarlos al cielo, de donde ella procede; porque poesía no es sino una comunicación del aliento celestial y divino (469).

Anótese, pues es indicio de importancia, que las obras de Fray Luis, y de manera especial la que nos ocupa, llegaban a América en grandes lotes y constantes envíos, lo que nos hace suponer que Clarinda bien pudo conocer el pensamiento del autor de la "Vida Retirada", máxime si el mismo estaba inserto en un libro de carácter religioso, de gran predicamento, leído y releído por todos en aquella época. Que Fray Luis de León y la Anónima coinciden tanto en la idea básica (la poesía proviene de Dios), cuanto en otorgar a ella un valor en tanto instrumento de salvación: "elevarlos al cielo", según Fray Luis; "enseñar las cosas celestiales y la alteza de Dios", según la Anónima (vv. 263-264).

García Rengifo es, en este aspecto, más explícito. En su célebre *Arte poética española* anota:

> Lo que parece cierto es que Ada[n] tuuo arte poetica infusa, y della aprenderian sus hijos (f. 1).

El libro de Rengifo sufrió, en 1727, una avalancha de disparatados añadidos de la pluma de Joseph Vicens. Esto ha confundido a muchos críticos. Menéndez y Pelayo, por ejemplo, cree que la cita que acabamos de consignar pertenece a un fragmento de Vicens, lo que no es cierto, pues nosotros la tomamos de la edición príncipe, naturalmente limpia de colgandijos (*Historia de las ideas* 217).

Sabemos, al igual que en el caso anterior, que la obra de García Rengifo llegó a América antes de 1600 y también nos es dable suponer que pudo haber sido conocida por Clarinda, puesto que la de Rengifo era, por entonces, la poética por excelencia. En este caso sin embargo, la similitud entre ambos textos se concreta a la mención de Adán en su calidad de primer poeta ("D'esta region empirea, santa, i bella / se derivò en Adan primeramente", leemos en el "Discurso", vv. 130-131), pero hay diferencia en cuanto el español señala que de Adán aprenderían sus hijos, mientras que Clarinda afirma lo contrario.

> Que lo demas pudiesse el enseñallo
> a sus hijos, mas que este don precioso
> solo el que se los dio puede otorgallo (vv. 94-96)[5].

Luis Alfonso de Carballo, en su *Cisne de Apolo*, finge el siguiente diálogo sobre el tema que nos ocupa:

> Zoylo: -Passo no digas mas, que tienes talle de hazer Poeta a nuestro primer padre Adam.
> Lectura: -Y no mentiría, pues es cierto que tuuo estar arte infusa como tuuo todas las otras (I, 156)

Idea que resume luego en verso:

> Y como las mas artes no se escusa.
> confessar que la tuuo Adam infusa (I, 158)

No tenemos prueba documental alguna de que el *Cisne de Apolo* estuviera en las bibliotecas coloniales, aunque es posible, y tampoco es seguro que Clarinda tuviera tiempo de leerlo, pues data del año 1602 y el "Discurso" –editado en 1608, pero aprobado ya en 1604– seguramente fue escrito algún tiempo antes. En todo caso, las similitudes entre ambos textos nos demuestran que nuestra poetisa manejaba ideas que seguían vigentes en España, como lo prueba también el *Panegyrico por la poesía*, anónimo sevillano de 1627, que, según resumen de Curtius, reza así en uno de sus fragmentos: "Según el Cardenal Cisneros, el Arcángel Miguel enseñó la Poética a Adán. Después de Adán los primeros poetas fueron Caín, Abel, David" (Curtius II, 772)[6].

Sin embargo, y pese a que Díez Echarri considera este aspecto como general en todas las poéticas españolas del Siglo de Oro, Alonso López Pinciano, en 1596, rechazaba categóricamente la idea de que la poesía fuera de origen divino. Tenía que ser así, pues el autor de *Philosophía antigua poética*, está más en la línea de Aristóteles y Santo Tomás, que en la de Platón y San Agustín. "¿Vos no veys –dice– q[ue] tiene más grano vna hoja de Arist[óteles] que treynta de Platón?" (I, 202).

Afirma Pinciano con relación a la idea que nos ocupa:

> Toda mi vida fuy amigo de no yr a mendigar al Cielo las causas de las cosas que puedo auer más acá abaxo; y assi esto desstos furores diuinos de Platón no me satisfaze (I, 223).

---

[5] Aunque de sentido claro, el verso ofrece hasta dos lecturas: "sólo él [Dios], que se los dio, puede otorgallo", o "sólo el que se los dio [Dios], puede otorgallo".

[6] Lamentamos no conocer este texto que, por el resumen que trae Curtius, tiene gran semejanza con el "Discurso". Del *Panegyrico*, según el mismo autor, hay una ed. facsímil de 200 ejemplares, por E. Rasco, en Sevilla, 1886; a más de la ed. príncipe, naturalmente. [Nota de J.A.M.: Recordemos la edición de 1968, aludida en la nota 2 del capítulo Tercero. Se atribuye el texto a Fernando de Vera y Mendoza. Por obvias razones cronológicas, A.C.P. tampoco pudo consultarla].

El [furor] poético se pudiera reduzir más a la diuinidad [que los otros furores], pero ni tal quiero confessar, porque si hallamos causas naturales y euidentes, ¿para qué auemos de ir a las sobrenaturales? Ingenio furioso es el de poeta, que es dezir, vn natural inuentiuo y machinador, causado de alguna destemplança caliente del celebro. Tiene la cabeça del poeta mucho del elemento del fuego, y assí obra acciones inuentiuas y poéticas. Esto es lo que deuiera dezir Platón [...] (I, 223–24).

López Pinciano, sin embargo, accede a descubrir en la poesía bíblica un cierto influjo de la divinidad, pero mantiene, en general, su juicio y actitud naturalistas, las mismas que, como bien anota Sanford Shepard (29 y ss.), devienen del *Examen de Ingenios* de Huarte de San Juan:

Digo de nueuo que el furor poético es natural y ayudado alguna vez del espíritu diuino, como se vee en Dauid y otros semejantes. Y la más de las vezes es ayudado de otro furor natural más bazo, del qual son tantas las especies, quantos los desseos y apetito (López Pinciano I, 226–27).

No hay en este aspecto, pues, ninguna relación entre López Pinciano y Clarinda. Más aún, la poética que comentamos muestra la importancia de una corriente cultural que, al parecer, no influyó sobre el poema de la Anónima, plenamente identificado —en cambio— con el pensamiento platónico-agustiniano, y heredero de las concepciones de los poetas trovadorescos, del Marqués de Santillana, de Fray Luis de León, de Rengifo y de Carballo, con cuya manera de pensar tiene evidentísimas similitudes. De esta suerte, bien vale reiterar, subrayando, la posibilidad de que nuestra autora conociera, directamente, el pensamiento de Fray Luis y el de García Rengifo, según las anotaciones que hicimos en su oportunidad.

5. De la poesía, su amplitud y de la condición de los poetas

La poesía no sólo es don de Dios. Es, además, el más valioso y eminente de todos ellos. Hasta tal punto esto es así que, para Clarinda, la poesía abarca cuantas artes y ciencias existen.

El don de la Poesia abraça, i cierra
por preuilegio dado de'l altura,
las ciencias, i artes qu'ai aca en la tierra.

Esta las comprehende en su clausura,
la perficiona, ilustra, i enriquece
con su melosa, i graue compostura (vv. 100-105).

De aquí se desprende que el poeta habrá de ser una especie de sabio, poseedor de una cultura enciclopédica:

I aquel qu'en todas ciencias no florece,
i en todas artes no es exercitado,
el nombre de Poeta no merece (vv. 106-108).

> Pero seralo aquel mas ecelente
> que tuviere mas alto entendimiento,
> i fuere en mas estudios eminente (vv. 112-114).

Parécenos que en la antigüedad clásica tales ideas no tuvieron una formulación exactamente igual a la que encontramos en el "Discurso". En efecto, Aristóteles se limita a señalar que "la poesía es más filosófica y esforzada empresa que la historia, ya que la poesía trata sobre todo de lo universal, y la historia, por el contrario, de lo singular", (9, 1451 b, p. 14) con lo cual no se confiere a la poesía esa dimensión enciclopédica que anota Clarinda[7]. Quintiliano, por su parte, nos habla del orador como ideal humano, como hombre perfecto, dechado de virtudes y erudición, como veremos luego, pero no incide en lo que podríamos llamar el poder abarcador de la poesía. Algo similar puede decirse de Cicerón.

Esta idea, que dentro de la estructura ideológica del "Discurso" es presupuesto de la concepción del poeta como sabio, recién nace en el Medioevo, a través de una confusión de campos diversos: "la Edad Media concluyó –dice Curtius– que eloquentia, poesía, philosophia, sapientia no eran sino otros tantos nombres para una misma cosa" (*Literatura europea* II, 621). De aquí que, siguiendo al mismo autor, "ya Macrobio encontró en la poesía todo lo que vería en ella la Edad Media: teología, alegoría, omnisciencia, retórica" (II, 629).

En España prendió con gran fuerza tan elogiosa pero confusa manera de idear la poesía y nos la documentan, entre otros, los siguientes textos:

> De todas las sçiençias, ¿qual mas extensa a todas especies de humanidat [...] si non la eloqüencia dulçe e fermosa fabla sea metro, sea prosa? (Santillana 496).

> Porque en ella [la poesía] se halla muy fina Theologia, Leyes, Astrologia, Philosophia y Musica: y en fin todas las siete artes liberales se hallaran escriptas en Poesia, si bien se quiere buscar (Sánchez de Lima 43).

> La poesia comprehende y trata de toda cosa que cabe debaxo de imitación, y, por el co[n]siguiente todas las sçie[n]çias especulatiuas, prácticas, actiuas y effectiuas (López Pinciano I, 216).

> Torno a decir que no tiene objeto particular la poética sino vniuersal de todas las artes y disciplinas, a las quales abraça y sobrepuja porque se estiende a las cosas y sentencias q[ue], no auiendo sido jamás, podrían ser (López Pinciano I, 235).

---

[7] Tauro afirma, empero, que "en la presentación de la poesía como síntesis y fuente de las ciencias y las artes, el 'Discurso' desenvuelve la concepción aristotélica, según la cual presta aquélla su armonía para expresar la verdad científica en forma grata y memorable y por eso exalta, reiteradamente, el valor lectivo y la belleza de la poesía" (50, n. al verso 85 y ss).

De hazer buen poema la sciencia es la fuente (López Pinciano II, 205–206).

La poesía comprehende en si todas las otras facultades, artes y ciencias (Carballo I, 132).

> Porque ningunas sçiençias se inuentaro[n]
> que en esta facultad [la poesía] no se han hallado,
> historias, artes, leyes, y doctrinas,
> humanas, naturales, y diuinas (Carballo I, 142).

Reverenciaba la ciencia de la poesía porque encerraba en sí todas las demás ciencias: porque de todas se sirve, de todas se adorna y pule y saca a luz sus maravillosas obras, con que llena el mundo de provecho, de deleite y maravilla[8].

Entre cita y cita, naturalmente, existen matices diferenciadores. Algunos autores parecen creer que la poesía "comprehende" todas las ciencias y artes, porque tales se pueden expresar en verso, que es a lo que alude Tauro con relación a Aristóteles (cf. nuestra nota 7); otros mucho más radicales nos hablan de una "comprehensión" más profunda y referida no ya a la forma –o no sólo a ella– sino al propio "objeto" de las ciencias que caben en la poesía.

Algo de ambas actitudes hay en el "Discurso". Por una parte, en efecto, se nos dice en él que la poesía se limita a perfeccionar, ilustrar y enriquecer a las otras disciplinas mediante su "melosa i graue compostura", lo cual alude más a la forma; por otra, que la poesía "abraça i cierra" "las ciencias i artes qu'ai aca en la tierra", juicio éste que es más general que el anterior y que puede referirse a una "comprehensión" absoluta de la índole de la que nos habla Pinciano, por ejemplo, o Carballo.

En cualquier caso, Clarinda inscríbese profundamente en una manera de pensar que, aunque originalmente medieval, permanece plenamente vigente en los tratados del Renacimiento. Shepard alude a esta vigencia al afirmar que "la amplia cultura representa para el crítico renacentista un elemento de belleza. El saber enciclopédico introducido en lo literario corresponde a normas estéticas de la época" (209). El mismo autor señala que el juicio aristotélico acerca de que la poesía es más filosófica empresa que la historia "facilitó la conexión entre la filosofía y la literatura, o, más bien, entre la ciencia (filosofía natural) y la literatura" (Shepard 40). De

---

[8] Cervantes, Miguel de: "El Licenciado Vidriera". Tauro encuentra otro texto de Cervantes –perteneciente a *Don Quijote*– que dice: "La Poesía, señor hidalgo, a mi parecer es como una doncella tierna y de poca edad y en todo extremo hermosa, a quien tienen cuidado de enriquecer, pulir y adornar otras muchas doncellas, que son todas las otras ciencias y ella se ha de servir de todas, y todas se han de autorizar con ella" (cit. en Tauro 51, n. a los vv. 97-105). Obsérvese que la frase tradicional "enriquecer, pulir y adornar" está referida, heterodoxamente, a la poesía, cuando el juicio clásico era al contrario.

aquí entonces, que nos sea dable acotar que el "poder abarcador" de la poesía, como principio de la teoría literaria, tiene su origen remoto en Aristóteles, su configuración primera en la Edad Media y su definitivo planteamiento y triunfo en el Renacimiento. Este es, pues, el itinerario de la idea que expresa Clarinda.

Nuestra poetisa deduce de aquí el catálogo de condiciones que deberá poseer el buen poeta: puesto que la poesía abarca ciencias y artes, quien la produzca tiene que conocer en su amplitud todo el saber humano. El poeta, por tanto, se nos aparece en forma y dignidad de sabio.

Esta concepción sí tiene raíces directas –y no mero origen remoto– en la época clásica, especialmente en Roma. Ya sabemos, al respecto, que podemos encontrarla, completamente desarrollada, en Cicerón y Quintiliano:

> Sin duda que es la elocuencia algo más de lo que imaginan los hombres, y requiere mucha variedad de ciencias y estudios [...], pues abraza la ciencia de muchas cosas[9], sin las cuales es vana e inútil la verbosidad [...] y nadie podrá ser orador perfecto si no logra una instrucción en ciencias y artes (Cicerón, "Diálogos del Orador", *Obras completas* I, 11–12).

> Creo que nadie merece el título de orador si no está instruido en todas las artes propias del hombre libre (*id.* 23)

> [...] pudiera responderles con las palabras de Cicerón quien dice: "a mi parecer ninguno puede llamarse orador acabado y perfecto, si no tuviera conocimientos de todas las artes". Pero yo me contento con que no ignore absolutamente aquello de lo que tiene que hablar (Quintiliano, lib. II, cap. XII, 134);

lo cual no es obstáculo para que el mismo autor señale la urgencia de una cultura enciclopédica para el buen orador en el lib. I. cap. VII y en el lib. XII, caps. II, III y IV, en donde se habla de la cultura general, de la filosofía, el derecho civil y la historia, respectivamente.

No es extraño que estas citas se refieran al orador –no al poeta– y que nosotros las entronquemos con la idea del poeta-sabio, pues ya está dicho que desde el Medioevo se confundieron ambos mundos en lo que respecta a sus teorías. De suerte que lo afirmado en Roma con respecto al orador fue transferido, desde la Edad Media, al poeta.

Estamos enterados ya que durante los siglos medievales se forjó la idea de la poesía como ciencia enciclopédica y, como es lógico,

---

9 Hay aquí, como es claro, una alusión al poder abarcador de la oratoria, más no se halla explicitada y, sobre todo, sólo aparece en función a la sabiduría del orador.

también se insistió en la sabiduría universal del poeta. Este tópico tuvo especial vigencia en relación al culto por Virgilio. Y en España la concepción del poeta-sabio fue, desde muy antiguo, expresada por todos los autores. Santillana (496), por ejemplo, nos dice que el poeta, a más de espíritu noble, debe ser docto. Y otros tratadistas explicitan más el tema.

> Pues es claro que no le merece [el nombre de poeta], sino el que ha ro[m]pido su lança y muchas lanças en el campo o campos de los buenos ingenios, que son las academias, y vniuersidades (Sánchez de Lima 18).

> Quintiliano, el qual nos enseña que los poetas deuen ser elegidos y leydos (López Pinciano I, 148).

> No hay buenos poetas en España porque les faltan las sçiençias, lenguas y doctrinas para saber imitar (*El Brocense*, cit. por Vilanova III, 573).

> Ansi el Poeta tiene el estilo de los Historiadores, la elegancia de la Retorica, el metodo de los Doctores tratando y comprehendiendo Historias, Artes, Philosophia, Medicina, Leyes diuinas y naturales (Carballo I, 133).

> > Este renombre [de poeta] se le debe a aquellos
> > que con erudición, doctrina, y ciencia
> > les dan ornato que los hacen bellos
> > (Cueva 121, Ep. I, vv. 112-114).

> De aquí se entiende que si no tratamos del vulgar Poeta, en tanto como professa el grande el vilissimo, sino el docto, lleno de todo genero de arte, y ciencia, para que aspira á ser Príncipe [...] (Carrillo 96).

> Y no ignorar [el poeta] de todas las ciencias los puntos que se les ofrecieren (Carrillo 74).

De estas citas se desprende que el "Discurso" consigna, al exigir al poeta que sea ejercitado en artes, floreciente en ciencias, eminente en estudios y alto en su entendimiento, una idea ampliamente difundida entre los tratadistas españoles desde 1499 hasta 1611, cuando menos. Nuevamente, pues, nos es dable afirmar que Clarinda está dentro de la corriente intelectual de la época y que sus ideas, a pesar de tener origen en el Medioevo en este caso, permanecían en boga en los años en que escribió el "Discurso" e, incluso, algún tiempo después, como se prueba con la cita del *Libro de la erudición poética* que data de 1611.

Por lo demás Clarinda culmina su visión del poeta afirmando que éste, además de sabio, debe ser dechado de moralidad:

> I assi el que fuere dado a todo vicio
> Poeta no serà [...] (vv. 289-290).

Estos versos, en la edición príncipe, llevan una marca que llama la atención sobre ellos, de acuerdo a una peculiaridad de esta edición que señala así las partes más importantes del texto.

Ahora bien: que el poeta deba ser un hombre de altísima jerarquía moral es, estrictamente hablando, una idea típica de Quintiliano:

> Porque no sólo digo que el que ha de ser orador es necesario que sea hombre de bien, sino que no lo puede ser sino el que lo sea (II, 288; lib. XII, cap. I).

De aquí, o de tantos textos medievales que hicieron suya esta idea, profundamente grata al cristianismo, la tomaría Santillana:

> [...] nunca esta sçiençia de poesia o gaya sçiençia fallaron si non en los animos gentiles e elevados espiritus (496).

Y López Pinciano:

> Digo que tengo por impossible que vno sea buen poeta y no sea hombre de bien (I, 148).

Pinciano, anteriormente, ha planteado el problema de la autonomía de las artes con respecto al criterio moral. No lo resuelve con plenitud, pues deriva hacia otros temas, pero llega a afirmar, aunque de oídas, lo siguiente:

> Oydo he que la arte sólo considera la obra buena en sí, sin respecto al artífice que sea malo o bueno en lo moral, porque la estatua será buena si tiene perfección, aunque el que la obró sea injusto o destemplado o tenga otros vicios (I, 77).

Sin embargo, López Pinciano parece inclinarse finalmente por la supremacía de la moral y, en definitiva, por la idea de que el poeta, para ser excelente, debe conformarse éticamente como un dechado de virtudes, según la primera de las citas que hemos realizado. Es menester observar al respecto que en España no tuvo acogida la idea de la autonomía del arte, y que ya Santo Tomás había afirmado que

> el arte no es otra cosa que la razón recta de las obras que hayan de hacerse; mas el bien de ellas no consiste en alguna relación del apetito humano, sino en que la propia obra que se hace sea buena en sí. Pues para alabar el artífice, en cuanto artífice, no importa con qué voluntad haga su obra, sino cómo sea la obra que haga (cit. por Maritain 89).

Cuando Clarinda afirma que no será buen poeta el disoluto, pues nada podrá enseñar, no está acogiéndose a ideas medievales superadas en el Renacimiento, sino a modos de pensar actuantes en su época, al menos en España. Si Pinciano –el más "progresista" de los autores de poéticas– no se anima a romper con la idea de la moral del poeta como presupuesto de su obra, no debe extrañarnos que Clarinda, desde América, insista en esta actitud.

Nuevamente, pues, comprobamos que la Anónima se adhiere a concepciones antiguas, pero no superadas. En este caso concreto, a ideas que originalmente aparecieron en Roma, que fueron cordialmente aceptadas en el Medioevo, pues concordaban perfectamente con la mentalidad religiosa de entonces, y que, por último, siguieron circulando durante el Renacimiento, a pesar de que Santo Tomás había ya deslindado con nitidez los campos del poeta como hombre ético y hombre estético.

Volveremos a tratar este tema, aunque desde otro ángulo, al enfocar el problema de los fines de la poesía. Que si Clarinda presupone la moralidad del poeta es, precisamente, porque cree que su obra debe ser didácticamente útil.

6. De la poesía hebrea y sus principales representantes

Es natural que en los primeros siglos de la Edad Media se produjera una reacción de desconfianza hacia la literatura. Literatura era entonces, necesariamente, paganismo y también ficción, peligrosas mentiras, y hasta germen de posibles desviaciones morales o dogmáticas. Pero esto sucedió sólo en un primer momento y es falso, por tanto, afirmar que toda la Edad Media mantuvo esta actitud desconfiada y beligerante frente a la poesía, como lo hace Sanford Shepard (11–15). Por una parte, del mismo cristianismo nació una forma de literatura –esencialmente religiosa, como es natural–, y, por otra, se fue paulatinamente aceptando la poesía clásica –especialmente a través de la alegoresis (cf. Vossler, *Formas poéticas* 68 y ss.)–, llegando a rendírsele verdadero culto en algunas de sus más importantes figuras: Virgilio, por ejemplo.

Desde muy temprano existieron también defensores de la literatura. Y uno de sus argumentos fundamentales consistió en señalar el carácter poético de algunos libros de la Biblia. Si en las Sagradas Escrituras –decían– se aprovecha la poesía, es porque tal es buena y aconsejable. Este tema, evidentemente, está íntimamente vinculado al del origen divino de la poesía y sus fuentes pueden rastrearse en los textos de los Padres de la Iglesia, especialmente de San Jerónimo y San Isidoro (Curtius II, 633, 637–38), a quienes recurrieron los tratadistas españoles para tratar el tema de la literatura hebrea.

Santillana (496), por ejemplo, se apoya en el testimonio de "Isidoro Cartaginés, sancto arçobispo Ispalensi" y Juan del Enzina recurre a San Jerónimo:

> Muchos libros del Testamento viejo segun da testimonio san Geronimo: fueron escritos en metro en aquella lengua hebrayca (Enzina 513).

En el "Discurso" esto se da por sabido y, de hecho, se pasa revista a los más importantes poetas bíblicos (Moisés, Barac, Débora, David, Judit, Job, Jeremías, la Virgen María, Zacarías y Simeón, etc.), señalándose las ocasiones en que prorrumpieron en poesía. Antes, sin embargo, se sientan dos premisas generales: el pueblo escogido mantuvo en "suma reverencia al don de la Poesía" y lo utilizó para loar y agradecer a Dios, en contraposición a la "parcialidad" que, negando a Dios, cayó en la barbarie, perdiendo el don de la poesía conjuntamente con la Gracia.

Brevemente advertiremos que en algunos tratadistas españoles se encuentran ideas similares: el pecado original supuso la pérdida del don de poetizar. Rengifo, por ejemplo, nos dice que el "vicio" de los hombres hizo desaparecer el don de la poesía (ff. 1–2). Pinciano es más extenso:

> Desconcertóse la harmonía y co[n]sonansia humana, y el hombre se tragó la innocencia el día que él primero la mançana, por cuya causa vino en disona[n]cia y abieso; éste quisieron endereçar los antiguos philósophos (I, 209).

Y Carballo, muy similarmente, afirma que el hombre por "su culpa (quedó) como organo desconcertado y perdio el concierto y armonia del lenguaje" (I, 156).

Moisés fue poeta, dice Clarinda iniciando su catálogo de escritores bíblicos, cuando agradeció a Dios el triunfo de su pueblo sobre los egipcios, aludiendo específicamente al Éxodo. A él se había referido ya, en su *Genealogia deorum gentilium*, el italiano Boccaccio:

> Porque leemos que Moisés, impulsado por lo que considero este afán poético, al dictado del Espíritu Santo, escribió la mayor parte del Pentateuco, no en prosa, sino en verso épico (cit. por Shepard 13–14).

Santillana, siguiendo a San Isidoro, afirma:

> [...] e quiere [S. Isidoro] que el primero que fiço rimos o cantó en metro aya seydo Moysén (497).

Pero Santillana piensa en las profecías de Moisés acerca de Cristo y no es específicamente en su canto de gratitud y victoria. Por su parte, Carrillo y Sotomayor califica al profeta de "padre de la historia" (52). Es Carballo quien alude concretamente, como Clarinda, al Éxodo:

> Fue escogida esta orden de concertar y medir las palabras para alabar á Dios, y manifestar sus grandezas, y alabanças, como se ve en el celebrado canto de Moyses. Cantemus Domino gloriose, &c. Exod. 15 (Carballo I, 127).

A pesar de lo dicho en anterior oportunidad, acerca de la improbabilidad de que Clarinda conociera el *Cisne de Apolo*, anotemos esta nueva coincidencia.

De David, el más mentado de los poetas bíblicos, dícenos la Anónima que componía hermosos salmos y los cantaba, "i mas que con retoricos estremos, / a componer a todos incitava". Se da luego una versión del Salmo 149 que es una invitación a la loanza de Dios: "Nuevo cantar a nuestro Dios cantemos...".

Prácticamente todos los preceptistas hispánicos citan a David, aunque por distintas causas en cada ocasión:

> David cantó en metro la vitoria de los philisteos e la restituyçión de larcha del Testamento, e todos los çinco libros del Psalterio (Santillana 497).

> Quereys reprouar vna cosa tan agradable a Dios nuestro señor, como es la Poesia, q[ue] el Spiritu Santo aprouo, habla[n]do en verso por boca de los prophetas. Y sino, preguntenle al Real propheta Dauid, q[ue] el mejor q[ue] nadie, podra d[e]zir su dicho en este caso (Sanchez de Lima 32).

> Los versos que ta[n] llenos de espiritu, y celestial doctrina nos dexaro[n] el sancto patriarcha Iob, y el real propheta David (Rengifo f. 9)

> [...] y la Dithirámbica es vn poema breue, a do juntamente se canta, tañe y dança, como se dize de Dauid delante de el arca de el Testamento (López Pinciano I, 241).

> El sancto Espiritu ha querido por boca de los sanctos Padres Patriarchas, y Prophetas, vsar dellas, y ansi aquel diuino ca[n]tor y Real Propheta Dauid, en verso escriuio el Psalterio al modo de Oracio Flaco, como dize San Hieronymo (Carballo I, 123).

> El Rey Dauid [...] resplandecieron sus versos, y abrió el camino de la gala de la lengua, compuso el Psalterio con la dulçura lyrica [...] (Carrillo 52).

Clarinda mienta también a Job (sus "amarguras escriuió en verso heroico, i elegante"); a Jeremías (y sus "Trenos numerosos"); a Azarías, Ananías y Misael (cuyas "bozes entonaron con sosiego" en medio del tormento de la hoguera); a la Virgen María (quien "compuso aquel canto qu'enternesce": el Magnificat), etc., etc.

De Job tratan Santillana ("çiertas cosas de Job escriptas son en rimo, en especial las palabras de conorte que sus amigos le respondían a sus vexaciones", 497); Rengifo (en cita que acabamos de realizar); Carballo (quien nos dice que la poesía fue utilizada por el "passientisimo Iob", I, 123), entre otros. De Jeremías: Santillana (497); Alonso de Valdés (en el prólogo a las *Diversas rimas* de Espinel[10]), etc. De los tres mártires (Ananías, Azarías y Misael), a quienes Clarinda alude tácitamente refiriéndose a su martirio en Babilonia y a su famoso cántico (Daniel, III, 52–90), nos habla también tácitamente y en tono más general, Carrillo y Sotomayor:

---

10 Cit. por Curtius II, 763. Prólogo que también sería interesantísimo conocer y que no ha sido nunca reeditado. [N. de J.A.M.: A.C.P. no llegó a manejar la reedición hecha en Nueva York: Hispanic Institute, 1956, preparada por Dorothy Clotelle Clarke, de las *Diversas rimas* de Espinel, junto con el mencionado "Prólogo en alabança de la poesia" de Alonso de Valdés].

También los Martyres o fuesse ya aficion suya, o el espiritu encendido de Dios, despreciando a los fuegos, y el tormento, cantaron hymnos, ni solo en este espiritu ygualaron a su alegria su amor, sino en las alabanças su desseo (53).

Finalmente, el considerar a la Virgen como poetisa, y concretamente en relación al Magnificat, está consignado en el *Panegyrico por la poesía* y en el anteriormente citado prólogo de Valdés, según nos lo dice Curtius (II, 764, 772–73).

Ahora bien: el espíritu con que Clarinda realiza este catálogo de poetas hebreos es, con toda evidencia, de elogio y defensa de la poesía. Elabora, pues, el mismo raciocinio que los autores medievales argumentaron a favor de la poesía. No es su actitud la del historiador de la literatura que se preocupa de un período lejano; es, en cambio, la del polemista que encuentra una razón imbatible para su concepción. En este sentido, una vez más, la hallamos muy lejos de Pinciano y cerca, por el contrario, de Sánchez de Lima, Rengifo y Carballo. En efecto, López Pinciano se refiere a David sólo para describir un género poético –la ditirámbica– y apenas si le interesa el sentido probatorio que este acontecimiento pudiera tener en relación al valor de la poesía. Sánchez de Lima está en el extremo opuesto: a él sólo le importa el argumento a favor de la poesía. Rengifo y Carballo, en situación intermedia, también prefieren dirigir sus pensamientos en la dirección que lo hace Clarinda.

La Anónima, cuya intención al hacer esta reseña de la poesía del pueblo escogido ha sido, como acabamos de decirlo, la de probar la dignidad de la poesía, culmina su argumentación refiriéndose a que la tradición hebrea de alabar a Dios en poesía fue acogida por la Iglesia, lo mismo que por los "sapientissimos varones" que escribieron versos griegos y latinos en honor de Cristo, de los cuales cita, concretamente, a dos: Juvenco y Paulino.

Sobre el uso de la poesía por la Iglesia encontramos varios textos españoles de clara similitud con el "Discurso". Comenzando por los versos de Fernand Peres de Gusman:

> Que el trobar sea un saber divino
> Asás se demuestra en muchos lugares;
> Salomon lo usa en los Cantares
> E el doctor Santo fray Tomás de Aquino
> En aquel devoto é notable yno
> Del qual la Yglescia tanta mencion fase
>
> (Baena, *Cancionero* 610).

Además:

De manera q[ue] Dios nuestro señor escogio para si esta manera de alabanca [la poesía], y gusta tanto de ella q[ue] quiere que so pena de graue pecado, ningun sacerdote dexe de alabarle cada dia, rezando su honras (Sánchez de Lima 41).

> Los quales [himnos de David y Job] se ca[n]tan en la Iglesia (Rengifo f. 9).

> Dios embio a la tierra de la musica del cielo [y la poesia] para ser reuerenciado de los hombres con perpetuos Hymnos de alabança (Carballo I, 127).

Y sobre los "sapientissimos varones (que) hizieron versos Griegos, i Latinos" en honor a Cristo, encontramos un texto de Rengifo que pudiera ser significativo:

> Y no hablando de los varios y sabrosos hymnos, que se dizen en todas horas compuestos por San Ambrosio, por Prudencio y por tantos otros sanctissimos varones, y no queriendo dezir nada de las obras enteras que tenemos en verso griego y latino (f. 10).

Tal vez esta similitud merezca un análisis más detallado. Dice, textualmente, Clarinda:

> De aqui los sapientissimos varones
> hizieron versos Griegos, i Latinos
> de Cristo, de sus obras, i sermones (vv. 232-234).

Y, luego, escudándose en su condición femenina dice que no puede alabar los versos del "gran Paulino" y del "hispano Iuuenco". Por una parte, pues, hay una igualdad manifiesta entre "sapientissimos varones" y "versos Griegos i Latinos", de Clarinda, con "sanctissimos varones" y "verso griego y latino" de Rengifo; por otra, en ambos textos, se juega con la figura de no poder o no querer decir nada de ellos, aunque el uno se refiere a Paulino y Juvenco, y el otro no se dirija a ningún escritor en particular, citando –anteriormente– a San Ambrosio y Prudencio. De todas maneras creemos que es oportuno subrayar esta nueva similitud entre el *Arte poética española* y el "Discurso", ya que no es la única –recuérdese lo dicho con respecto al origen de la poesía y a la manera de exponer lo concerniente a la literatura judía– y hay condiciones objetivas que hacen posible una relación directa entre ambas obras.

Es igualmente interesante advertir que Paulino y Juvenco, los autores citados por Clarinda, lo son también por Carballo:

> Paulino Obispo de Nola [...] i otros infinitos doctos, y sanctos prelados, en verso han escrito [...] (Carballo I, 123).

> Alabança merece la sacra y diuina poesia de Celio Iuuenco nuestro Español, que co[n] tanta verdad, propriedad, y elegancia escriuio en verso exametro, los quatro sanctos Evangelios (Carballo I, 139).

7. Del surgimiento y del honor de la poesía en la gentilidad

Sabemos que para Clarinda el don de la poesía se perdió, por culpa del pecado, entre los hombres que negaron a Dios y cayeron

en la barbarie. Sin embargo –"por causas que al hombre son secretas"– Dios quiso reparar esta humanidad desquiciada, enviando
al efecto a los poetas para que actuaran como civilizadores de la
"brutal" y "salvaje" vida. A estos primeros poetas, leemos en el "Discurso", se les llamó filósofos.

Esta denominación no es extraña. Se explica, en general, porque
para la "Edad Media [...] eloquentia, poesia, philosophia, sapientia
no eran sino otros tantos nombres de una misma cosa", según afirma Ernest Robert Curtius en ya citado texto. Además, la palabra
"filósofo", por razones etimológicas, derivó en sinónimo de "sabio", y
"filosofía", por consiguiente, confundióse con "sabiduría", siendo ésta virtud de los poetas. Algo tendría que ver, aunque accesoriamente, el que Aristóteles dijera que la poesía era más filosófica que la
historia, de acuerdo a texto también ya citado. La fuente inmediata
está, sin embargo, en Cicerón y así lo afirma Carballo:

> Y asi Estrauon lib. I. tiene en esto authoridad, dize, Poeta prima sapien-
> tia fuit. Del poeta fue la primera sabiduria. Y Tulio, Tusc. I. dize, con ser
> Philosopho, que los primeros Philosophos eran Poetas (I, 155).

Pinciano, en cambio, recurre a Platón –cosa extraña en él– para
justificar la denominación que comentamos:

> [..] pues Platón, en su Timeo, capitán de los philósophos le llama [a Ho-
> mero] (I, 185).

Ahora bien: ¿cuáles fueron los beneficios que recibió la humanidad de los poetas[11]? Para Clarinda, los siguientes:

> Estos fueron aquellos, qu'enseñaron
> las cosas celestiales, i l'alteza
> de Dios por las criaturas rastrearon:
>
> Estos mostraron de naturaleza
> los secretos; juntaron a las gentes
> en pueblos, i fundaron la nobleza.
>
> Las virtudes morales ecelentes
> pusieron en preceto; i el lenguaje
> limaron con sus metros eminentes.
>
> La brutal vida, aquel vivir salvage
> domesticaron, siendo el fundamento
> de pulicia en el contrato, i trage (vv. 262-273).

Los poetas, pues, fueron fundadores de la civilización. Sin duda
alguna éste es un tema de filiación ciceroniana:

> Hubo tiempo en que los hombres andaban errantes por el campo a modo
> de bestias, y hacían la vida de las fieras, ni ejercitaban la razón sino las

---

[11] En otro parágrafo trataremos del tema de los beneficios que la poesía produce en los individuos. Ahora sólo tratamos del aspecto social, comunitario,
de dichos favores.

fuerzas corporales. No se conocía la divina Religión, ni la razón de los deberes humanos, ni las nupcias legítimas: nadie podía discernir cuáles eran sus hijos, ni alcanzaban la utilidad del derecho y de lo justo. Así, por error e ignorancia, el apetito ciego y temerario dominador del alma, abusaba para saciarse de las fuerzas del cuerpo perniciosísimas auxiliares suyas. Entonces, un varón (no sabemos quien), grande sin duda y sabio, estudió la naturaleza humana y la disposición que en ella había para grandes cosas, con solo depurarla y hacerla mejor con preceptos: congregó a los hombres dispersos por el campo y ocultos en la selva, les indujo a algo útil y honesto: resistiéronse al principio; después rindiéronse a la razón y a las palabras del sabio, quien de fieros e inhumanos, tornólos en mansos y civilizados. [Este sabio fue elocuente porque] una sabiduría callada o pobre de expresión nunca hubiera logrado apartar a los hombres súbitamente de sus costumbres y traerlos a nuevo género de vida (Cicerón, *De la inv. retórica* I, 2)[12].

Qué otra fuerza (sino la elocuencia) pudo congregar a los hombres dispersos y traerlos de la vida salvaje y agreste a la culta y civilizada, y construir las ciudades y darles leyes, derechos y costumbres (Cicerón, *Diál. del orador* I, 14).

Por razones ya expuestas varias veces, no importa que Cicerón se refiera a la oratoria y Clarinda a la poesía. Por lo demás, Horacio había ya transferido este tema a la poesía, como lo demuestran los siguientes versos de su "Epístola a los Pisones":

El saber de los tiempos primitivos
tuvo objetos augustos: poner linde
al público derecho y al privado,
a las cosas sagradas y profanas;
vedar la vaga unión de entrambos sexos;
dar al lecho nupcial fueros y norma;
edificar ciudades; grabar leyes
en duraderas tablas [...] (vv. 395 y ss. –ed. latina–, 323).

Sanford Shepard comenta al respecto: "la idea del poeta como benefactor y civilizador de la humanidad es de suprema importancia en la justificación de la literatura corriente en la Edad Media, y se deriva en última instancia del 'Ars Poetica', de Horacio" (Shepard 17–18). A este juicio deben hacérsele dos atigencias. En primer lugar, como acabamos de verlo, Cicerón es también fuente importante de esta manera de pensar. Por otra parte, Shepard considera que ésta es típica de la Edad Media y lo cierto es que pervive, con gran lozanía, entre los tratadistas del Renacimiento español, según nos lo dicen las citas que siguen.

Esto no obstante, los autores españoles (que recibieron esta idea de Cicerón y Horacio) se refieren normalmente a Horacio porque su intención se proyecta hacia la poesía y no hacia la oratoria. Sin

---

12 Tauro cita este mismo texto como fuente del "Discurso" (*Esquividad* 61, n. a los vv. 262-273).

embargo, consideramos evidente que Cicerón está también presente cuando se alude al tema en cuestión.

Aluden a Horacio:

> Los primeros inuentores fueron, segun Horacio, Orpheo y Anphion: los quales con la suauidad de sus versos cantados a la vihuela redexero[n] a vida politica y civil a los hombres de aquel tiempo (Rengifo f. 1).

> [...] Horacio [...] dixo en su Arte: "El officio de los poetas es apartar a los hombres de la Venus vaga; dar leyes a los maridos; fundar repúblicas" (López Pinciano I, 219).

Carballo, sin mencionar fuentes, es más detallado:

> Después que los hombres por el pecado vinieron a las tinieblas de la ignorancia[13], dieron a viuir sin ley, sin Rey, sin Dios, razón ni concierto, vagando por los campos y haziendo sus habitaciones en cueuas, como brutos animales, no tenian rastro de religion, ni conocimiento de Dios, ni auia amistad, ni casamientos, ni se sabia discernir lo bueno de lo malo, ni castigar delictos, todo lo q[ue] se trabajaua era a fuerça de braços por faltar la industria del entendimiento...[hasta que] ...vino del cielo la poesia a enseñarlo todo, porq[ue] essa enseñó domeñar los cuellos de los animales, a escudriñar las causas, a poner las cosas en orden, y con la suauidad de su canto de que ymos tratando, se ayuntó el fiero vulgo, y alli estaban amontonados hasta q[ue] les enseñaron las justas leyes y costumbres y los prouechos particulares y comunes. Y quanto valga más la traça que las fuerças, y que reuerencia se deue a los padres, y patria, y lo que cumple auer Imperio. Y la política vida ablandó aquellos pechos rusticos y endurecidos, con la suauidad de los versos y el artificio de dezir (Carballo I, 163–64).

Consideramos evidentísimo que Carballo parte de Cicerón, aunque no lo miente, pues en más de un aspecto no hace sino traducir lo dicho por el latino. Insistimos, pues, en que estamos ante una doble fuente clásica: Horacio y Cicerón, y no de sólo una –la del primero– como cree Shepard.

Son muy claras las similitudes que existen entre los textos de Rengifo, Pinciano y Carballo con el "Discurso", sobre todo en lo que toca al *Cisne de Apolo*, pero la evidencia de que existen fuentes comunes nos impide colegir nada importante de tales consonancias, al menos por el momento.

Pero Clarinda concluye este fragmento explicando el mito de Orfeo en base a los provechos que causó la poesía en los primeros tiempos:

> D'esto tuvo principio, i argumento
> dezir que Orfeo con su voz mudava
> los arboles, i peñas de su assiento:

---

[13] Relaciónese con lo dicho acerca de la pérdida del don de la poesía por culpa del pecado.

> Mostrando que los versos que cantava,
> fuerça tenian de mover los pechos
> mas fieros, que las fieras que amansava (vv. 274-279).

Tal explicación tiene su origen en la Égloga VII de Virgilio y encuentra eco en Horacio y Quintiliano:

> Interprete del cielo el sacro Orfeo
> de la vida salvaje y mutuo estrago
> alejo con horror a los mortales
> y por eso se dijo que su lira
> logro amansar los tigres y leones
>
> (vv. 390 y ss. –ed. latina–, 323).

Y Quintiliano:

> Ambos a dos (Orfeo y Lino) fueron tenidos por hijos de los dioses; y del uno se dice que llevaba tras de sí las fieras, los peñascos y las selvas, porque con música admirable ablandaba los ánimos de la gente ruda y campesina (I, 47, Lib. I, Cap. VIII).

En España la explicación en referencia fue un lugar común desde la época de Juan del Enzina. De él es el siguiente texto:

> Y no en vano cantaron los poetas que Orfeo ablandaua las piedras con sus dulces versos pues la suauidad de la poesia enternecia los duros coraçones de los tiranos (514).

Rengifo, en muy similares términos, alude al mismo asunto en su *Arte poética española*:

> No hizieron ellos [los poetas, especialmente Orfeo y Anfión] estas cosas assi materialmente como suenan [mover piedras, amansar fieras, etc.], sino mover los hombres duros, y amansarlos (f. 9).

Y Alonso López Pinciano:

> Esse [...] oy dezir q[ue] lo auia hecho con la lengua, y todo como lo hizo Orfeo, que, tor[n]ando domésticas a las ge[n]tes brauas las reduxo a ciuilidad y policía (III, 106).

Es tan ceñida la relación entre estos textos y sus fuentes latinas que, en verdad, tampoco pueden servir como base para una deducción válida. Anotemos, empero, que por lo hasta ahora visto no hay casi punto tratado en el "Discurso" que deje de estar presente en Rengifo y Pinciano, a más de Carballo, cuyo caso hemos explicado anteriormente. Sea lo que fuere, lo evidente es que Clarinda, en esta oportunidad, parte de Horacio y Quintiliano, ya mediante conocimiento de sus obras –que es lo probable–, ya gracias a secuelas latinas del medioevo o a los citados tratados hispánicos.

Señálase en el "Discurso", por otra parte, que una vez conocidos los grandes provechos de la poesía, ésta fue tenida en "gran honor". Tanto, que pensóse por entonces que derivaba de su "Apolo dios" y que sus cultores –los poetas– podían competir con el mismo Jove: en tan elevada estima se les tenía. Y esto –además– porque el nombre de poeta, como el de Dios, se interpreta "hacedor".

Ernest Robert Curtius explica que a partir del "Timeo" de Platón se forjó la idea de Dios como artífice: arquitecto y constructor del cosmos, la misma que pasó a Cicerón y de allí a los filósofos cristianos, especialmente San Agustín, quienes encontraron en la Biblia innumerables citas que daban esta idea de Dios, a partir incluso de la creación del hombre sobre materia de barro, lo que motivó el tópico (especie del género "Deus artiex") de "Dios como alfarero" (Curtius II, 757–59). Esta concepción, dentro del cristianismo, suponía una nota previa de creación absoluta, la misma que se completaba con la que acabamos de mencionar, dando así una idea de la creación como acto consciente y armonioso.

Por otra parte, y también a partir de Platón, el poeta fue considerado como creador –según la misma etimología de la palabra poesía– y, con posterioridad, como creador por medio del arte; esto es, del artificio, de la técnica. Paralelamente a la idea de Dios artífice, naturalmente creador, surgió, pues, la idea del poeta como creador y artífice, alcanzando a fundirse, por último, en una suerte de elogio extremo de los poetas y su actividad.

Al parecer a esto alude Clarinda cuando afirma, para explicar cómo el nombre de poeta competía con el de Jove, lo siguiente:

> Porqu'este ilustre nombre s'interpreta
> hazedor, por hazer con artificio
> nuestra imperfeta vida mas perfeta (vv. 286-288).

Que es, en más de un aspecto, lo mismo que dice Pinciano:

> Assi que la Poética haze la cosa y la cría de nueuo en el mundo, y, por tanto, le dieron el nombre griego que en castellano quiere dezir hazedora, como poeta, hazedor, nombre que a Dios solamente dieron los antiguos (II, 11).

Mientras que Carballo, al respecto, se limita a señalar cuestiones etimológicas relacionadas al tema:

> Porque Poeta es nombre Griego, es lo mismo que en Latin factor, y en el Español hazedor, ó criador, porque viene del verbo Griego, poeo, que significa hazer (I, 46).

Queda dicho, además que en el "Discurso" se advierte el gran honor que se rindió a la poesía, considerándola de origen divino en relación a los dioses paganos. Lo dice también Juan del Enzina:

> [...] e algo de lo que toca a la dinidad de la Poesia que no en poca estima i veneración era tenida entre los antiguos: pues el exordio e invención della fue referido a sus dioses: assi como Apolo, Mercurio i Baco i a las Musas segun parece por las inuocaciones de los antiguos poetas (513).

En realidad, Clarinda no hace aquí más que reiterar su idea central acerca del origen divino de la poesía, pero ahora aprovecha un argumento de antigüedad que le sirve, evidentemente, para probar la justeza de su pensar, hecha la traslación necesaria de Apolo a Cristo.

El "Discurso en loor de la poesía" no es breve para reiterar la gozosa suerte de la poesía y los poetas en la antigüedad:

> Fue en aquel siglo en gran onor tenida,
> i como don divino venerada,
> i de muy poca gente merecida (vv. 301-303).

El último verso nos llevaría al tema de la poesía como patrimonio de la aristocracia. Shepard piensa que éste fue uno de los principios básicos de la estética renacentista. Pero por ahora a nosotros nos interesa la reiteración que hace la Anónima del tema de la "Edad de Oro" de la poesía, aquel tiempo en el que se la estimaba como suprema sabiduría. Es común a varios tratados españoles:

> [...] en tiempos passados, era la prudencia más temida y reuerenciada y la poesía estimada en mucho (Sánchez de Lima 26)[14].

> Por esso [por los grandes servicios que presta] los antiguos tuuieron en tanta veneración y estima a los Poetas (Rengifo f. 7)

> [...] estos Poetas fueron honrados por sus personas, mas aduierte que por su saber y arte, eran en tanto estimados, por lo qual no menos lo deuen de ser los que professan su facultad pues tienen la misma razon para ella. (Carballo I, 57–58)[15].

En este afán de demostrar que la poesía era venerada en los tiempos antiguos, Clarinda nos habla del culto a las Musas, tema que se relaciona con el de la vena del arte, que será tratado por separado[16]; de los templos que se consagraron para su culto; del elogioso juicio de Cicerón con respecto a la poesía; y, finalmente, de que "Ennio a los Poetas Santos nombra". Este verso coincide exactamente con una frase de Rengifo: "[...] hizieron tanto caso dellos [de los poetas] que Enio los llamava Sanctos" (f. 7) y se relaciona genéricamente con otra frase de Carballo: "[...] a los quales [poetas] por tratar de Dios llamauan diuinos" (I, 152).

En una nueva exposición del mismo tema general, nuestra autora señala que al poeta se le confería, elogiosamente, el nombre de

---

14 El mismo autor se repite en 24 y 28.

15 Fernando de Herrera afirmaba que "el tiempo de Tulio fue dichossisimo" porque se honró en él a la elocuencia (*Obras de Garci Lasso de la Vega, con anotaciones de Fernando de Herrera*, Sevilla, 1580).

16 Tauro cree que la idea de que las Musas infundían el "metro" a los poetas concuerda con una cita de Cicerón que alude a la antigua creencia de que tanto prosa como poesía se basaban en armonías numéricas. No encontramos relación entre esta cita y el texto del "Discurso". Cf. *Esquividad* 63, n. al verso 307 y ss.

profeta; que Roma concedía coronas de laurel a sus guerreros y a los poetas que prestigiaban su idioma y animaban a los soldados en la lucha; que el poeta tenía cetro más importante que el de monarcas y señores; y por último, que la fama de los poetas y el honor de la poesía abarcó todo el orbe.

Algunos de estos temas son tratados por los escritores peninsulares que venimos citando. Por ejemplo, sobre poesía y profecía, leemos en Enzina y Carballo:

> Los antiguos [...] sus oraculos y vatinaciones se dauan en verso: y de aqui vino a los poetas llamarse vates: assi como hombres que cantan las cosas diuinas (Enzina 513).

> Tiene tambien comun el nombre porque vates, que se dize, auimentis, ygual y comunmente significa Propheta, y al Poeta, y los Oraculos que eran las profecias de los Gentiles en verso dauan sus respuestas (Carballo II, 214).

Y acerca de la corona de laurel conferida a los poetas, nos dice García Rengifo:

> Y por esso los antiguos Romanos a los vencedores, y a los Poetas dauan la laurea. Porque assi como los unos con el premio de sus valentias despertauan los coraçones de los que vian a emprender semejantes hechos, estimulados, y encendidos con el desseo de la gloria, que aquellos auiam alcançado: assi tambien los otros escriuiendo, y amplificando las victorias destos, y eternizando sus nombres, y fama no menos inflamauan los animos de los presentes i venideros a la imitación de sus antepassados (f. 6).

Juan del Enzina (514) alude rápidamente a lo mismo, citando al efecto a Tirteo. No hay duda de que la cita de Rengifo tiene mucho que hacer con el "Discurso":

> Corona de laurel como al que doma
> barbaras gentes, Roma concedia
> a los que en verso onravan su Idioma.

> Davala al vencedor porque vencia,
> i davala al Poeta artificioso,
> porque a vencer, cantando, persuadia (vv. 325-330).

No contenta Clarinda con tan larga prueba de que la poesía fue honrada en los tiempos antiguos, y deseosa de que tal honor reviva en su época, inicia la narración de una serie de anécdotas que tratan de demostrar lo mismo. La primera se refiere al gesto de Julio César que impidió que se quemara el texto de la *Eneida*, como lo había ordenado Virgilio[17].

---

17 [Nota de J.A.M.: Aquí sigue A.C.P. el texto del "Discurso", pero ya Alicia de Colombí-Monguió ha recordado (en el artículo al final de este volumen) que quien impidió la incineración del manuscrito de la *Eneida* fue el emperador Augusto. Ver las citas de Sánchez de Lima y de Cervantes que siguen].

Este relato lo trae Rengifo (f. 8) y Sánchez de Lima, de quien lo transcribimos:

> Y el Emperador Augusto, sabiendo q[ue] Virgilio auia mandado q[ue] despues de su muerte fuesse quemada su Eneida, a causa de no quedar en perfecion, el mismo de su propia mano escriuio en ella, q[ue] nunca Dios quisiesse que el fuego gozasse de quien tantas y tan buenas cosas en si contenia (Sánchez de Lima 42).

También Miguel de Cervantes, en *Don Quijote*, alude a la anécdota en cuestión:

> Y no le tuviere buena Augusto Cesar si consintiere que se pusiera en ejecución lo que el divino Mantuano dejó en su testamento mandado (I, cap. XIV)

Cervantes apenas si de pasada refiérese a este asunto, mientras que Sánchez de Lima y Rengifo se detienen en la anécdota –como la poetisa– señalando sus dos aspectos esenciales: el que se impidiera la destrucción de la *Eneida* por intervención directa del emperador, quien escribió, según Sánchez y Clarinda, el texto por el que se salvó del fuego la obra ("la sentencia en verso por quien vive la Eneida i tiene fama", leemos en el "Discurso"); y el que fuera deseo del mismo Virgilio que su obra desapareciera.

Otra anécdota que relata Clarinda es la de Alejandro ("el Macedonio"), Aquiles y Homero. Dícese en el "Discurso" que Alejandro

> No tuvo envidia d'el valor, i gloria
> d'el Griego Aquiles, mas de qu'alca[n]çase
> un tal Poeta, i una tal historia
>
> Considerando qu'aunque sujetase
> un mundo, i mundos era todo nada,
> sin un Homero que lo celebrase (vv. 364-369).

Así, pues, "del hijo de Peleo la memoria envidió, suspirando por Homero". Esta historia posee como supuesto el tópico del poeta como "dispensator gloriae", del que trataremos más adelante, el mismo que tiene su veta predilecta en las relaciones de Homero y sus personajes y que se encuentra documentado desde Píndaro (Pítica III, versos finales). La poetisa alude a él en los versos 13-18:

> El verso con que Homero eternizava
> lo que del fuerte Aquiles escrevia [...].

Pero la anécdota en sí, con la intervención de Alejandro y la mención de su envidia por Aquiles, es una vieja historia que, en lo que se refiere a España, se encuentra ya en el *Libro de Alixandre*:

> Ante la tumba de Aquiles, Alejandro exclama: "Achiles ome auenturado / que ouo de su gesta dictador tant onrrado (cit. por Almoina XIII[18]).

Encuéntrase también en Rengifo:

---

[18] Anota Almoina que el mismo tema se encuentra en Gautier de Chatillon.

De cuya fortuna tenia embidia, por haber alcancado vn tal historiador, y coronista, que no lo dexasse oluidar en ningun tiempo (f. 7).

Y en Carrillo:

Por esso el gran Macedon, no en lyra de conuites, sino en trompeta de guerra apetecia oyr su generosa embidia en los bonissimos versos de Homero (54).

Con lo que se demuestra que esta serie de anécdotas laudatorias, aunque viejísimas por su origen, eran frecuentemente aprovechadas por escritores incluso más tardíos que Clarinda.

Del mismo Alejandro es la tercera anécdota del "Discurso":

Presentaronle un cofre en que Dario
guardava sus unguentos, tan precioso,
cuanto esplicar no puede el verso mio.

Viendo Alexandro un cofre tan costoso,
lo acetò, i dixo, aqueste solo es bueno,
para guardar a Homero el sentencioso (vv. 373-378).

Alberto Tauro señala que esta historia tiene su anécdota en *Vidas paralelas* de Plutarco (*Esquividad* 67, n. al verso 373). Es común también a los preceptistas españoles:

Aq[ue]l Magno Alexandro que sie[n]do le lleuada vna arca toda de oro muy labrada; y preguntandole vno de los suyos, de que podia seruir a[que]lla? respondio que no era tan apropiada para otra cosa, como para guardar la Yliada de Homero, en tanto tuuo este inuictissimo Monarcha la Poesia, q[ue] no le parescio que otra cosa fuesse digna de tal aposento, sino la obra de aquel ciego Meligenes Principe d[e] los Poetas Griegos (Sánchez de Lima 41–42).

Qua[n]do Alexandro vencio a Dario, resetandole vna caxa preciossisima donde Dario solia tener sus vnguentos y olores dixo yo hare que sea guarda de otra cosa mas preciosa, y mandó guardar en ella las obras de Homero (Carballo I, 56).

Alberto Tauro encuentra el mismo relato en *Don Quijote*:

[...] Se haga para ello otra caja como la que halló Alejandro en los despojos de Darío, que la diputó para guardar en ella las obras del poeta Homero (I, cap. VI).

Es evidente que por intención, amplitud y hasta léxico, las dos citas primeras, de Sánchez y Carballo, tienen mucho más que ver con el "Discurso" que con la de Cervantes.

También Alejandro es el protagonista de la siguiente anécdota, la cual reza así en su versión de la Anónima:

Poniendo a Tebas con sus armas freno
a la casa de Pindaro, i parientes,
reseruò del rigor de qu'iva lleno (vv. 379-381).

No hemos encontrado más que en Carballo la narración de esta historia:

> Los Poetas siempre fuero[n] aceptos, y honrados, por sus Principes, Reyes, y Emperadores, como es cosa tan sabida que fue Pindaro Poeta de Thebas, la qual ciudad queriendo destruyr Alexandro Magno, mandó que en la casa de Pindaro ni en su familia no se tocasse, por honra, respecto de la poesia (I, 55–56).

Pero al parecer ésta era una historia ampliamente conocida, como lo dice el mismo Carballo.

Finalmente la serie de anécdotas termina con las que atañen al favor que dispensaba Apolo a Arquíloco, Bromio o Sófocles, a la leyenda de Orfeo, ya tratada, pero referida esta vez a la resurrección de Eurídice, y a la disputa que sostuvieron siete ciudades por honrarse como cuna de Homero. Para la de Sófocles, Tauro señala como origen una leyenda, pero no fija fuentes concretas (68, n. a los vv. 388-390). No vale la pena, por lo demás, detenerse en la de Orfeo (ampliamente conocida y divulgada), pero apuntaremos brevemente que la disputa de las siete ciudades se encuentra en Rengifo, que cita sus nombres (f. 8), y en *Don Quijote*, donde se afirma:

> [...] contendiesen entre sí por ahijársele y tenérsele por suyo [a don Quijote] como contendieron las siete ciudades de Grecia por Homero (II, cap. LXXIV).

No es oportuno, por el momento, extraer conclusiones precisas de la larga cadena de similitudes que acabamos de mostrar. Empero, no será inútil subrayar una comprobación de singular importancia: el "Discurso" está trabajado con materiales clásicos y tales no se muestran como tópicos superados, al margen de las tensiones intelectuales de la época, sino más bien, como ideas vigorosamente firmes en pleno siglo XVII, al menos en lo que a España toca. Al terminar este capítulo se concretarán algunas conclusiones importantes. Por el momento, nos limitamos a acarrear materiales.

8. El tópico del poeta como "dispensator gloriae"

Que el poeta tenga el poder de otorgar vida perenne –fama– a los hombres que canta en sus obras y eternizarse él mismo en la admiración de sus semejantes, es idea tan antigua como la propia literatura. A lo menos, no hay duda de que la palabra –especialmente la escrita– invita a la ilusión de la permanencia y de la inmortalidad, sobre todo si tiene esa textura de "objeto" que le confiere la auténtica poesía.

Creo que estas ideas podrían bautizarse con el nombre de tópico del poeta como "dispensator gloriae", utilizando al efecto una frase de Karl Vossler. Pero Vossler piensa que "en el Humanismo se fijó

el ideal del poeta como dispensator gloriae" (*Historia de la literatura italiana* 69), cuando, en realidad, es menester alargar la mirada en algunos largos siglos. Tal vez la "fijación" de este ideal sea el
Humanismo, como quiere Vossler, pero su origen (¿cómo no?) hay
que buscarlo en Grecia. Ya hemos tenido oportunidad de señalar
que nuestro tópico se halla en Píndaro.

Ahora bien: queda dicho que la idea en comento tiene dos direc-
ciones: hacia el propio poeta y hacia los otros hombres, los personajes. De ésta algo se ha dicho al tratar de Homero y Aquiles y de
Homero, Aquiles y Alejandro, en el parágrafo anterior. Sin embargo
Clarinda reitera esta idea, yuxtaponiéndola a la otra dirección del
mismo tópico:

> Los quales con su canto dulce, i tierno
> a si, i a los que en metro celebraron,
> libraron de las aguas d'el Averno.
>
> Sus nombres con su pluma eternizaron,
> i de la noche d'el eterno olvido
> mediante sus vigilias, s'escaparon (vv. 400-405).

Lo que sucede como norma general, pues la distinción que
hemos hecho es sobre todo didáctica. Por lo pronto, para
adentrarnos en el Medioevo, tenemos que Iuvencu unifica ambas
especies del tópico general:

> Todo lo humano está condenado, por voluntad divina, a la desaparición;
> pero muchos hombres logran sobrevivir gracias a sus hazañas y
> virtudes, en panegíricos poéticos como los de los sublimes cantos de
> Homero o del dulce arte de Virgilio. Y estos mismos poetas tienen
> también asegurada la gloria eterna (cit. por Curtius II, 649)[19].

A veces, incluso, el tópico aparece con una variante: la discusión
acerca de si es más valedera la fama de los poetas o la de los hombres que son por ellos elogiados, como sucede en *Arte poética en
romance castellano* de Sánchez de Lima:

> [...] todos [los poetas] tenian muy altos pensamientos y dexaron cosas
> escriptas, con las quales perpetuaron sus memorias y ensalçaron sus
> famas. Y sino, mirad quales tiene[n] mayor no[m]bre Hector, y Achiles
> por lo q[ue] hiziero[n], o Homero, y Virgilio por lo q[ue] escriuieron? (21).

Pero en la mayoría de los casos, ambas tendencias se producen
mezcladas, como lo vemos en Carrillo, para quien "eternidad prome-
ten las Musas" (54).

> [...] haziendo a muchos con su pluma famosos, quedarlo el mucho mas en
> su opinion (70).

El mismo Carrillo cita y traduce a Ovidio, Horacio y Hesiodo en
textos que aluden al tópico en cuestión, tanto en uno como en otro
sentido.

---

19 No es una traducción; es la "síntesis de las ideas" de Juvenco.

Pinciano, en cambio, se refiere sólo al propio prestigio del poeta:

> La corona [...] es la honra a la qual muchas vezes sigue la inmortalidad
> de la fama: y la subida deste monte alto es el trabajo ayuntado al
> natural ingenio [...] que la obra salida de [la] abstinencia, sudor y vela
> ha de ser muy buena (I, 153–54).

Y, como se advertirá, el autor de *Philosophía antigua poética*,
coincide con el "Discurso" en lo que respecta al esfuerzo que cuesta
conseguir la fama, observando ambos, que requiere "vela" o "vigi-
lia".

Naturalmente en el poema peruano hay algunas cuantas alusiones más a este tema, especialmente en el transcurso del elogio de
los poetas antárticos, mas parécenos que no es urgente señalarlas
en concreto, sobre todo porque no son más que reiteraciones de lo
que acabamos de comentar o, también, de lo dicho con relación a la
fama que proporcionó Homero a sus héroes. En todo caso, existe un
libro excepcional acerca de este tema, enfocado en su generalidad
como "idea de la fama", en el cual se menciona también la "fama
literaria". Nos referimos a la obra de María Rosa Lida *La idea de la
fama en la Edad Media castellana* (v. la Bibliog. general).

9. De los malos poetas y el desprestigio de la poesía

Paralelamente al tema del honor dispensado a la poesía en la
antigüedad, y dentro del esquema de "todo tiempo pasado fue mejor", Clarinda se queja del desprestigio en que ha caído la poesía en
su siglo, a causa de los malos poetas, a quienes califica de "sucios" y
"asquerosos".

Este es un tema propio de las poéticas españolas, pero mientras
en ella se consignan deficiencias de orden estético, generalmente
motivadas por carencia de arte en los poetas[20], en el "Discurso" se
trata, más bien, de un juicio moral. No se puede decir —es claro—
que la requisitoria contra los poetas inmorales sea patrimonio
exclusivo del "Discurso", pero sí que en éste se subraya tal punto y
se olvida el de la calidad literaria que, en cambio, domina en los
tratados metropolitanos, aunque también en ellos, como se
comprobará luego, hay referencias al aspecto ético.

Es lógico que así sea. Clarinda está empeñada en defender y
loar la poesía y, para ello, ha escogido el camino de la demostración
de los provechos que reporta la poesía a los hombres. Estos
beneficios, entendidos con una mentalidad latina más que helénica,
tienen un sentido práctico muy marcado, como lo hemos visto en el

---

[20] Recuérdese que a los poetas "les faltan las ciencias, lenguas y doctrina para
saber imitar", según el Brocense. Cf. el ya citado Vilanova III, 373.

tema de los poetas fundadores de la civilización y como lo volveremos a comprobar al tratar de los provechos que la poesía otorga a
los individuos. De aquí, entonces, que lo que más le preocupe a
nuestra poetisa sea la idea, al parecer extendida en su tiempo, según la cual la creación poética sería, hasta cierto punto, malsana,
viciosa, lo mismo que la lectura de obras literarias. Y debe
Clarinda, pues, demostrar que esto no es así, que la poesía es una
actividad virtuosa y hasta una ocupación santa. Por esto subraya,
decididamente, el tema de los poetas inmorales como culpables del
desprestigio de la poesía. Y dice:

> I si ai Poetas torpes, i viciosos,
> el don de la Poesia es casto, i bueno,
> i ellos los malos, suzios, i asquerosos (vv. 688-690).

Esta idea, elevada a consideración sobre el desquiciamiento general de la moral de entonces, se encuentra largamente expuesta
por Sánchez de Lima, quien ocupa en la misma buena parte de su
"Diálogo Primero": por ejemplo, págs. 18, 20, 24, 26, etc., etc. Y en
Carballo:

> Verdad es, que el abuso desta facultad y el vicio de muchos que la profe-
> san tienen este nombre de Poeta infamado (I, 44).

> Está desacreditada [la poesía] por lo mal q[ue] desta diuina gracia han
> vsado y vsan muchos. Que no les parece son poetas (I, 126).

Pero la comprobación de que existen poetas "sucios" y "viciosos"
no puede ser considerada como argumento en contra de la dignidad
y virtud de la poesía. Que si así fuera –dice la Anónima– tendría
también que condenarse la teología porque la utilizó "Lutero el miserable"; las Sagradas Escrituras, porque fueron torcidas por el
"mísero Calvino"; los templos, porque a veces se cometen en ellos
sacrilegios; el oro y la plata porque causa muchos males el preten-
derlos, etc.

En relación a la valoración moral, por decirlo así, de los metales
preciosos, Clarinda coincide con García Rengifo para quien el oro y
la plata mantienen su pureza, a pesar de que los hombres tuerzan
su fin y se aprovechen de ellos para actos viles (f. 10). El resto de la
argumentación coincide plenamente con la expuesta por Carballo.

> [...] ni la malicia de Lucifer, ni la traycion de Iudas, infaman el nombre
> de Angel ni de Apostol (I, 44).

> [...] que no por auer algunos malos (poetas) pierde la facultad [la poesía]
> su excelencia, pues ta[m]bien sabemos que a auido muchos Prophetas
> falsos, vanos, y engañosos (I, 129).

Por otra parte, Clarinda cuestiona la licitud de mencionar dioses
paganos en la poesía cristiana, partiendo de que para algunos ésta
es una costumbre condenable. Respóndese, al respecto, y en tono de
enfado, que tal aprovechamiento de la mitología pagana está justifi-

cado por "causas [...] mui variadas, i secretas, / i todas aprovadas por Catolicas" (vv. 718-719). Además, cuando la poesía se compone en honra de Dios, la licitud de tales menciones es todavía más justificable, pues, dice la poetisa, los dioses paganos se ponen a los pies de Cristo:

> Assi esta dama ilustre, cuanto bella
> de la Poesia, cuando se compone
> en onra de su Dios, que pudo hazella:
>
> Con su divino espiritu dispone
> de los dioses antiguos, de tal suerte
> qu'a Cristo sirven, i a sus pies los pone (vv. 751-756).

Inscríbese el "Discurso", por tanto, en la vieja polémica acerca de las relaciones entre el cristianismo y la cultura pagana, cuyo estudio y comentario escapa los límites de este libro. La actitud de Clarinda es positiva; esto es, se muestra de acuerdo con que los poetas cristianos aludan a personajes de la mitología pagana y en esto está de acuerdo con el sentir del Renacimiento. Pero la justificación de su manera de pensar, además de curiosísima, desentona fuertemente con la mentalidad de su época. Podría decirse, incluso, que éste es el único tema en el que se percibe nítidamente un olorcillo a antigualla, a retraso cultural, que desdice de todo lo anteriormente comentado.

En efecto, su religiosidad –aquí exagerada y obnubilante le hace afirmar algo que ni Juan del Enzina ya sostenía, pues en *Arte de la poesía castellana* este autor manifiesta su conformidad con las menciones mitológicas, pero las defiende con razones estéticas.

> [...] de donde nosotros las tomamos [de las invocaciones de los poetas paganos], no porque creamos como ellos ni los tengamos por dioses inuocando los que seria grandissimo error y eregia: mas por seguir su gala y orden poética [...] (513).

Carballo tampoco está cerca de Clarinda. Se limita a explicar el fenómeno, afirmando que es menester realizar la traslación de Apolo a Cristo:

> Y ansi siempre que oyeredes dezir, que el Poeta [...] son consagrados a Apolo, entendereyes ser nuestro Redemptor (I, 148).

Fuera de tiempo estaba Clarinda, entonces, al tratar este aspecto, mas no porque tal ya no interesara en su época (que todos los tratadistas lo tratan con mayor o menor extensión), sino porque la manera de enfocarlo y la solución que presenta al conflicto es pobre, falta de sentido y, en suma, de notable sabor medieval.

Finalmente, el tema del desprestigio de la poesía tiene una nueva dimensión en las consideraciones acerca de la irrupción del vulgo en el mundo literario. Clarinda la condena abiertamente, amparada en el sentido aristocrático propio de las poéticas renacentistas:

> Que ya qu'el vulgo rustico, perverso
> procura aniquilarla [...] (vv. 19-20).

Esta actitud tendría una larga vigencia. Carrillo, en 1611, la defiende con igual o mayor calor que la Anónima, a pesar de que tres años antes Lope de Vega, en su *Arte nuevo de hacer comedias* había instaurado una especie de reinado del gusto mayoritario en lo que concierne a las producciones teatrales. Me remito a mi ensayo *De la sumisión a la rebeldía* (v. bibliog.).

Dice Carrillo:

> Con el tiempo andan oluidadas [las virtudes de la poesía], y lo anduuieron tanto, que se atreuieron a profanar de sus sagrados templos las mas preciosas joyas. Presume el vulgo de entendellas, el mismo pretende juzgallas. Contra esto endereço mis razones (54).

El popularismo de Lope (plasmado en formas cuasi vergonzantes) se estrellaría contra esta postura aristocrática, de tal suerte que, en verdad, nunca triunfaría de manera absoluta, ni llegaría a regir en todos los géneros[21]. En todo caso, nuestra poetisa prescinde del problema y, sin debatirlo, da su voto a favor del aristocratismo estético. El Renacimiento, nuevamente, está actuando sobre ella.

10. De los fines de la poesía: la utilidad y el deleite

A la pregunta acerca de para qué sirve la poesía, el "Discurso" responde de muy variadas formas: para honrar a Dios, para civilizar a los hombres, para instruirlos, etc., etc. Pero todas éstas, ciertamente, son contestaciones parciales. Nuestra poetisa tiene, además un planteamiento general del problema. Dice:

> I assi el que fuere dado a todo vicio
> Poeta no serà, pues su instituto
> es deleytar: i dotrinar su oficio (vv. 289-291),

y añade:

> pues solo està el deleyte do està el fruto (v. 294).

De lo que se desprende, con máxima evidencia, que para Clarinda, dos son las funciones de la poesía: deleitar a los hombres y "doctrinarlos"; esto es, enseñarles, serles útil, servirles. Un fin práctico –éste– y un fin estético –aquél–.

---

21 [Nota de J.A.M.: A.C.P. se refiere aquí al *Arte nuevo de hacer comedias* de Lope. No llegó a examinar la "Cuestión sobre el honor debido a la poesía" y otros breves tratados doctrinarios de Lope sobre la poesía. V. nota 26 del artículo de Luis Jaime Cisneros en los Apéndices de este volumen].

Casi no vale la pena señalar que esta idea es horaciana, aunque Aristóteles, en cierto sentido, había adelantado algo al respecto, afirmando que en la tragedia "cada peculiar deleite (debe estar) en su correspondiente parte" y que, al fin, el espectador debe quedar en un estado intermedio entre la conmiseración y el terror, en el cual "los afectos adquieran estado de pureza" (8–9; 6, 1499 b). Las ideas aristotélicas, ciertamente, no explicitan la dualidad funcional de la literatura, pues el fin práctico –de índole moral: la pureza de los afectos– no está tratado en esta perspectiva, pero no por esto puede creerse, como lo supone Shepard (44), que el Estagirita sólo atendió al aspecto estético (deleite) de la tragedia. Aristóteles, entonces, es un precedente indirecto. Horacio, en cambio, es la fuente inmediata, explícita y evidentísima. El había escrito:

> Aut prodesee volunt, aut delectare poetae (v. 333).

Verso que en la traducción que seguimos reza así:

> O instruir o agradar o juntamente
> Propónese el poeta entrambos fines (319).

En esta traducción se confiere al pensamiento horaciano un claro sentido optativo, en cuanto la poesía puede instruir o agradar, por separado, unas veces lo primero, otras lo segundo; o puede, también, fusionar ambos fines, siendo a la vez agradable y útil.

Sin embargo, el famoso juicio horaciano fue siempre interpretado en el segundo sentido; esto es como dualidad de funciones que deben actuar al unísono: "instruir y deleitar", no "instruir o deleitar".

Indirectamente lo encontramos expuesto por Santillana:

> [...] cosas útiles, cubiertas o veladas con muy fermosa cobertura (496).

Y, explícitamente, en todos los demás autores:

> [...] tratando [la poesía] conceptos muy subidos, mezclando el agradable y dulce estilo, co[n] lo provechoso y muy sentido. (Sánchez de Lima 40).

> [...] en el qual dize [a]lude al verso de Horacio que los poetas ha[n] de pretender con la Poesía prouechar, y deleytar. Aprouecharan con la materia si fuera de suyo buena, y deleytaran con la suauidad del metro (Rengifo f. 9).

> [...] las quales [música y poesía] fueron inventadas para dar deleyte y doctrinar juntamente (López Pinciano I, 156).

> [...] para ser legitimo poema, ha de tener el fin tambien, que es enseñar y deleytar, que las imitaciones que no lo hazen no son dignas del venerable nombre poema (López Pinciano I, 199).

> La obra que fuera imitación en lenguaje será poema en rigor logico; y el que enseñare y deleytare, porque estos dos son sus fines, será bueno, y el que no, malo (López Pinciano I, 200).

[...] el fin della que es deleyte para la enseñanza (López Pinciano I, 207)[22].

[...] el fin de su arte y profesion que es deleytar con la suauidad de sus versos a los hombres y con su dulçura persuadirles a la virtud (Carballo I, 42).

El fin del poeta es dar contento y aprouechar juntamente, segun la dize Oracio, & prodesse volunt & delectare Poetae (Carballo I, 116).

> Si en esas obras que te vas cansando
> ni enseñas, ni deleitas, que es oficio
> de los que siguen los que vas mostrando:
> luego, razón será imputarle a vicio
> al que de esto se aparta en su poesía

(Cueva 126, Ep. I, vv. 364-368).

De dos trata el Poeta, enderezadas a un fyn, enseñar, como arriba dixe, deleytando, y haziendo a muchos con su pluma famosos (Carrillo 70).

Hay común acuerdo, pues, en considerar que la poesía debe ser dulce y útil a la vez. Que, precisamente, es lo que parece pensar la Anónima al decir que el "instituto" de la poesía es "deleitar" y que "dotrinar" es su "oficio". Pero al finalizar el terceto siguiente, adviértesenos que "solo està el deleyte do està el fruto", con lo cual se confiere una cierta preeminencia a la finalidad utilitaria o práctica. Esta, al menos, es supuesto del goce estético en tanto tal sólo se produce cuando la poesía otorga un "fruto"; esto es, un provecho, beneficio, utilidad o enseñanza.

En realidad, y hasta donde van nuestros conocimientos, Clarinda plantea un problema que los tratadistas hispánicos, en su gran mayoría, dejaban de lado. Para éstos el deleite y la utilidad debe producirse conjuntamente, como quería Horacio, y no les preocupa saber cuál de estas dos finalidades es más importante. Incluso sus exposiciones concuerdan en utilizar la palabra "juntamente" o "conjuntamente", con lo que obvian cualquier conflicto valorativo. Tal vez sea Pinciano el que más se acerque a nuestra poetisa, pues para él "el deleyte [es] para la enseñanza", según texto ya transcrito. Sin embargo, esta afirmación debe ser ambientada en su contexto, del que se deduce que López Pinciano no encontraba una solución definitiva al problema. Nos referimos, al respecto, a la ya citada obra de Sanford Shepard (56 y ss.).

Ahora bien: es natural que Clarinda confiera cierta supremacía a la finalidad docente. Su intención, según lo ya afirmado y repetido, es demostrar que de la poesía nacen incontables provechos al hombre. Nada más oportuno, entonces, que subrayar la función pragmática de la literatura. Por lo demás, como tendremos oportu-

---

22 López Pinciano abunda en consideraciones semejantes. Además de las citadas, cf. I, 210, 212–13, etc.

nidad de señalarlo luego, Clarinda comulga con el utilitarismo de las concepciones latinas.

11. Del conflicto entre la vena y el arte

La poesía, ¿es producto de la exaltación, del ímpetu natural, o lo es, más bien, de la inspiración sobrehumana, del furor divino? ¿Tal vez del arte, del artificio, de la técnica aprendida? Así se plantea un problema que preocupó a los que, desde los primeros tiempos, inquirieron por la esencia del decir poético. Pero en realidad el conflicto, de hecho, se planteó sólo entre dos términos: inspiración (llamada "vena" por los españoles) y arte, debiéndose acotar que aquélla puede dividirse, como lo hicimos al comienzo, en inspiración natural y divina.

¿Qué piensa sobre este aspecto clave nuestra poetisa?

> Porqu'aunque sea verdad, que no es fatible
> alcançarse por arte lo qu'es vena,
> la vena sin el arte es irrisible (vv. 310-312).

Por el contexto –referido inmediatamente a las Musas– y por la idea primaria del "Discurso" –la poesía es don de Dios– podríamos colegir que Clarinda entiende por "vena" la inspiración divina. Empero, en este aspecto no es muy clara la postura de la Anónima, pues si la poesía deviene directamente de Dios y sólo Él puede enseñarla, ¿por qué entonces se habla también de las "vigilias" que cuesta el acto de la creación? Y, sobre todo, ¿por qué preocuparse siquiera del "arte", si todo no es más que un furor divino? Además, ¿cómo suponer que Clarinda piense que la vena –como inspiración divina– es "irrisible" si no la acompaña el arte? No tenemos por qué preocuparnos mucho de estas fallas lógicas, pues el "Discurso" no es una poética sino un "laudatio", pero sí podemos afirmar que en Clarinda, más o menos oscuramente, actúa el sentido naturalista de la palabra "vena", al margen e incluso contradictoriamente con su idea de la divinidad de la poesía.

La dialéctica de la vena y el arte, hemos dicho, es un tema viejísimo. Platón da su voto a favor de la inspiración, que él concibe a lo divino. Aristóteles parece, en cambio, confiar más en el arte y proporciona preceptos para crear una buena obra. Cicerón y Quintiliano tratan de armonizar los extremos. Leemos en Cicerón:

> Y si esto [la elocuencia] no se adquiere por naturaleza y ejercicio, sino que es obra del arte, no será inútil saber lo que de él dicen los que nos dejaron escritos preceptos de esta materia (*De la inv. retórica*, "Introducción", I, 4).

> [...] pero el arte no puede comunicarlo todo, y menos lo que es don de la naturaleza (*Diál. del orador* III, 32, lib. I).

> Lo que se necesita es un ingenio cultivado, no como el campo que se ara una vez, sino como el que se renueva muchas veces para que dé mejores y más copiosos frutos (Tauro, *Esquividad* 63, n. a los vv. 310-312)[23].

> [...] el arte aprovecha poco sin el ejercicio (*idem*).

Postura ecléctica, pues, la que Cicerón adopta ante tan escabroso problema. Que si la perfección "no se adquiere sólo por naturaleza", "el arte no puede comunicarlo todo".

Quintiliano se mantendrá en la misma línea:

> Pero una cosa se debe afirmar sobre todo, y es que de nada aprovecha el arte y los preceptos, cuando no ayuda la naturaleza. Por donde el que no tiene ingenio entienda que de tanto le aprovechará lo que hemos escrito cuanto a los campos naturalmente estériles el cultivo y la labranza ("Proemio" I, 8).

> [...] aunque sin uno y otro [arte y naturaleza] no puede darse orador consumado [...] porque si separamos las dos cosas, la naturaleza podrá mucho aún sin el arte y éste sin aquélla de nada servirá. Pero si ambas se juntan, aunque en mediano grado, siempre diré que la naturaleza es la que más contribuye. Mas si el orador es consumado, esto lo debe antes al arte e instrucción que a la naturaleza: a la manera que a la tierra de suyo estéril nada aprovecha el cultivo, pero si fecunda por naturaleza podremos esperar algún fruto aun cuando falte la labranza, mas si además de ser fecunda se le junta el cultivo, éste servirá de mucho más que su natural fecundidad (I, 129, lib. II, cap. XX).

Aunque sobre principios muy similares a los de Cicerón, Quintiliano juega con otros matices, profundizando algo más en el problema. La naturaleza, por lo pronto, es imprescindible. Ella puede producir, por sí sola, algunas medianas obras. Pero el arte es el que conduce hacia la obra maestra, siempre y cuando se alce sobre una predisposición natural.

Horacio, como en el caso de las finalidades de la poesía, prefiere señalar una equiparidad absoluta entre vena y arte. Dice:

> Dispútase si forma a los poetas
> la natura o el arte; mas ni alcanzo
> que sin vena feliz baste el estudio
> ni el natural ingenio sin cultivo;
> que tanto han menester entrambas prendas
> de unión amiga y fraternal amparo
> (vv. 408 y ss. –ed. latina–, 325).

Al parecer el juicio de Horacio triunfó ampliamente en España, otorgando a los planteamientos acerca de este tema un eclecticismo casi absoluto, muy similar al que vimos al tratar del deleite y la utilidad de la poesía. Empero, el conflicto entre ambos extremos no

---

23 Tauro parece no dar mayor importancia al problema de la vena y el arte y sólo atiende a la importancia que se concede al arte y ciencia, sin hacer alusión a la vena.

siempre alcanzaría una culminación armónica. En muchos casos podemos contemplar cómo se retuerce la opinión de los tratadistas, hasta llegar a consideraciones contradictorias. En síntesis, se trata de probar que es exacto lo que piensa Horacio –esto es, la paridad completa entre el valor del arte y de la vena–, pero en el trayecto intelectual de este juicio se producen con gran frecuencia una serie de paradojas y contradicciones. Es evidente, además, que algunos autores cobíjanse bajo los conceptos de Cicerón y Quintiliano para matizar su radical eclecticismo.

Juan del Enzina, por ejemplo, piensa que lo más importante es "el buen natural", pero que éste debe "pulirse y alindarse" con los preceptos del arte. Añade inmediatamente, sin embargo, que si la vena falta en absoluto todo esfuerzo –incluso el arte más depurado– será inútil (516–17). Es fácil comprender que el *Arte de la poesía castellana* repite, simplificándolo, el juicio de Quintiliano al advertir que nada es posible sin un buen natural preexistente y que el arte puede conducir esta inclinación a la obra maestra.

Sánchez de Lima es mucho más amplio, pero también más confuso. En él sí hay contradicciones. Comienza por afirmar que el arte "suple" la vena ("... el arte cuyo efecto es suplir la falta de naturaleza"); dice luego que aunque sólo se tuviera uno de los dos elementos, también se podría ser poeta, "aunque no con perfección", como sería si ambos se armonizaran. Por otra parte, Sánchez de Lima advierte que el "arte no es otra cosa, sino vn suplemento con que con artificio se adquiere lo que la naturaleza falto, para la perfección del arte" (12), lo que es, sin duda, un confuso planteamiento. A pesar de lo aquí afirmado, páginas más adelante Sánchez se descubre como admirador de la naturaleza en tanto aspecto principal de la creación poética. Partiendo del ejemplo de Montemayor (que "no fue letrado, ni mas de Romancista"), llega a la conclusión general de que lo único importante es la vena, aunque advierta que ésta "crece y mengua" indistintamente, determinando que un mismo escritor hará "unas vezes cosas muy subidas", y otras "no hara cosa que valga nada" (Sánchez de Lima 37–38).

Por lo demás, Juan del Enzina y Miguel Sánchez de Lima definen muy similarmente el fenómeno de la vena poética. Para el primero es un "buen natural"; para el segundo, "vna natural inclinacio[n] q[ue] los ho[m]bres tienen" (38).

Rengifo se basa, explícitamente, en Cicerón y Horacio, mas tampoco puede considerarse su opinión como un ejemplo de nitidez, aunque se salve de las contradicciones en que cae el autor que acabamos de citar. Anota Rengifo:

> Pero dira alguno que la naturaleza haze a los Poetas, y no el arte [...] yo confiesso que haze mucho al caso para ser vno Poeta, y buen Poeta la inclinación natural, y aquella affícion, y applicacion con que nacemos: pero

no se puede negar, que a vn buen natural perficiona grandemente el arte. [Añade que] necessaria es la vena: y si del todo faltasse, por demas seria porfiar. Pues [como dixo Tullio] ninguna cosa se ha de emprender contra el propio natural. [Sin embargo,] vn Poeta de mediano natural con el arte, y exercicio se haze, auentajado, [mientras que otro, con buen natural pero sin arte] saca versos muy humildes y baxos por falta de doctrina. [Y concluye:] por ello dixo bien Horacio, que ni el arte sin la vena, ni la vena sin el arte aprouechan, sino que ambos a dos cosas se han de juntar, y ayuntar para que vno salga Poeta (ff. 2–3).

García Rengifo, por tanto, juega con las actitudes de Cicerón y Quintiliano, por una parte, y de Horacio, por otra. De aquéllos extrae la idea de que si falta el buen natural de nada sirve el arte y que, además, supuesta una inclinación hacia la poesía, el arte puede –ahora sí– llevar a las más altas cumbres de la creación poética. De Horacio, y hasta cierto punto paradójicamente, desprende que arte y vena deben presentarse indisolublemente unidos.

Alonso López Pinciano es, en cambio, puramente horaciano:

[...] dirá lo que Horacio, que la vna y la otra, arte y naturaleça, son tan importantes q[ue] no se sabe cuál más lo sea (I, 222).

Sin embargo, previamente, Pinciano ha realizado los siguientes distingos que lo llevan a la conclusión que acabamos de citar:

Se deue aduertir que la Poética se considera diferentemente segun sus causas diferentes. El que considera la efficiente, dize muy bien que es el ingenio y natural inuentiuo; y el que considera la materia acerca de que trata, dirá que, para ser buen poeta, debe tener mucho estudio; y el que considera a la Poética según ambas causas, eficiente y material, dira lo que Horacio (I, 221–22).

Es muy interesante la opinión de Carballo. Recordemos, al efecto, que para el autor del *Cisne de Apolo* la poesía es, como para Clarinda, el más preciado de los dones con que Dios regaló a los hombres. Pues bien: Carballo armoniza la inspiración natural y la divina, solucionando así el conflicto que en algo afea la estructura lógica del "Discurso". Carballo piensa:

[...] y como diuino furor vna alentada gracia y natural inclinación que Dios y la naturaleza dan al poeta, como se dan otras gracias gratis dadas. Sin lo qual no podra hazer ninguna poesia, ni la armonia de sus ca[n]tos recreará nuestros animos. [Esto es lo que se llama vena y es] de tanta importancia para el Poeta, que sin ella tengo por imposible poder serlo, aunque te[n]ga, excelente ingenio y estudie todo el arte, que con lo vno y con lo otro, no pudo Ciceron cantar los hechos de su Republica en verso (II, 184–85). [Sin embargo,] la obra que naturalmente se haze sin arte, sin acierto a ser buena, es pocas vezes (II, 187).

La idea central es, pues, la ya conocida. Se requiere un buen natural y tal es lo más importante. Pero supuesto que tal existe, el arte es necesario para creaciones excelentes. Lo fundamental en Carballo, para nosotros, es que armoniza los conceptos de vena (natural inclinación) e inspiración divina, determinando una cierta equiparación entre ambos factores: "...Dios y la naturaleza dan al Poeta". En el "Discurso" en cambio, no se alude para nada a este tema y el lector no sabe qué interpretar cuando la poetisa nos habla de la vena, que parece mentar naturaleza, pero que, por el contexto, debiera referirse a infusión divina.

Finalmente, señalemos la actitud de Juan de la Cueva:

> Ha de tener ingenio y ser copioso
> y este ingenio, con arte cultivallo
> que no será sin ella fructuoso (120, Ep. I, vv. 97-99).

Ahora bien: ¿cómo interpretar el pensamiento de Clarinda a la luz de todos estos textos, en lo que se refiere a la vena y el arte? Comprendemos en primer término, que ella no resuelve la contradicción entre las dos acepciones de vena: natural o divina, aunque parezca seguir teóricamente una (divina) y dejarse influir por la otra (natural), que era de la que normalmente se hablaba. Por otra parte, su actitud consiste en hacer suyo el pensamiento horaciano, dando plena vigencia a la uniforme valoración del arte y la vena. Sin embargo, señala que no es posible conseguir a fuerza de arte lo que es vena –juicio de Cicerón y Quintiliano– y que, empero, la vena es "irrisible", lo que supone una leve mejora en lo que al valor del arte se refiere, pues –como queda dicho– se suponía que la pura inclinación natural podía, excepcionalmente, producir medianos poemas. En este sentido, pero sin llegar a extremos, Clarinda se inscribe en la línea del Brocense y de Carrillo, quienes piensan que si no hay buenos poetas en España es porque les falta arte, erudición y ciencia (*El Brocense*, cit. por Vilanova III, 373).

Y, es claro, en contra de Lope y su escuela. De Lope de Vega son los siguientes textos:

> Que los que miran por guardar el arte
> nunca del natural alcanzan parte.

> Para hacer versos y amor
> naturalmente ha de ser.

Y en prosa de singular nitidez:

> Pues lo que la naturaleza acierta sin el arte es lo perfecto (cit. por Cornejo).

En síntesis: el "Discurso" plantea el viejo tema de las poéticas. Lo hace a partir de Horacio, pero con una cierta influencia de los retóricos latinos. No aclara su postura ante el concepto de vena, dejando en la obscuridad si mantiene su idea teológica de la poesía o si da alguna parte a la puramente naturalista, y deja sospechar una cierta preferencia por el arte, muy medida y cauta, pero contradictoria con su idea central. No porque crea en la omnipotencia del artificio, sino porque no admite posibilidad alguna de que sólo la inclinación (divina o natural) pueda derivar en poesía. Y sabemos que muchos concedían un margen de perfección a esta pura inspiración.

12. De los provechos que la poesía depara a los hombres

La poesía tiene enorme poder: sirve a la sociedad, pues a ello se debe la civilización, el fundamento de la nobleza, la creación de ciudades, etc. Y sirve, también y sobre todo, al individuo. A este tema dedica Clarinda los últimos tercetos del "Discurso".

> Es la Poesia un pielago abundante
> de provechos al ombre, i su importancia
> no es sola para un tiempo, ni un insta[n]te (vv. 664-666).

Entre este conjunto de beneficios, nuestra Anónima especifica los siguientes: en la infancia "arranca de cimiento" la ignorancia; en la virilidad es "ornamento"; en la vejez "alivia los dolores" y entretiene la "noche mal dormida". Por otra parte, proporciona "gusto sin medida" en la ciudad; "acompaña y da consuelo" en el campo; e invita a meditar en el camino. Además, la poesía hace dura guerra al vicio; encumbra las virtudes; alivia las penas y pasiones; hace olvidar las tristezas; celebra la valentía de los guerreros; dibuja la hermosura de las damas; alaba los bienes del casto amor; explica los "intrinsecos concetos"; engrandece los ingenios y los hace más perfectos, etc., etc.

La poetisa versifica y resume un tópico que ya se encuentra ampliamente desarrollado en el Privilegio que concedió Juan I al Consistorio de Gay Saber de Barcelona:

> Conocemos los efectos y la esencia de este saber, que se llama ciencia gaya ó gaudiosa, y también arte de trovar, el cual, resplandeciendo con purísima, honesta y natural facundia, instruye a los rudos, excita a los desidiosos y a los torpes, atrae a los doctos, dilucida lo obscuro, saca a luz lo más oculto, alegra el corazón, aviva la mente, aclara y limpia los sentidos, nutre a los pequeñuelos y a los jóvenes con su leche y su miel, y los hace en sus pueriles años anticiparse a la modestia y gravedad de la cana senectud infundiéndoles, con versos numerosos, templanza y rectitud de costumbres, aun en el fervor de su juvenil edad, al paso que recrea deleitosamente a los viejos con las memorias de su juventud: arte, en suma, que puede llamarse aula de las costumbres, socia de las virtudes, conservadora de la honestidad, custodia de la justicia, brillante por su utilidad, magnífica por sus operaciones, arte que da frutos de vida, prohibe lo malo, endereza lo torcido, aparta de lo terreno y persuade lo celestial y divino: arte que da frutos de vida, prohibe lo malo, endereza lo torcido, aparte de lo terreno y persuade lo celestial y divino: arte reformadora, correctora e informadora, que consuela a los desterrados le-

vanta el ánimo de los afligidos, consuela a los tristes, y reconoce y nutre como hijos suyos a los que han sido criados a los pechos de la amargura, e imbuyéndolos en el néctar de su fuente suavísima, los hace por sus exelentes versos, conocidos y aceptos a los Reyes, y a los Prelados (cit. por Shepard 16–17).

Muy similares conceptos expresa Sánchez de Lima:

[...] la Poesía es la que mata la necedad, y destierra la ignorancia, auiua el ingenio, adelgaza y labra el entendimie[n]to, exercita la memoria, ocupando el tiempo del Poeta en estudiosas y altas consideraciones [...] de suerte que la Poesía es causa para conseguir y alcançar qualquier gusto, por ser como es, madre de los buenos ingenios (40).

El mismo autor abunda en consideraciones similares. Y hace especial referencia a los provechos religiosos que devienen de la poesía. Clarinda, al respecto, anota que el poeta está siempre "entretenido con su Dios, con la Virgen, con los Santos", o abstraído en meditaciones acerca del "centro denegrido". Muy parecidas son las palabras de Sánchez de Lima:

[...] pues q[ue] mientras el Poeta esta componiendo eleua el sentido en las cosas celestiales, y en la contemplacion de su criador, vnas vezes sube al cielo contemplado aquella inmensa y eterna gloria, los escuadrones de los bienauenturados, mira los Angeles, oye los Archangeles, contempla los Cherubines y Seraphines, vee las Potestades, Virtudes y Thronos, y Dominaciones, como todos ellos se ocupan en contino alabar a su criador. De alli baxa al infierno, siente las penas de los dañados en espiritu [...] en estas y otras semejantes contemplaciones gasta su tiempo el verdadero Poeta, escusando el gastallo en otras, que podrian ser offensa de Dios, y daño de su consciencia: por donde queda bien declarado, de quanta vtilidad y prouecho sea esta excelentissima poesia (43–44).

Esta es una similitud realmente notable y bien vale la pena subrayarla, pues no sólo existe coincidencia temática, sino que además se da una misma organización de la materia. Para Clarinda como para Sánchez, el poeta está contemplando el cielo y para dar énfasis a esta consideración se enumeran los distintos aspectos de su visión. En el poema de la Anónima limítase esta enumeración a Dios, la Virgen y los Santos, mientras que la prosa de Sánchez es mayormente explícita. Luego, en ambos textos, se advierte que el poeta baja al infierno y medita sobre él. Es pues notable el parecido de estos fragmentos.

Por otra parte, García Rengifo alude tambien al tema de los provechos que la poesía depara a los hombres y aunque nada dice en relación al aspecto religioso, coincide con Clarinda en señalar cómo la poesía acompaña al hombre durante toda su vida, prestándole innumerables servicios. Esos, dichos por Rengifo, son los mismos que anota la Anónima. Leemos en el *Arte poética española*:

[...] esas letras son para todas personas, tiempos y lugares. Porque con ellas se crian los moços, y se recrean los uiejos: son ornamento de lo próspero: consuelan en lo aduerso: entretienen en casa, no estoruan fuera: de noche uelan con nosotros: en los caminos, en los campos, y donde quiera que estemos nos acompañan (f. 8).

De la veintena de provechos que enumera Clarinda –en la tal vez más hermosa parte de su "Discurso en loor de la poesía"– no pasan de cuatro o cinco los que no puedan hallarse en el elogio de Juan I, en el libro de Sánchez de Lima y en el de García Rengifo. Y es que, en todos estos casos, existe una fuente común, la misma que, para el caso del "Discurso", había sido ya advertida por don Marcelino Menéndez y Pelayo: la oración *Pro Archia* de Cicerón (*Historia de la poesía* II, 165, en nota). Una vez más, pues, encontramos en el origen de las ideas de la Anónima las del orador latino. Tendremos oportunidad más adelante para evaluar la intensidad de la vigencia ciceroniana sobre la obra de Clarinda y, en general, de la cultura latina, perfectamente encarnada en la figura de Tulio.

El texto de *Pro Archia* que nos interesa reza así:

Pero el cultivo de las letras alimenta la juventud, deleita la ancianidad, y es en la prosperidad ornamento y en la desgracia refugio y consuelo; entretiene agradablemente dentro de la casa, no estorba fuera de ella, pernocta con nosotros y con nosotros viaja y nos acompaña al campo (cit. por Duff 9).

Sobre este fragmento de la oración ciceroniana, Clarinda ordena sus versos del 664 al 678, los mismos que no son más que una paráfrasis de *Pro Archia*, como igualmente lo es el citado texto de Rengifo. Este, incluso, podría tomarse como una mera traducción española de la célebre oración latina.

Insistimos, entonces, en que este aspecto de la loanza de la poesía proviene directamente de Cicerón, pero –al mismo tiempo– es menester observar que la dimensión religiosa con que Clarinda concluye su elogio posee un tono y una filiación distintos que podrían devenir de Sánchez de Lima, cuyo texto alusivo hemos citado líneas arriba.

En cualquier caso, la Anónima alza su inspiración al tratar de este tema y el latino no es más que el soporte de sus versos. Una fuente, pues, no meramente repetida, sino asimilada, profundamente compartida en lo que respecta a su sentido, y potencializada al máximo como efusión de una creencia íntima. Por esto, porque Clarinda ha encontrado en comunión esencial con su precedente, los versos de esta parte del "Discurso" son, con clara evidencia, de alto mérito estético.

13. Conclusiones

El material está dado. Y aunque ya ha sido objeto de selección, es probable que no todo él nos sirva para fijar conclusiones. La intención de este capítulo ha sido determinada en sus primeras páginas: averiguar el origen de ciertas ideas y su itinerario a través de los textos que la documentan, e indagar si existen relaciones entre algunas de estas obras y el "Discurso en loor de la poesía", tanto para iluminarlas en su concreción, cuanto –sobre todo– para determinar la filiación intelectual de la obra en estudio, su situación en el mundo ideológico de su tiempo.

Algo hemos tenido que adelantar acerca de estos puntos, pues así lo requería el sistema de exposición. Pero réstanos sintetizar nuestras comprobaciones, ordenarlas y conferirles un sentido. Que quedaría trunco nuestro empeño y nos limitáramos a señalar similitudes, coincidencias, escuetamente, sin tratar de averiguar su posible significación.

Alberto Tauro ha dicho que el "Discurso" tiene estructura expositiva ciceroniana; Augusto Tamayo Vargas que, por su espíritu, es ovidiano y neoplatónico. Ambos juicios indican, de por sí, que se supone que el "Discurso" se inscribe en la línea del clasicismo. Tal se sobreentiende, además, si se piensa que data de 1608; vale decir, de los años finales del Renacimiento español y casi sobre la frontera con el barroquismo.

Pero, ¿en qué consiste, concreta y específicamente, el clasicismo de Clarinda? Porque no es cierto que sea un poema de espíritu ovidiano y que en él repercutan ideas neoplatónicas, según ya vimos; y señalar, como lo hace Tauro, la vigencia de Cicerón sobre el "Discurso", aunque exacto, no agota el tema en cuestión, evidentemente.

Consideramos que nos es posible aportar nuevos elementos acerca del tema en estudio, completando lo anotado por Tauro –y Menéndez y Pelayo– y proponiendo una intepretación de los materiales hasta aquí acarreados.

Es claro, por lo pronto, que el clasicismo del "Discurso" es, en lo fundamental, un latinismo. La impronta de Cicerón, Horacio y Quintiliano desdibuja grandemente la que pudiera haber en Platón y Aristóteles. Sin embargo, el genio de Platón recorre aún, con oculta pero poderosa vigencia, los tercetos de Clarinda. No en su forma erótica, ni en la reversión hacia Dios del amor por Él insuflado, provenientes del neoplatonismo, sino en la concepción de la poesía como poder divino que, a veces, visita el alma de los hombres. Muy secundariamente, y sin evidencia, a través de su Demiurgo, Dios artífice, arquitecto del cosmos.

Empero, parece ser que Clarinda no bebió la doctrina de los *Diálogos* de primera fuente. No sólo porque Platón no es nombrado a lo largo de los ochocientos versos de su obra, sino porque la idea del origen divino de la poesía le venía de los Santos Padres –y de los tratadistas ibéricos– sin necesidad de remontarse a tan antiguo origen. Como sucede con frecuencia, Platón rige aquí, como dirían los juristas, por "interposita pesonae"; esto es, a través de seguidores más o menos fieles. Y, sobre todo, a través de una criba extraordinariamente densa: el cristianismo. Para el "Discurso", en suma, Platón es una especie de genio tutelar pero olvidado. Y es su herencia la que ejercítase sobre la Anónima, tal vez sin que ésta tuviera plena conciencia de su filiación helénica.

Pero si quisiéramos sopesar el influjo de Platón y el de Aristóteles, tendríamos que dar el triunfo al primero. Porque si Platón –aunque indirectamente– proporciona una línea, una tradición, un ambiente al "Discurso", Aristóteles, en cambio, pesa en él menos que una pluma, aunque se le cite expresamente. Pues ni a una sola idea concreta de Clarinda podemos llamarla aristotélica, ni siquiera neo-aristotélica. De la *Poética* podrían haberse desprendido las siguientes ideas: el poeta primitivo fue llamado filósofo, los fines de la poesía son la utilidad y el deleite y, en poesía, vale algo más el arte y sus preceptos que la pura espontaneidad natural. Mas, en realidad, no son derivaciones claras, pues Aristóteles no fija las ideas que encontramos en el "Discurso", sino que las podemos deducir de su texto. Así, y baste un ejemplo, no dice que a los poetas antiguos los llamaran filósofos, ni él así los denomina, sino que anota que la poesía es empresa más filosófica que la historia. Estas relaciones carecen, pues, de linealidad y de evidencia y sólo demuestran que el filósofo había planteado, indirectamente, algunos temas que resuenan en el "Discurso", ya antiguos entonces, y plasmados por otras mentes, no la del Estagirita.

Si algo helénico hay en nuestro poema es el tenue sello platónico. Y es curioso que Aristóteles sea, por así decirlo, el gran ausente. Curioso, porque precisamente su *Poética* estaba por entonces en gran predicamento, como lo prueba, por ejemplo, la *Philosophía antigua poética* del Pinciano. Probablemente el corpus doctrinario de Aristóteles no convenía a Clarinda para sus fines, o más exactamente, no le proporcionaba material adecuado para su loanza de la poesía. Extraña mucho, en cualquier caso, la ausencia total de alusiones a dos temas infaltables en toda obra de entonces: la imitación y la verosimilitud.

Roma sí está plenamente presente en el "Discurso". De Cicerón tiene su estructura y más de una idea. Estadísticamente son seis los puntos claves en que Tulio y Clarinda –salvando las distancias– coinciden con bastante exactitud. El poeta debe poseer saber enciclopédico, los primeros poetas fueron sabios y se les llamó filósofos,

Dios es artífice del mundo, vena y arte son necesarios a la creación poética, los poetas fundaron la civilización y, por último, son abundantes los provechos que la poesía reporta al individuo. Naturalmente, no todos estos temas tienen par, ni en todos pueden encontrarse relaciones evidentes y exactas, pero, por lo menos, Clarinda alude a Cicerón, en calidad de origen de sus ideas o de sostenedor autorizado de las mismas, en dos oportunidades consecutivas, aunque ambas no se refieran más que a generalidades sobre el honor debido a la poesía.

De estas similitudes, a nuestro criterio, dos son de notable importancia. La primera, en referencia a la sabiduría propia de los poetas, la segunda, acerca de la poesía y su función civilizadora. Y no porque Cicerón se refiera al orador –y Clarinda al poeta– puede tacharse de artificial o inexistente esta relación. Que, como ya sabemos, en la época de nuestra poetisa las ideas de Cicerón habían derivado normalmente hacia el campo de la poesía. Por lo demás, la oración *Pro Archia* era, sin duda, una fuente directa en la que no resultaba necesario hacer dicha traslación.

A nuestro parecer es absolutamente cierto que Clarinda conoció directamente las obras del orador latino. Así lo prueban las anotadas similitudes, ciertamente importantes y notoriamente numerosas. Complemento de tal juicio sería, indudablemente, el afirmar que Clarinda interpretó el pensamiento ciceroniano de acuerdo al canon hermenéutico ya establecido muchos siglos antes. La Colonia, además, era un excelente mercado para las obras de Cicerón y no hay embarque que no consigne variadas obras de él, tanto en latín como en romance. En cualquier caso, y hecha la salvedad de la derivación oratoria-poesía, nos es evidente que Clarinda enteróse –y bien– del pensamiento ciceroniano, conocimiento que no tenemos por qué dudar que fuera de primera mano.

A Quintiliano no se le nombra en el "Discurso". Creemos muy posible, sin embargo, que la poetisa leyera las célebres *Instituciones oratorias*. Con ellas coincide en cinco aspectos: origen divino de la poesía, el poeta como ejemplo de moralidad, el poeta como sabio, la explicación del mito de Orfeo y el problema de la vena y el arte. Y así lo sostenemos, como probabilidad tal vez por exceso de cautela, porque hay un aspecto fundamental que nos conduce a dibujar una línea, llamemos directa, entre Quintiliano y el "Discurso": es el referente a la moralidad del poeta. Recordemos que para Quintiliano la figura del orador –léase poeta– alcanzaba talla de ejemplo moral, lo cual es uno de los puntos centrales de la defensa de Clarinda. Claro que esta idea sería repetida durante toda la Edad Media, mas resulta siempre de origen quintiliano, y a nosotros nos interesa esta índole de filiación.

Pero son tan similares las concepciones de Cicerón y Quintiliano, en más de un aspecto importante, que no siempre se puede distinguir de dónde procede tal o cual coincidencia con el "Discurso". Dado que en éste se cita expresamente a Cicerón y considerando que el autor de los *Diálogos del orador* gozaba de enorme prestigio en la sociedad colonial, es posible suponer, en general, que Clarinda proviene de él, más que de Quintiliano, sin que por esto neguemos que las *Instituciones oratorias* pudieran ser conocidas por la Anónima.

Finalmente, el "Discurso" sigue también a Horacio. Aunque menos numerosas las coincidencias que hemos podido rastrear –solamente cuatro–, es notorio que la *Epístola a los Pisones* gravitó fuertemente sobre la poetisa. Las cuatro coincidencias son: el poeta como civilizador, la explicación del mito de Orfeo, la dualidad de fines de la poesía y, finalmente, el problema del arte y la vena. Así como en casos anteriores el "Discurso" presenta un pequeño margen de originalidad con respecto a sus fuentes clásicas –a las que matiza según su propio parecer–, así también, en este caso, el margen desaparece en tres oportunidades, manteniéndose tan sólo en lo concerniente al conflicto vena-arte.

En efecto, Clarinda repite exactamente la idea de que el poeta civilizó a los hombres primitivos (extremo que pudo tomarlo de Cicerón o Quintiliano), igualmente, reitera el sentido específico que Horacio encuentra en la leyenda de Orfeo (tema también tratado por Quintiliano), y, finalmente, acepta que la poesía debe producir deleite y proporcionar enseñanza, de acuerdo a lo expuesto en la "Epístola". Es cierto que en este último punto la poetisa parece dar preferencia a la función docente, mas el señalar estos fines –en el tiempo del "Discurso"– supone ya, de por sí, la asimilación de las ideas horacianas.

Se comprenderá, por otra parte, que con excesiva frecuencia nos encontramos con temas que tienen su plasmación en todos o casi todos los autores latinos, lo que impide satisfacer la curiosidad específica por denominar cada relación con el nombre de un clásico. Aun así, consideramos que, en general, queda perfectamente en claro que el "Discurso" se inscribe esencialmente dentro de un latinismo intelectual muy profundo y que, dentro de este ambiente, toma dos autores fundamentales: Cicerón y Horacio. A veces para temas distintos, a veces para un mismo tema, pero siempre con suma atención al pensamiento de Roma. Que el pragmatismo de los latinos, su preferencia por subrayar los provechos que vienen de las artes, impronta nítidamente el sentido general del "Discurso", preocupado constantemente por demostrar la utilidad de la poesía.

Del Medioevo la poetisa asimila dos tipos de elementos: unos originariamente medievales, propios del cristianismo, otros más bien, de simple transformación sobre estructuras paganas. En este último caso está, por ejemplo, la idea del origen divino de la poesía que, derivando de Platón, se cristianiza con los Padres de la Iglesia. En cambio la preferencia por la literatura hebrea y su consideración como primer momento literario de la humanidad viene, directamente, de la Edad Media, sin trasfondo clásico como es lógico. Por lo demás, un buen porcentaje de temas tratados en el "Discurso" lo fueron ya en el Medioevo, pero mantuvieron su vigencia hasta el siglo XVII por lo menos, lo que nos impide caracterizarlos como temas puramente medievales. Sin embargo, hay dos aspectos que sí podrían tener, con exactitud, este apelativo. Son los que atañen al uso de personajes mitológicos por autores cristianos, tema ampliamente superado en el Renacimiento al menos como conflicto, y cierta confusión entre filosofía, ciencia y arte que, también, es propia de la Edad Media, aunque mantenga algunos rezagos en épocas posteriores.

No puede decirse, bajo ningún punto de vista, que el pensamiento medieval gravite fuertemente sobre el "Discurso", como tampoco puede afirmarse –en el extremo contrario– que no haya en él algunos aspectos de origen y saber medievales, los mismos que son tratados, normalmente, de acuerdo a sus variantes renacentistas. Podría pensarse que el pragmatismo del "Discurso" es una nota de índole medieval y que siendo ésta de primera importancia en nuestra obra –como que lo es– tiñe de medievalismo sus más esenciales fibras. Sin embargo, a pesar de lo que afirma Shepard en su ya citada obra (15–22), la tendencia moralizante y utilitaria en la teoría literaria no es, en modo alguno, una característica tipificante del pensamiento de la Edad Media. La misma está perfectamente plasmada en Roma y se mantiene, con toda evidencia, hasta en las poéticas más progresistas de la Edad de Oro de la literatura española, según podemos ver en el caso del Pinciano. Por consiguiente, no tenemos por qué presumir que todo pragmatismo en materia literaria supone una actitud medieval. De hecho –y refiriéndonos específicamente a España– tal es una coordenada básica del pensamiento ibérico de todos los tiempos en cuestiones de poesía.

Pasemos, pues a sopesar las relaciones existentes entre las poéticas y preceptivas españolas y el "Discurso en loor de la poesía". Tal vez aquí encontremos más significativas comprobaciones, y estamos seguros que, por lo menos, serán más novedosas, puesto que nadie ha tratado este tema hasta ahora[24].

Por lo pronto, son muy numerosas la coincidencias que hay entre el texto de Clarinda y el de Santillana: casi una decena.

---

24 [Nota de J.A.M.: Aunque el trabajo de Luis Jaime Cisneros incluido en este volumen se escribió en 1950, y cubre parcialmente el mismo tema, ha permanecido inédito hasta ahora y A.C.P. no logró beneficiarse de él].

Nuestra poetisa no pudo conocer "Proemio é carta" y, por ende, las similitudes en cuestión deben interpretarse como coparticipación de fuentes y temas expositivos. Es lógico que un buen porcentaje de dichas similitudes se refiera a tópicos medievales y de esta suerte son muy similares las noticias acerca de la literatura hebrea. De lo que se desprende que la dimensión medieval del "Discurso" –no esencial, según acabamos de ver– es la que lo asemeja a la obra del Marqués de Santillana. Casi idénticas apreciaciones deben hacerse con respecto al libro de Juan del Enzina, remarcando que son cuantitativamente menos importantes las semejanzas, aunque haya una relativamente notable: el planteamiento del tema del honor tenido a la poesía en la antigüedad y la creencia entonces forjada de que correspondía a una fuerza divina su inspiración. En síntesis, el parentesco entre el "Proemio", el *Arte de la poesía castellana* y el "Discurso" no es más que el producto del medievalismo vigente en las obras hispánicas y larvado en la de nuestra poetisa.

Emiliano Díez Echarri, en su ya citada obra *Teorías métricas del Siglo de Oro*, divide los tratados que sobre materia poética se escribieron en España en los siguientes grandes grupos: poéticas de cancionero de inspiración petrarquista, italianas de tendencia española, y, finalmente, preceptivas aristotélicas-horacianas. Además, en grupos separados, sitúa las obras de los gramáticos. En el conjunto de poéticas de inspiración petrarquista, en el que están los libros de Sánchez, Herrera, Rengifo, Carballo y Cueva, destaca el *Arte poética en romance castellano* de Miguel Sánchez de Lima por ser el primer intento hispánico de ordenar una concepción acerca de la poesía de acuerdo a las ideas italianas entonces vigentes. El italianismo como práctica poética había triunfado en España desde los primeros decenios del siglo XVI, pero su primera sistematización en forma de poética tuvo una aparición más tardía: 1580, fecha en que se edita el libro de Sánchez.

Conviene anotar desde ya que es con este grupo de obras, a través especialmente de Sánchez, Rengifo y Carballo, con el que el "Discurso" guarda más ceñida correspondencia.

No tenemos ningún documento que pruebe el paso a América del libro de Sánchez, pero es lícito suponer que tal sucediera porque la sociedad virreinal se interesaba por este tipo de obras. La poesía era por entonces un ejercicio cortesano de gran prestigio y obras como las de Sánchez de Lima, gracias a sus capítulos de preceptiva, solucionaban los problemas de muchos rimadores sin genio.

Por otra parte, y esto es mucho más importante, el "Discurso" presenta notabilísimas coincidencias con el *Arte poética* de Sánchez, hasta sumar un total de trece, número inferior tan sólo a los que conciernen a Rengifo y Carballo e igual al alusivo a Pinciano. Entre esta larga serie de afinidades, hay algunas de gran valor sintomático. Así, por ejemplo, el tratamiento del tema de los malos poetas –fundamental en Sánchez y Clarinda–, el horror ante el desprestigio que se cierne sobre la poesía, el honor tenido en tiempos pasados a los poetas; y sobre todo, el elogio de la poesía como fuente de provechos para el individuo. En este último aspecto debe subrayarse que la enumeración de beneficios es común a muchos tratadistas, pues derivan todos de Cicerón, pero en Sánchez y Clarinda se especifica un provecho no tratado dentro del tópico general: el poeta está entretenido siempre en meditaciones religiosas que lo llevan a contemplar el cielo y el infierno. Como hemos visto en su oportunidad, hay aquí un mismo tema, no común a la generalidad, y hasta una relativa comunidad de formas expositivas. Complementariamente, es menester acotar que dos de las anécdotas que leemos en el "Discurso", están consignadas también en Sánchez[25].

Hemos dicho en páginas anteriores que está comprobado que el libro de Rengifo pasó a América. Está demás advertir, pues de todos es sabido, que tal texto se convirtió, en pocos años en la poética por antonomasia, la más divulgada de todas. Y creemos, por tanto, que no puede dudarse de que Clarinda leyera el *Arte poética española*, máxime porque entre una y otra obra se encuentran nada menos que dieciciocho puntos de contacto, casi todos de gran importancia. Por lo pronto es ya de por sí sintomático que en ambas obras se habla expresamente del origen divino de la poesía, con juicios nítidos y no meras alusiones, y que en los dos, además, se implique específicamente a Adán como primer poeta por gracia de Dios. También es importante que Rengifo y Clarinda culpen al pecado original de la pérdida del don de la poesía. Asimismo son muy claras las relaciones en lo que atañe a la literatura hebrea y al sentido de dignidad que brota de esta constatación histórica. Que la Iglesia se vale de la poesía, que ésta sirvió para civilizar a los hombres y que de aquí viene la leyenda de Orfeo, son otros puntos en que se marca una clara coincidencia. Además, se incluyen los temas generales de la vena y el arte, de la utilidad y el deleite, en el primero de los cuales se sigue una línea más o menos común, y se narran dos de las anécdotas que también aparecen en nuestro poema. Debemos hacer recuerdo, por último, de la muy curiosa coincidencia formal que existe cuando Rengifo y Clarinda afirman que la poesía fue bien recibida por la Iglesia y que sus santos varones inscribieron "versos griegos y latinos" de naturaleza religiosa.

Como en todos estos casos, es menester retornar a lo dicho concretamente en los parágrafos anteriores a efecto de tener una visión clara de las similitudes concretas que existen entre las obras

---

[25] Sugerimos la conveniencia de releer en cada caso lo dicho en los parágrafos anteriores con relación a tales coincidencias y la relectura –también– de los textos allí citados.

en cuestión; y tanto por lo allí dicho, cuanto por lo aquí sintetizado, no podemos menos que dar por seguro (con la seguridad relativa que todo estudio de fuente supone) que Clarinda bebió parte de su saber en el libro de García Rengifo, como lo beberían casi todos los que después de él escribieron sobre temas similares.

Es también importante, por calidad y cantidad, el parecido que se produce entre el *Cisne de Apolo* de Carballo y el "Discurso en loor de la poesía". Ya hemos explicado por qué nos parece improbable que Clarinda pudiera conocer dicha obra, pues la aprobación del "Discurso" data de 1604 –lo que quiere decir que fue escrito antes– y el *Cisne de Apolo* apareció en 1602[26]. Adviértase, empero, que improbabilidad no quiere decir imposibilidad, que –como dijimos en el Capítulo Primero– hubo libros que llegaron a la colonia con apenas un año de retraso. Y lo singular es, precisamente, que con Carballo se da el mayor número de coincidencias: veintidós. Son de gran importancia, entre otras, las que atañen al origen divino de la poesía y a Adán como primer poeta, a la sabiduría de los poetas, a la literatura judía, al poder civilizador del verbo poético, al honor tenido a la poesía en los tiempos antiguos, y el problema de la vena y el arte que en Carballo se plantea con la intervención de la inspiración divina, como debiera haber sucedido en el "Discurso". Es idéntica la argumentación que exponen Carballo y Clarinda para probar que los malos poetas no demuestran el vicio de la poesía en sí: Lucifer no demuestra que los ángeles sean malos –dice Carballo–; Lutero no prueba que la teología sea mala –anota Clarinda–. Ambos, pues, recurren a símiles religiosos. Carballo, además, trae dos de las anécdotas que consigna Clarinda, contándose entre ellas la que tiene por personaje a Píndaro, la misma que no está escrita en ninguna de las otras poéticas hispanas, aunque el mismo Carballo la califique de historia muy conocida.

Con Juan de la Cueva y con Fernando de Herrera son mínimas las relaciones que tiene el "Discurso". Estos dos autores pertenecen al grupo de tratadistas de inspiración petrarquista, conjuntamente con los tres citados anteriormente. Sabemos que es precisamente este grupo el que mejor concuerda con las ideas de Clarinda, de manera especial en los casos de Sánchez de Lima, Rengifo y Carballo. De lo que podemos inferir que el "Discurso" se mantiene dentro de los límites de esta concepción, bastante al margen de los tratadistas del sector aristotélico.

El más importante de los sostenedores españoles de la doctrina aristotélica sobre la poesía es, sin duda, Alonso López Pinciano. Clarinda coincide con muchos de los aspectos de su *Philosophía antigua poética*, hasta alcanzar un total de trece similitudes más o

---

26 La aprobación está fechada en Valladolid, a 28 de noviembre de 1604. Se refiere, naturalmente, al *Parnaso Antártico*.

menos importantes. Pero, en cambio, la poetisa americana no alude para nada a problemas básicos del libro de Pinciano, tales como la esencia mimética de la literatura y su obligación de verosimilitud, los cuales pertenecen al aristotelismo de acuerdo a lo ya apuntado páginas atrás. De aquí que supongamos que Clarinda no acudió al Pinciano para elaborar su "Discurso" –como tampoco acudió a Aristóteles–, pues es claro que, en caso contrario, se encontrarían algunos atisbos de los grandes temas que preocupaban a Alonso López. Que no es creíble que de él extrajera aspectos secundarios –que bien pudo tomarlos de otros autores– y dejara sin tratamiento lo realmente fundamental de la *Philosophía antigua poética*. Por lo demás, el espíritu empirista del Pinciano, ligado profundamente a lo demostrable por la razón y enemigo de toda consideración metafísica y religiosa, no consonaba con el de Clarinda, cuyo "Discurso" parte justamente de la idea de la divinidad de la poesía, extremo éste rebatido insistentemente en la *Philosophía antigua*. La poética de López Pinciano nos sirve, complementariamente, para insistir en la absoluta falta de ligamen entre la obra de la Anónima y la corriente aristotélica en materia de concepciones literarias.

No es extraño que Clarinda nada deba a la teoría literaria de Lope de Vega. Roturaban campos distintos y poco convenía a la actitud aristocrática de Clarinda el popularismo de la dramaturgia lopesca.

Por último, atendamos a las relaciones que hemos encontrado entre el "Discurso en loor de la poesía" y el *Libro de la erudición poética* de Carrillo y Sotomayor, así como a las concernientes con la Segunda Parte del *Ingenioso Hidalgo Don Quijote de la Mancha*. Sabemos ya que la obra de Carrillo fue editada en 1611; esto es, tres años después de la aparición del texto de Clarinda. Para nuestras intenciones nos basta subrayar que dichas coincidencias prueban que la Anónima no trabajaba con materiales culturalmente caducos, sino, por el contrario, con aspectos y temas que en su época permanecían fuertemente vigentes, ocupando y preocupando a los tratadistas contemporáneos, a ella e incluso a los posteriores. No creemos, en cambio, que los anuncios de gongorismo que Shepard (205–09) encuentra en Carrillo se presagien también en el "Discurso".

Alberto Tauro en el capítulo "Cervantes y el loor de la poesía" de su ya citada obra, defiende la hipótesis de que Miguel de Cervantes pudo haber conocido el "Discurso" y pudo, además, tomarlo como fuente de su episodio del Caballero del Verde Gabán. Se basa Tauro en una larga serie de similitudes que existen entre ambos textos. Tales coincidencias son, en general, exactas. Mas debe advertirse que todas ellas corresponden a ideas que entonces circulaban profusamente en el mundo ideológico de España, lo cual significa que Cervantes pudo recurrir a cualquier otro texto escrito en España o, tal vez más probablemente, a los tratados latinos que insertaban iguales tópicos. Lo significativo, para nosotros, no es tanto que Cervantes pudiera o no conocer el "Discurso" y aprovecharlo como fuente, sino el hecho comprobado de que Clarinda no estaba retrasada en sus ideas sobre la poesía (Tauro 95–103).

A punto de cerrar este capítulo séanos permitido intentar una síntesis extrema de lo hasta aquí expuesto. Y, bajo estas condiciones, es exacto afirmar que el "Discurso en loor de la poesía" aparece fuertemente ligado al platonismo –en su versión cristiana– en lo que atañe a su concepción básica de la poesía como don precioso de la divinidad; a la cultura retórica de Roma, –Cicerón, fundamentalmente, y Horacio– en lo que toca al subrayamiento de los servicios y provechos que la poesía regala al hombre, a más de decenas de temas concretos; a la teoría literaria medieval, por su devoción hacia la poesía hebrea y su extremado moralismo, como también por la preocupación acerca de si es lícito o no el invocar dioses paganos; a las poéticas españolas del Renacimiento, a partir de la de Sánchez de Lima, por el culto a obras y autores clásicos, por la pleitesía que se rinde a la poesía, y genéricamente, por el tratamiento de casi todos los aspectos importantes que se leen en dichos tratados del Renacimiento. Como ellos, además, el "Discurso" carece de originalidad y limítase a sintetizar temas de filiación clásica, propios de la cultura general de entonces. Pero dentro de las consideraciones literarias del Renacimiento hay, cuando menos, dos grandes corrientes: la que parte de Aristóteles y tiene como principal intención la de proceder a un análisis racionalista del fenómeno poético, dentro de los cánones impuestos por el filósofo; y la que aunque deudora de Aristóteles por más de un concepto, quiere acercarse a la literatura con cordialidad y devoción, en el supuesto de su procedencia divina y de los beneficios que dispensa a los humanos. En ésta –sin nitidez, pero con vigor– las concepciones platónicas juegan importante rol, a pesar de la famosa querella de Platón y los poetas.

Sin duda alguna, el "Discurso en loor de la poesía" se inscribe dentro de esta segunda corriente. De aquí que sea notabilísimo su parentesco con Sánchez de Lima, García Rengifo y Carballo, como sintomática es su consonancia con una veta del pensamiento de Fray Luis de León.

Ni retraso en las ideas, ni premoniciones de estéticas futuras, sino encuadre perfecto, notable, significativo, en el mundo ideológico de entonces, por lo menos –y ya es mucho– con relación a España.

De esta suerte, enterados del ambiente en que surgió y de sus implicancias con el pensamiento clásico y con la cultura de su tiempo, nos será más sugestiva la lectura del "Discurso en loor de la poesía".

TERCERA PARTE
EL TEXTO. EDICIÓN

Advertencias a esta edición

El texto que sigue reproduce fielmente la edición príncipe del "Discurso en loor de la poesía", en todas sus características y peculiaridades, salvo en lo que atañe a la "ʃ" larga que hemos reemplazado por la actual. Se han respetado incluso las erratas evidentes, sálvandolas en notas a pie de página. Nos ha parecido oportuno, en cambio, añadir entre corchetes las letras que se suprimen en la edición de 1608 ("amó cõ amor tierno": amó co[n] amor tierno"), excepto naturalmente, cuando se trata de elisiones con valor métrico ("d'aquel", "qu'a", etc., etc.).

Para esta edición nos hemos servido del ejemplar R-30896 de la Biblioteca Nacional de Madrid, Sección Libros Raros; pero la corrección, realizada por el señor Rodolfo Gonzales Wang, se ha hecho teniendo a la vista el ejemplar de la Biblioteca Nacional de Lima.

Las notas a pie de página intentan facilitar la comprensión del texto mediante muy breves aclaraciones. En un fuerte porcentaje se refieren a aspectos de la cultura grecolatina, especialmente a la mitología clásica. En estos casos nos hemos ayudado con el excelente *Diccionario del mundo clásico* (cf. Errandonea, ed.) y con las exhaustivas notas que se leen en la edición de Alberto Tauro, las mismas que también nos han sido de evidente utilidad en otros aspectos. Así lo hacemos constar en cada caso concreto.

Las notas relacionadas con el tema de las "fuentes" de la obra se remiten al Capítulo IV de este libro, sin citar por extenso las coincidencias que allí explicitamos. Evítanse así enojosas reiteraciones.

Aunque el "Discurso" ha sido reeditado hasta en cuatro oportunidades (Menéndez y Pelayo, Calixto Oyuela, Ventura García Calderón y Alberto Tauro)[1], creemos que la edición que presentamos tiene la ventaja de ceñirse rigurosamente, en todo sentido, a la príncipe de 1608.

---

1 [Nota de J.A.M.: Ha aparecido con posterioridad al trabajo de A.C.P. una edición facsimilar dentro de la *Primera parte del Parnaso Antártico de Obras Amatorias* (Roma: Bulzoni, 1990) editada por Trinidad Barrera].

DISCVRSO

En loor de la Poesia, dirigido al Autor, i compues/to por una senora principal d'este Reino, mui ver/sada en la lengua Toscana, i Portuguesa por cuyo/ mandamiento, i por justos respetos, no se escrive/ su nombre; con el qual discurso (por ser/ una eroica dama) fue justo/ dar principio a nuestras/ eroicas epistolas.

    *   1   La mano, i el favor de la Cirene
                  a quien Apolo amò co[n] amor tierno;
    *   i el agua co[n]sagrada de Hipocrene.

    *   I aquella lira con que d'el Averno
        5   Orfeo libertò su dulce esposa
                  suspendiendo las furias d'el infierno.

    *   La celebre armonia milagrosa
                  d'aquel cuyo testudo pudo tanto,
                  que dio muralla a Tebas la famosa.

    *   10   El platicar suave buelto en llanto
                  i en sola boz, qu'a Iupiter guardava,
                  i a Iuno entretenia, i dava espanto.

---

* v. 1 Cirene: Ninfa amada de Apolo, dios de la poesía.

* v. 3 Hipocrene: Fuente consagrada al culto de las Musas.

* vv. 4-6 Alude al mito helénico de Orfeo y Eurídice: Aquél, gracias al poder de su canto, pudo liberar temporalmente a Eurídice de "las furias del infierno". Cf. vv. 274-279, 394-396.

* vv. 7-9 Referencia a la leyenda de Anfión: Lico y Dirce, reyes tebanos, apresan a la madre de Anfión. Este ataca Tebas, captura a Dirce, la ata a la cornamenta de un toro y la despeña. Luego construye las murallas de la ciudad utilizando el poder de sus melodías. Cf. verso 605.

* vv. 10-12 Transcribimos la nota de Tauro: "Alude al amoroso diálogo que sostuvieron Juno y Júpiter, en la cumbre del monte Ida, cuando aquélla fue a comunicar al padre de los dioses que marchaba hacia los confines de la tierra para intervenir en la reconciliación de Océano y Tetis. 'Allá se puede ir más tarde —arguyó Júpiter—. Ea, acostémonos y gocemos del amor. Jamás la pasión por una diosa o por una mujer se difundió en mi pecho ni me avasalló como ahora... con tal ansia te amo en este momento y tan dulce es el deseo que de mí se apodera'. Juno se mostraba reticente, avergonzada, y aun llorosa, por lo cual prometióle el omnipotente cubrirla con una nube dorada, que ni aun la luz del sol pudiera penetrar. 'La tierra produjo verde hierba, loto fresco, azafrán y jacinto espeso y tierno para levantarlos del suelo —según refiere la Ilíada—. Acostáronse allí y cubriéronse con rocío'. Y mientras Júpiter disfrutaba el sueño del amor, saltó Neptuno hacia el lugar donde reposaban los argivos para excitarlos contra los teucros". Iuno, Jupiter: "En lugar de la J se escribía a menudo I y a veces Y" (cf. Hansen).

*		El verso con que Homero eternizava	f. 9 v.
		lo que del fuerte Aquiles escrevia,	
*	15	i aquella vena con que lo ditava.	

* Quisiera qu'alcançaras Musa mia,
para qu'en grave, i sublimado verso,
cantaras en loor de la Poesia.

* Que ya qu'el vulgo rustico perverso
20 procura aniquilarla, tu hizieras
su nombre eterno en todo el universo.

Aqui Ninfas d'el Sur venid ligeras,
pues que soy la primera qu'os imploro,
dadme uvestro socorro las primeras.

* 25 I vosotros Pimpleides cuyo coro
* abita en Elicon dad largo el paso,
i abrid en mi favor uvestro tesoro,

De l'agua Medusea dadme un vaso,
i pues toca a vosotras venid presto,
* 30 olvidando a Libetros, i a Parnaso.

* I tu divino Apolo, cuyo gesto
alumbra al Orbe, ven en un momento,
i pon en mi de tu saber el resto.

* Inflama el verso mio con tu aliento,
35 i en l'agua de tu Tripode lo infunde,
pues fuyste d'el principio, i fundame[n]to.

---

* vv. 13-15 El poeta, "dispensator gloriae". Cf. Cap. IV, 8 (100). Homero creador de la fama de Aquiles: Cf. Cap. IV, 7 (98).
* v. 15 Ditava: dictaba. Cf. Cap. III, 4 (60).
* vv. 15-16. Adviértase la arbitraria puntuación del "Discurso": Cf. Cap. III, 4 (60).
* vv. 19-21 Sentido aristocrático: Cf. Cap. IV, 9 (104–05).
* v. 25 Vosotros, errata, debe decir "vosotras". Cf. v. 29.
* v. 26. Elicón: Helicón, monte consagrado a Apolo y a las Musas, donde existían las fuentes de Hipocrene y Aganipe.
* v. 30 Libetros: Alusión al monte Aventino, donde tenía su templo la diosa Libetras. Parnaso: Monte morada de Apolo y las Musas.
* vv. 31-32 Alusión a Apolo como dios solar.
* vv. 34-36 Remito a la nota de Tauro: "En Delfos se hallaba el más famoso de los templos destinados al culto de Apolo, cuyo santuario, accesible sólo a los sacerdotes, albergaba el oráculo más consultado por los griegos de la antigüedad. En una caverna artificial se alzaba el trípode sobre el cual reposaba la sacerdotisa; allí, al iniciarse la consulta del oráculo, bebía ésta el agua que llegaba desde la fuente Cassotis y recibía unos vapores que la sumían en letargo; a su lado, el sacerdote recogía entonces sus palabras y versificaba las respuestas del oráculo. De manera que, tanto como la invocación inicial, revelan estas alusiones la creencia en la inspiración profética de la poesía". Disentimos de la interpretación de Tauro, en el sentido de que consideramos que la concepción de Clarinda nada tiene que ver con la dimensión profética de la poesía. Si alude a tal punto es sólo para probar la dignidad y el honor en que era tenida la poesía en tiempos antiguos, como se verá con más claridad en versos posteriores.

*   Mas en que mar mi debil voz se hunde?   f. 10
        a quien invoco? que deidades llamo?
        que vanidad, que niebla me confunde?

*   40 Si ô gran Mexia en tu esplandor m'inflamo
        si tu eres mi Parnaso, tu mi Apolo
        para qu'a Apolo, i al Parnaso aclamo?

        Tu en el Piru, tu en el Austrino Polo
*   eres mi Delio, el Sol, el Febo santo
      45 sè pues mi Febo, Sol, i Delio solo.

        Tus huellas sigo, al cielo me levanto
        con tus alas: defiendo a la Poesia,
*   Febada tuya soi oye mi canto.

        Tu me diste precetos, tu la guia
      50 me seràs, tu qu'onor eres d'España,
        i la gloria d'el renombre de Mexia.

        Bien sè qu'en intentar esta hazaña
        pongo un monte, mayor qu'Etna el no[m]brado
        en ombros de muger que son d'araña.

      55 Mas el grave dolor que m'à causado
*   ver a Elicona en tan umilde suerte,
        me obliga a que me muestre tu soldado.

        Que en guerra qu'amenaça afrenta, o muerte,
        serà mi triunfo tanto mas glorioso
      60 cuanto la vencedora es menos fuerte.

        Despues que Dios con braço poderoso   f. 10 v.
        dispuso el Caos, i confusion primera
        formando aqueste mapa milagroso.

*   Despues qu'en la celeste vidriera
      65 fixò los Signos, i los movimientos
        d'el Sol compuso en su admirable Esfera

        Despues que concordò los elementos
        i cuanto en ellos ai, dando preceto
        al mar que no rompiese sus assientos.

      70 Recopilar queriendo en un sujeto
        lo que criado avia al hombre hizo
        a su similitud, qu'es bien perfeto.

        De fragil tierra, i barro quebradizo
        fue hecha aquesta imagen milagrosa,
      75 que tanto al autor suyo satisfizo.

---

* vv. 37-39 Conforme a la edición príncipe utilizamos el signo de interrogación
  sólo como cierre.
* vv. 40-42 Diego Mexía: Cf. Cap. III, 3 (54–55).
* vv. 44-45. Delio, Sol, Febo: Distintas denominaciones de Apolo
* vv. 48. Fébada: Sacerdotisa del culto a Apolo. Juan de la Cueva: "Fébeas cultoras de Helicón divino" (*Ejemplar poético*, v. 11, 117).
* v. 56. Elicona: Cf. Helicón, v. 26.
* v. 64. Verso defectuoso que algunas eds. modernas salvan con diéresis en
  "vidriera".

I en ella con su mano poderosa
epilogò de todo lo criado
la suma, i lo mejor de cada cosa.

Quedò d'el ombre Dios enamorado
80 i diole imperio, i muchas pre'minencias
por Vicedios dexandole nombrado.

*

Dotole de virtudes, i ecelencias,
adornolo con artes liberales,
i diole infusas por su amor las ciencias.

85 I todos estos dones naturales   f. 11
los encerrò en un don tan eminente,
qu'abita allà en los coros celestiales.

Quiso que aqueste don fuesse una fuente
de todas cuantas artes alcançase,
90 i mas que todas ellas ecelente.

De tal suerte qu'en el se epilogase
la vmana ciencia, i ordenò qu'el dallo
a solo el mesmo Dios se reservase.

Que lo demas pudiesse el enseñallo
95 a sus hijos, mas que este don precioso
solo el que se lo dio pueda otorgallo.

*

Que don es este? quien el mar grandioso
que por objeto a toda ciencia encierra
sino el metrificar dulce, i sabroso?

100 El don de la Poesia abraça, i cierra
por preuilegio dado de'l altura,
las ciencias, i artes qu'ai aca en la tierra.

*

Esta las comprehende en su clausura.
las perficiona, ilustra, i enriquece
* 105 con su melosa, i graue compostura.

*

I aquel qu'en todas ciencias no florece,
i en todas artes no es exercitado,
el nombre de Poeta no merece.

☞ * I por no poder ser qu'estè cifrado   f. 11 v.
110 todo el saber en uno sumamente,
no puede aver Poeta consumado.

---

* vv. 82-96. La poesía: don de Dios. Idea central del "Discurso". Cf. Cap. IV, 4 (76 y ss.). *Id.* vv. 130-132.

* vv. 97-105. Capacidad abarcadora de la poesía. Cf. Cap. IV, 5 (80 y ss.).

* v. 103. En la ed. príncipe punto al terminar el verso. Errata.

* v. 105. Meloso: en el sentido de "blando, suave y dulce. Aplícase regularmente al razonamiento, discurso u oración". En Píndaro: "la miel de mi poesía" (Olímpica XI).

* vv. 106-114. El poeta y su erudición. Cf. Cap. IV, 5 (81 y ss.).

* v. 109. Algunos tercetos de la edición príncipe llevan a su derecha una marca en forma de mano, como subrayado tipográfico a la importancia de las ideas allí expuestas.

Pero seralo aquel mas ecelente,
que tuviere mas alto entendimiento,
i fuere en mas estudios eminente.

115 Pues ya de la Poesia el nacimiento
i su primer origen fue en el suelo?
o tiene acá en la tierra el fundamento?

O Musa mia para mi consuelo
dime donde nacio qu'estoi dudando:
120 nacio entre los espiritus d'el cielo?

Estos a su criador reverenciando
compusieron aquel Trisagros trino,
qu'al trino, i uno siempre estan ca[n]tando.

I como la Poesia al ombre vino
125 d'espiritus angelicos perfetos,
que por concetos hablan de contino:

Los espirituales, los discretos
sabran mas de Poesia, i serà ella
mejor mientras tuviere mas concetos.

130 D'esta region empirea, santa, i bella
se derivò en Adan primeramente,
como la lumbre Delfica en la estrella.

Quien duda qu'advertiendo allà en la mente   f. 12
las mercedes, que Dios hecho l'auia,
135 porque le fuesse grato, i obediente:

No entonasse la voz con melodia,
i cantasse a su Dios muchas canciones,
i qu'Eva alguna vez le ayudaria.

I viendose despues entre terrones,
140 comiendo con sudor por el pecado,
i sujeto a la muerte, i sus passiones:

Estando con la rexa, i el arado,
qu'Elegias compornia de tristeza,
por verse de la gloria desterrado.

145 Entrò luego en el mu[n]do la rudeza
con la culpa; hincheron las maldades
al ombre d'inorancia, i de bruteza.

---

* vv. 116-117. Pudiera haber errata pues la "o" disyuntiva parece significar "cielo o tierra" y no "suelo o tierra", salvo que los versos 116-117 reiteren una misma pregunta y el terceto siguiente la contraria.
* vv. 121-123. Relacionado con el origen divino de la poesía: Cf. Cap. IV, 4 (76). Los ángeles y la poesía: Libro de Job, XXXVIII, 7.
* vv. 131-132. Adán, primer poeta: Cf. Cap. IV, 4 (79).
* v. 143. Compornia: compondría.
* vv. 145-147. Pérdida de la poesía infusa: Cf. Cap. IV, 6 (87).

Dividieronse en dos parcialidades
las gentes, siguio a Dios la mas pequeña,
* 150 i la mayor a sus iniquidades

* La que siguio de Dios el vando, i seña,
toda ciencia eredò, porque la ciencia
fundada en Dios al mesmo Dios enseña.

Tuvo tambien, i en suma reverencia
155 al don de la Poesia, conociendo
su grande dinidad, i su ecelencia.

I assi el dichoso pueblo en recibiendo   f. 12 v.
de Dios algunos bienes, i favores,
le dava gracias, cantos componiendo.

* 160 Moyses queriendo dar sumos loores,
i la gente Hebrea a Dios eterno
por ser de los Egipcios vencedores:

* El cantico hizieron dulce, i tierno,
(qu'el Exodo celebra) relatando
165 como el Rei Faraon baxò al Infierno.

* Pues ya cuando Iahel priuò del mando,
i de la vida a Sisara animoso,
a Dios rogando, i con el maço dando:

Que Poema tan graue, i sonoroso
170 Barac el fuerte, i Debora cantaron,
por ver su pueblo libre, i vitorioso.

* La muerte de Golias celebraron
las matronas con versos d'alegria,
* cuando a Saul con ellos indinaron.

* 175 El Rei David sus salmos componia,
i en ellos d'el gran Dios profetizava,
de tanta magestad es la Poesia.

El mesmo los hazia, i los cantava:
i mas, que con retoricos estremos
* 180 a componer a todos incitava,

* Nuevo cantar a nuestro Dios cantemos   f. 13
(dezia,) i con templados instrumentos
su nombre bendigamos, i alabemos.

---

* v. 150. Errata: Debe haber punto al terminar el terceto.
* vv. 151-153. Alude al pueblo escogido.
* v. 160. Moisés, poeta: Cf. Cap. IV, 6 (87).
* vv. 163-165. Éxodo, XIV, 23-31.
* vv. 166-171. Lib. de los Jueces, Caps. IV y V.
* vv. 172-174. Lib. de Samuel, I, XVII.
* v. 174. Golias, Goliat. "Si nombrais algún gigante [...] que sea el gigante Go-
lías [...] o Goliat" (Cervantes, *Don Quijote*, Prólogo, I parte).
* v. 175. David, poeta: Cf. Cap. IV, 6 (87).
* v. 180. Es uno de los escasísimos tercetos que acaban con coma.
* vv. 181-186. Salmo 149, 1-3.

Cantalde con dulcissimo[s] acentos
185   sus maravillas publicando al mundo,
i en el depositad los pensamientos.

*

Tambien Iudit despues qu'al tremebundo
Holofernes corto la vil garganta,
i morador lo hizo d'el profundo:

190   Al cielo empireo aquella voz levanta
i dando a Dios loor por la vitoria,
eroicos, i sagrados versos canta.

*

I aquellos que gozaron de la gloria
en Babilonia estando en medio el fuego,
195   menospreciando vida transitoria:

Las bozes entonaron con sosiego,
i con metros al Dios de las alturas
hizieron fiesta, regocijo, i juego.

*

Iob sus calamidades, i amarguras
200   escriuio en verso horoico, i elegante;
qu'a vezes un dolor brota dulçuras.

A Hieremias dexo, aunque mas cante
sus Trenos numerosos, qu'a llegado
*   al nuevo testamento mi discante.

*   205   La madre d'el Señor de lo criado   f. 13 v.
no compuso aquel canto qu'enternesce
al coraçon mas duro, i ostinado?

A su señor mi anima engrandesce,
i el espiritu mio de alegria
210   se regozija en Dios, i le obedesce.

O dulce Virgen inclita Maria,
no es pequeño argumento, i gloria poca
esto para estimar a la Poesia.

Que basta aver andado en uvestra boca
215   para darle valor, i a todo cuanto
con su pinzel dibuxa, ilustra, i toca.

*

I que dire d'el soberano canto
d'aquel, a quien dudando allà en el te[m]plo
quitò la habla el Paraninfo santo?

---

* v. 187-192. Lib. de Judith, XVI.
* vv. 193-198. Cántico de los tres jóvenes: Azarías, Ananías y Misael. Lib. de Daniel, III, 52-90.
* vv. 199-201. Job, poeta: Cf. Cap. IV, 6 (88–89).
* v. 204. Discante: glosa, comentario. "Descantar y escantar por encantar, y entre los clásicos, discantar, comentar, discante el postverbal" (Nota de Cejador al *Libro de buen amor*, estrofa 265).
* vv. 205-216. Magnificat: S. Lucas, I, 46. Cf. Cap. IV, 6 (89).
* vv. 217-219. Episodio de Zacarías, San Lucas, I, 20.

* 220 A ti tambien o Simeon, contemplo
qu'abraça[n]do a IESVS con braços pios,
de justo, i de Poeta fuiste exemplo.

*
* El ô Sana cantaron los Iudios
a aquel, a cuyos miembros con la lança
225 despues dexaron de calor vazios.

Mas para que mi Musa s'abalança
querie[n]do co[m]probar cua[n]to a Dios cuadre,
que en metro se le dè siempre alabança?

* Pues vemos que la iglesia nuestra madre　　f. 14
230 con salmos, himnos, versos, i canciones:
pide mercedes al eterno padre.

De aqui los sapientissimos varones
hizieron versos Griegos, i Latinos
de Cristo, de sus obras, i sermones.

235 Mas como vna muger los peregrinos
* metros d'el gran Paulino, i d'el Hispano
* Iuvenco alabarà siendo divinos?

* De los modernos callo a Mantuano,
a Fiera, a Sanazaro, i dexo a Vida,
240 i al onor de Sevilla Arias Montano.

---

* vv. 220-222 San Lucas, II, 28.
* v. 223. Por ejemplo: San Juan, XII, 13.
* v. 224-225. Por ejemplo: San Juan, XIX, 34.
* vv. 229-234. La Iglesia y el aprovechamiento de la poesía: Cf. Cap. IV, 6 (89).
* v. 236. San Paulino de Nola (354-431), poeta cristiano en el que se advierte el
tránsito del paganismo al cristianismo. "En Paulino aparece, pues, al lado
de la protesta contra las Musas paganas, una teoría cristológica de la inspiración y una concepción de Cristo como músico del universo, que recuerda
la especulación alejandrina de Cristo identificado con Orfeo" (Curtius I,
334).
* v. 237. Juvenco (fl. 330), poeta cristiano de estirpe hispánica. Fue "el más
antiguo de los poetas épicos cristianos" (Curtius II, 648–49). Escribió *Har-
monía evangélica*, en cuyo prólogo expresa sus concepciones acerca de la
poesía cristiana en comparación con la pagana.
* vv. 238-240. Mantuano (Battista Mantovano: 1448-1516) y Vida (Marcos Jerónimo Vida: 1485-1566), humanistas italianos preocupados por cuestiones de
retórica y poética, ligados en lo fundamental a la tradición aristotélica y
ampliamente conocidos en España, como se comprueba leyendo las preceptivas del Siglo de Oro. Jacobo Sannazaro (1458-1530), poeta italiano, autor
de *La Arcadia, De partu Virginis, Églogas piscatorias*, etc. Con *La Arcadia*
creó todo un género literario. Sus obras fueron muy difundidas en América.
Cf. Cap. I, 3 (24). Fiera: Tauro supone que la referencia pueda aludir a una
comedia pastoril de Miguel Angel de igual nombre. Benito Arias Montano
(1527-1598), teólogo, filósofo, retórico, especialista en estudios orientales y
en interpretación de las Escrituras. Nombrado por Felipe II Director de la
Políglota de Amberes. Poeta en latín y castellano. Su *Retórica*, escrita en latín, está bajo la influencia de Jerónimo Vida. Dejó fama de erudito y tauma-
turgo. Ampliamente conocido en América.

De la parcialidad que desasida
quedò de Dios, negando su obediencia,
es bien tratar, pues ella nos combida.

245   Esta pues se apartò de la presencia
de Dios, i assi quedò necia, inorante,
barbara, ciega, ruda, i sin prudencia.

Seguia su sobervia el arrogante,
amava la crueldad el sanguinoso,
i el avariento al oro rutilante.

250   Era Dios la luxuria d'el vicioso,
adorava el ladron en la rapina,
i al onor dava encienso el ambicioso.

No avia otra Deidad, ni lei divina   f. 14 v.
sino era el proprio gusto, i apetito;
255   por carecer de ciencias, i dotrina.

Mas el eterno Dios incircunscrito,
por las causas qu'al hombre son secretas,
fue reparando abuso tan maldito.

*   Dio al mundo (indino d'esto) los Poetas
260   a los cuales filosofos llamaron,
sus vidas estima[n]do por perfetas.

*   Estos fueron aquellos, qu'enseñaron
las cosas celestiales, i l'alteza
de Dios por las criaturas rastrearon:

265   Estos mostraron de naturaleza
los secretos; juntaron a las gentes
en pueblos, i fundaron la nobleza.

Las virtudes morales ecelentes
pusieron en preceto; i el lenguage
270   limaron con sus metros eminentes.

La brutal vida, aquel vivir salvage
domesticaron, siendo el fundamento
de pulicia en el contrato, i trage.

*   D'esto tuvo principio, i argumento
275   dezir que Orfeo con su voz mudava
los arboles, i peñas de su assiento.

Mostrando, que los versos que cantava,   f. 15
fuerça tenian de mover los pechos
mas fieros, que las fieras que amansava.

280   Conocio el mundo en breve los provechos
d'este arte celestial de la Poesia,
viendo los vicios con su luz deshechos.

---

* vv. 259-261. Los poetas fueron llamados filósofos: Cf. Cap. IV, 7 (91).
* vv. 262-273. Los poetas como fundadores de la civilización: Cf. Cap. IV, 7 (92–95).
* vv. 274-279. Explicación del mito de Orfeo: Cf, Cap. IV, 7 (94–95).

*   Crecio su onor, i la virtud crecia
             en ellos, i assi el nombre de Poeta
285   casi con el de Iove competia.

*   Porqu'este ilustre nombre s'interpreta
             hazedor, por hazer con artificio
             nuestra imperfeta vida mas perfeta.

☞ *   I assi el que fuere dado a todo vicio
290   Poeta no serà, pues su instituto
             es deleytar: i dotrinar su oficio.

*   Que puede dotrinar un disoluto?
             que pueden deleytar torpes razones?
             pues solo està el deleyte do està el fruto.

295   Tratemos Musa de las opiniones,
             que del Poema Angelico tuvieron
             las Griegas, i Romulidas naciones.

             Las cuales como sabias entendieron
             ser arte de los cielos decendida,
300   i assi a su Apolo Dios l'atribuyeron.

*   Fue en aquel siglo en gran onor tenida,   f. 15 v.
             i como don divino venerada,
             i de mui poca gente merecida.

             Fu'en montes consagrados colocada,
* 305   en Helicon, en Pimpla, i en Parnaso,
             donde a las Musas dieron la morada.

             Fing[i]eron que si al ombre con su vaso
             no infundian el metro, era impossible
             en la Poesia dar un solo paso.

☞ * 310   Porqu'aunque sea verdad, que no es fatible
             alcançarse por arte lo qu'es vena,
             la vena sin el arte es irrisible.

*   Oyd a Ciceron como resuena
             con eloquente trompa en alabança
* 315   de la gran dinidad de la Camena.

             El buen Poeta (dize Tulio) alcança
             espiritu divino, i lo que asombra
             es darle con los Dioses semejança.

---

* vv. 283-285. Condición divina de los poetas: Cf. Cap. IV, 7 (95).

* vv. 286-288. El poeta como "artifex" y el tópico de "Deus artifex": Cf. Cap. IV, 7 (94–95).

* vv. 289-291. El poeta como dechado moral: Cf. Cap. IV, 5 (84–85).

* vv. 292-294. La utilidad y el deleite de la poesía: Cf. Cap.IV, 10 (105 y ss.).

* vv. 301-303. Honor de la poesía en la antigüedad: Cf. Cap. IV, 7 (95–96).

* v. 305. Cf. notas a los versos 25, 26 y 30.

* vv. 310-312. El conflicto entre la vena y el arte: Cf. Cap. IV, 11 (108–11).

* vv. 313-321. Alude a los elogios que Cicerón prodiga a la poesía, especialmente en *Pro Archia*.

* v. 315. Camenas: ninfas a quienes se rendía culto en Roma como diosas de la poesía, hasta que fueron olvidadas por la irrupción de las Musas griegas.

Dize qu'el nombre de Poeta es sombra,
320 i tipo de Deidad santa, i secreta:
     i que Ennio a los Poetas santos nombra.

Aristoteles diga qu'es Poeta,
Plinio, Estrabon: i diganos lo Roma,
pues da al Poeta nombre de Profeta.

325 Corona de laurel como al que doma   f. 16
     barbaras gentes, Roma concedia
     a los que en verso onravan su Idioma.

Davala al vencedor porque vencia,
i davala al Poeta artificioso,
330 porque a vencer, cantando, persuadia.

O tiempo vezes mil, i mil dichoso,
(digo dichoso en esto) pues que fuiste
en el arte de Apolo tan famoso.

Cuan bien sus ecelencias conociste,
335 con cuanto acatamiento la estimaste,
     en que punto, i quilates la pusi[s]te.

A los dotos Poetas sublimaste,
i a los que fueron mas inferiores
en el olvido eterno sepultaste.

340 De monarcas, de Reyes, de señores
     sujetaste los cetros, i coronas
     al arte la mayor de las mayores.

I siendo aquesto assi porque abandonas
agora a la qu'entonces diste el lauro,
345 i levantaste allà sobre las Zonas?

D'el Nilo al Betis, d'el Polaco al Mauro
hiziste le pagassen el tributo,
i la encumbraste sobre Ariete, i Tauro.

A Iulio Cesar vimos (por quien luto   f. 16 v.
350 se puso Venus, siendo muerto a mano
     d'el Bruto en no[m]bre, i en los echos bruto)

---

* v. 321. Referencia a Ennio: Cf. Cap. IV, 7 (96). Ennio Quinto (239-169 a. C.),
poeta latino, el más importante de su época. Su obra fundamental: *Los
Annales*, poema épico sobre la historia de Roma, escrito para reemplazar a
la *Ilíada*.
* v. 322. Se refiere a la *Poética* de Aristóteles, aunque casi no sufra influencia
de ella. Cf. Cap. IV, Conclusiones.
* v. 323. Plinio: puede referirse a Plinio Secundo, el Viejo, o a Plinio Cecilio Secundo, el joven, ambos escritores latinos. Probablemente al primero. Estrabón: (64 a. C.-21 d. C.), filósofo estoico, historiador y geógrafo.
* vv. 325-330. Fama de los poetas y los guerreros: Cf. Cap. IV, 7 (97–98).
* v. 327. Verso defectuoso que algunas ediciones modernas salvan con diéresis
en "idioma".
* v. 336. Errata: "pusite" en vez de "pusiste".
* v. 343. "Porque tiene el sentido de "¿por qué?".
* 343-345. Desprestigio de la poesía: Cf. Cap. IV, 9 (102 y ss.).
* vv. 349-357. Julio César y la *Eneida*: Cf. Cap. IV, 7 (97).

En cuanta estima tuvo al soberano
metrificar, pues de la negra llama
* librò a Maron el doto Mantuano.

* 355 I en onor de Caliope su dama
escrivio el mesmo la sentencia en verso,
por quien vive la Eneyda, i tiene fama.

* I el Macedonio, que d'el universo
ganò tan grande parte, sin que aguero
360 le fuesse en algo su opinion adverso:

No contento con verse en sumo impero,
d'el hijo de Peleo la memoria
embidiò, suspirando por Homero.

No tuvo envidia, d'el valor, i gloria
365 d'el Griego Aquiles, mas de qu'alca[n]çase
un tal Poeta, i una tal historia.

Considerando qu' aunque sujetase
un mundo, i mundos era todo nada,
sin un Homero que lo celebrase.

370 La Iliada su dulce enamorada
en paz en guerra entre el calor, o el frio
le servia de espejo, i d'almohada.

* Presentaronle un cofre en que Darîo   f. 17
guardava sus unguentos, tan precioso,
375 cuanto esplicar no puede el verso mio.

Viendo Alexandro un cofre tan costoso,
lo acetò, i dixo, aqueste solo es bueno,
para guardar a Homero el sentencioso.

* Poniendo a Tebas con sus armas freno,
380 a la casa de Pindaro, i parientes
reseruò d'el rigor, de qu'iva lleno.

* Siete ciudades nobles, florecientes
tuvieron por el ciego competencia,
que un bue[n] Poeta es gloria de mil ge[n]tes.

385 Apolo en Delfos pronunciò sentencia
de muerte, contra aquellos, que la diero[n]
* a Arquiloco, un Poeta d'ecelencia.

---

* v. 354. Marón: Publio Virgilio Marón, nacido en Mantua y de allí el apelativo "mantuano" que leemos en el texto.
* v. 355. Calíope: Musa de la épica a quien recurre Virgilio al iniciar la *Eneida*.
* vv. 358-369. La envidia de Alejandro por Aquiles: Cf. Cap. IV, 7 (98).
* vv. 373-378. Anécdota del "cofre de Darío": Cf. Cap. IV, 7 (98–99). Tauro señala como fuente de esta anécdota las *Vidas paralelas* de Plutarco.
* vv. 379-381. Anécdota sobre la casa de Píndaro: Cf. Cap. IV, 7 (99).
* vv. 382-384. La disputa por Homero: Cf. Cap. IV, 7 (100). A Homero se le llama "el ciego", según vieja tradición.
* v. 387. Arquíloco: poeta griego del siglo VII a. C., caracterizado por el espíritu guerrero de sus cantos y la virulencia de sus versos.

*
*
390   A Sofocles sepulcro onroso abrieron
los de Lacedemonia, por mandado
espreso, que d'el Bromio Dios tuvieron.

Mas para qu'en exemplos m'è cansado,
por mostrar el onor, qu'a los Poetas
los Dioses, i las gentes les an dado.

*
395   Si en las grutas d'el Baratro secretas,
los demonios hizieron cortesia
a Orfeo por su harpa, i chançonetas.

*
No quiero esplique aqui la Musa mia   f. 17 v.
los Latinos, que alcançan nombre eterno,
por este ecelso don de la Poesia;

400   Los quales con su canto dulce, i tierno
a si, i a los que en metro celebraron,
libraron de las aguas d'el Averno.

Sus nombres con su pluma eternizaron,
i de la noche d'el eterno olvido
405   mediante sus vigilias, s'escaparon.

*
Conocido es Virgilio, que a su Dido
rindio al amor con falso dissimulo,
i al talamo afeò de su marido.

*
*
410   Pomponio, Horacio, Italico, Catulo,
Marcial, Valerio, Seneca, Avieno,

---

* vv. 388-390. Nos remitimos a la nota de Alberto Tauro: "Cuenta la leyenda que Baco (Bromio) presentóse en sueños al laconio Lisandro –que había tomado Atenas después de obtener la victoria en la batalla de Egos Potamos– y le ordenó rendir honores póstumos al hombre que más habían amado los dioses. Al despertar, Lisandro pidió los nombres de los atenienses muertos en los días anteriores y cuando oyó mencionar a Sófocles comprendió que a él se había referido el mandato de Baco, por lo cual dispuso que en su memoria se levantase un mausoleo".

* v. 389. Lacedemonia: Nombre de Laconia, en el Peloponeso, y de su capital Esparta.

* v. 394. Báratro: cueva existente en Atica, donde eran arrojados los condenados a muerte. Metafóricamente, el infierno.

* vv. 397-405. Tema de la fama: Cf. Cap. IV, 8 (100–02).

* vv. 406-408. Alude a Eneas, protagonista de la *Eneida* de Virgilio, nombrando a autor por protagonista. Sobre el tema del honor de Dido, Cf. Cisneros, Luis Jaime, "Temas grecolatinos en nuestra literatura colonial (El honor de Dido)".

* v. 409. Pomponio Mela (fl. 37-41), escritor latino de origen hispánico, muy famoso en la Edad Media por sus obras geográficas. Horacio (65-8 a. C.), extraña que la poetisa aluda a él sólo de pasada, cuando es notorio que le debe buena parte de sus ideas. Cf. Cap. IV, Conclusiones. Silio Itálico (n. 25 d. C), poeta latino considerado como sabio, imitador de la escuela alejandrina. Sus obras impresas aparecieron en 1472.

* v. 410. Marco Valerio Marcial (40-104 d. C.), poeta latino nacido en España, famoso por sus epigramas, género en el que se le considera maestro consumado.Valerio: probablemente se refiera a Valerio Máximo (fl. principios siglo I). Séneca (4 a. C ?-65 d. C.), filósofo estoico, moralista y poeta trágico nacido en Córdoba, España, ampliamente conocido en América. No deja de

*   Lucrecio, Iuvenal, Persio, Tibulo.

*   I tu ô Ovidio de sentencias lleno,
                qu'aborreciste el foro, i la oratoria,
*   por seguir de las nueve el coro ameno.

*   415   I olvido al Español, qu'en dulce historia,
                el Farsalico encuentro nos dio escrito,
                por dar a España con su verso gloria.

                Pero do voi, adò me precipito?
                quiero contar d'el cielo las estrellas?
   420   quedese, qu'es contra un infinito.

                Mas sera bien, pues soi muger, que d'ellas   f. 18
                diga mi Musa, si el benino cielo
                quiso con tanto bien engrandecellas.

                Soi parte, i como parte me recelo,
   425   no me ciegue aficion, mas dire solo
*   que a muchas dio su lumbre el Dios de Delo.

*   Lease Policiano, que de Apolo
                fue un vivo rayo, el qual de muchas ca[n]ta,
                divulgando su onor de Polo a Polo.

   430   Entre muchas o Safo te levanta
                al cielo, por tu metro, i por tu lira:
*   i tambien de Damòfila discanta.

---

ser interesante anotar la preferencia de Clarinda por poetas latinos de origen ibérico. Rufo Festo Avieno (fl. 400 d. C), escribió obras científicas en verso, especialmente sobre geografía y astronomía. "Avïeno" con diéresis en algunas ediciones modernas.

* v. 411. Lucrecio (96?-55 a. C.), poeta y filósofo latino, cuya obra principal. *De rerum natura* expone la cosmología de Epicuro. Juvenal (60-140 d. C), poeta latino famoso por sus sátiras contra la moral de su tiempo, las que le valieron la simpatía de los autores cristianos. Nebrija editó sus obras en España. Tibulo (54?-18 a. C.), poeta latino, autor de obras elegíacas de temática erótica.

* vv. 412-414. Nos remitimos a la nota de Tauro: "Por disposición paterna inició Ovidio los estudios que debían llevarlo al foro, pero los abandonó para dedicarse a la poesía...".

* v. 414. Alude al coro de las nueve Musas.

* vv. 415-417. Referencia a Lucano (39-65 d. C.), poeta latino nacido en Córdoba, España, autor de la *Farsalia*, poema épico de carácter eminentemente histórico y motivo de amplios debates sobre su calidad poética durante el Medioevo y el Renacimiento.

* v. 426. Dios de Delo: Apolo.

* vv. 427-429. Policiano (1454-1494), poeta y filósofo de gran prestigio. En su silva "titulada nutricia [es] donde Policiano hace el elogio de las muchas poetisas griegas y latinas, hebreas y toscanas", según anota Tauro en su edición del "Discurso".

* v. 432. Dice Alberto Tauro: "Muy famosa en su tiempo, Damófila era Sibila de Cumas y compuso oráculos que alcanzaron vasta resonancia".

*
I de ti Pola con razon s'admira,
pues limaste a Lucano aquella historia,
435 que a ser eterna por tu causa aspira.

*
Dexemos las antiguas, con que gloria
de una Proba Valeria, qu'es Romana,
harà mi lengua rustica memoria?

*
Aquesta de la Eneida Mantuana
440 trastrocando los versos, hizo en verso
de Cristo vida, i muerte soberana.

*
De las Sibilas sabe el universo
las muchas profecias, que escrivieron
en metro numeroso, grave, i terso.

445 Estas d'el celestial consejo fueron   f. 18 v.
participes, i en sacro, i dulce canto
las Febadas oraculos dixeron.

*
Sus vaticinios la Tiresia Manto,
de divino furor arrebatada,
450 en versos los cantò, poniendo espanto.

Pues que dirè d'Italia, que adornada
oy dia se nos muestra con matronas,
qu'en esto eceden a la edad passada.

Tu o Fama en muchos libros las pregonas,
455 sus rimas cantas, su esple[n]dor demuestras,
i assi de lauro eterno las coronas.

Tambien Apolo s'infundio en las nuestras
i aun yo conozco en el Piru tres damas,
qu'an dado en la Poesia eroicas muestras.

460 Las quales, mas callemos, que sus famas
no las fundan en verso: a tus varones
o España buelvo, pues alla me llamas.

Tambien se sirve Apolo de Leones,
pues an mil Españoles florecido
465 en Epicas, en Comico, i Canciones.

---

* vv. 433-435. Pola, esposa de Lucano, "limó" los últimos cantos de la *Farsalia* luego de la muerte de su esposo.
* vv. 436-441. Proba Valeria (fl. 350), poetisa pagano-cristiana. Antes de su conversión escribió un poema épico sobre la historia de Roma, actualmente perdido, y luego un centón sobre la base de la *Eneida*, en relación a la vida de Cristo, de acuerdo a la idea medieval de Virgilio como profeta.
* v. 439. Verso defectuoso que algunas ediciones modernas salvan con diéresis en "mantüano".
* vv. 442-447. Sibilas: especie de sacerdotisas dotadas del don de la profecía, a quienes se rendía culto en Grecia. Sus profecías eran formuladas en verso. Algunos escritores cristianos sostuvieron en la Edad Media que en el mundo pagano se habían producido formas de revelación divina. Cf. Curtius II, 630 y ss.
* vv. 448-450. Tiresias Manto: célebre adivina de la mitología griega. Sus profecías eran siempre trágicas.

        *   I muchos an llegado, i ecedido
                a los Griegos, Latinos i Toscanos,
                i a los qu'entr'ellos an resplandecido.

        *   Que como dio el Dios Marte con sus manos   f. 19
470 al Español su espada, porque el solo
                fuesse espanto, i orror de los Paganos:

                Assi tambien el soberano Apolo
                le dio su pluma, para que bolara
                d'el exe antiguo a nuestro nuevo Polo.

475 Quien fuera tan dichosa, qu'alcançara
                tan elegantes versos, que con ellos
                los Poetas d'España sublimara.

                Aunque loallos yo, fuera ofendellos,
                fuera por darles lustre, onor, i pompa,
480 escurecerme a mi, i escurecellos.

                La fama con su eterna, i clara trompa
                tiene el cuidado de llevar sus nombres,
                a dò el rigor d'el tiempo no los rompa;

                I ellos tambien con plumas mas que d'ombres,
485 a pesar d'el olvido cada dia
                eternizan sus obras, i renombres.

                O España venerable, o madre pia,
                dichosa puedes con razon llamarte,
                pues ves por ti en su punto a la Poesia.

        * 490 En ti vemos de Febo el estandarte,
                tu eres el sacro templo de Minerva,
                i el trono, i silla d'el orrendo Marte.

                Glorìate d'oy mas pues la proterva   f. 19 v.
                envidia se te rinde, i dà blasones,
495 sin que los borre la fortuna acerva:

                I vosotras Antarticas regiones
                tambien podeis teneros por dichosas,
                pues alcançais tan celebres varones:

                Cuyas plumas eroicas, milagrosas
500 daràn, i an dado muestras, como en esto
                alcançais voto, como en otras cosas.

                Donde vas Musa? no emos prosupuesto
                de rematar aqui nuestro discurso,
                que de prolixo, i tosco es ya molesto?

---

* vv. 466-468. Tópico del sobrepujamiento.

* vv. 469-474. Tópico de las armas (Marte) y las letras (Apolo). Curiosa yuxtaposición de lo pagano y lo cristiano: Marte da sus armas a los españoles
para que luchen con los paganos...

* vv. 490-492. Nuevamente el tópico de las armas y las letras: Minerva y Marte.

*   505   Porque dilatas el dificil curso?
              porque arrojas al mar mi navecilla?
              mar que ni tiene puerto, ni recurso.

              A una muger que teme en ver la orilla
              d'un arroyuelo de cristales bellos,
        510   quieres q[ue] rompa al mar co[n] su barquilla?

              Como es possible yo celebre a aquellos,
              que asido tienen con la diestra mano
              al rubio intonso Dios de los cabellos?

              Pues nombrallos a todos es en vano,
        515   por ser los d'el Piru tantos, qu'eceden
*   a las flores que Tempe da en verano.

              Mas Musa di d'algunos ya que pueden   f. 20
              contigo tanto, i alça mas la prima,
              qu'ellos su pletro, i mano te conceden.

        520   Testigo me seràs sagrada Lima,
*   qu'el dotor Figueroa es laureado
              por su grandiosa, i elevada Rima.

              Tu d'ovas, i espadañas coronado
              sobre la vrna transparente oiste
        525   su grave canto, i fue de ti aprobado.

              I un tiempo fue, qu'en tu Academia viste
*   al gran Duarte, al gran Fernandez digo,
              por cuya ausencia t'as mostrado triste.

              Fue al cerro donde el Austro es buen testigo,
        530   que vale mas su vena, que las venas
              de plata, qu'alli puso el cielo amigo.

              Betis se ufana, que'este en sus arenas,
              gozò el primero aliento, i quiere parte
              el Luso de su ingenio, i sus Camenas.

*   535   Quisiera, o Montesdoca celebrarte,
*   mas estas retirado alla en tu Çama
              cuando siguie[n]do a Febo, cua[n]do a Marte.

              Pero como tu nombre se derrama,
              por ambos Polos, as dexado el cargo
        540   de eternizar tus versos a la fama

              D'el Tajo ameno por camino largo,   f. 20 v.
              un rico pescador las aguas d'oro
              trocò por Tetis, i su reyno amargo.

---

* vv. 505-506. Porque: por qué.
* v. 516. Tempe: valle situado en Tesalia, famoso por su hermosura y fecundidad.
* v. 521. Doctor Figueroa: Cf. Cap. III, 3 (55).
* v. 527. Duarte Fernández: Cf. Cap. III, 3 (55).
* v. 535. Montesdoca: Montes de Oca. Cf. Cap. III, 3 (56).
* v. 536. En el ejemplar de la edición príncipe que nos ha servido es casi imperceptible la cedilla de Çama; es lógico, sin embargo, que se refiere a Sama.

Mas no pudo el Piru tanto tesoro
* 545 ganar, sino ganando a ti ô Sedeño,
regalo del Parnaso, i de su coro.

Ya el mundo espera que d'el grave ceño
* de Glauca el pescador tuyo le cante,
mostrando el artificio de su dueño.

550 Con reverencia nombra mi discante
* al Licenciado Pedro d'Oña: España
pues lo conoce templos le levante.

Espiritu gentil doma la saña
d'Arauco (pues co[n] hierro no es posible)
555 con la dulçura de tu verso estraña.

La Volcanêa orrifica terrible,
i el militar Elogio, i la famosa
Miscelanea, qu'al Inga es apacible:

La entrada de los Mojos milagrosa,
560 la comedia d'el Cuzco, i Vasquirana,
tanto verso elegante, i tanta prosa.

Nombre te dan, i gloria soberana
* Miguel Cabello, i esta redundando
* por Hesperia, Archidona queda vfana.

* 565 A ti Iuan de Salzedo Villandrando   f. 21
el mesmo Apolo Delfico se rinda,
a tu nombre su lira dedicando:

* Pues nunca sale por la cumbre Pinda
co[n] tanto resplandor, cuanto demuestras,
570 cantando en alabança de Clarinda.

* Ojeda, i Galvez si las plumas vuestras
no estuvieran a Cristo dedicadas,
ya de Castalia uvieran dado muestras.

Tal vez os las poneis, i a las sagradas
* 575 regiones os llegais tanto, qu'entiendo
que d'algun Angel las teneis prestadas,

El uno està a Truxillo enriqueciendo,
a Lima el otro: i ambos a Sevilla
la estais con vuestra musa ennoblecie[n]do.

---

* v. 545. Sedeño: Cf. Cap. III, 3 (56).
* v. 548. Glauco(a): pescador divinizado por los griegos.
* v. 551. Pedro de Oña: Cf. Cap. III, 3 (56).
* v. 563. Miguel Cabello: Cf. Cap. III, 3 (57–58).
* v. 564. Hesperia: Jardín de las Hespérides.
  Archidona: Pueblo en el que nació Miguel Cabello.
* v. 565. Juan de Salcedo y Villandrando: Cf. Cap. III, 3 (57).
* v. 568. Pinda: monte Pindo o cordillera Pindos, donde rendíase culto a Apolo.
* v. 571. Diego de Ojeda y Juan Gálvez: Cf. Cap. III, 3 (57–58).
* v. 575. Castalia: Ninfa hija de Castalio, rey del Parnaso. Pereció en una fuente (fuente Castalia) donde acudían los poetas en busca de inspiración.

        580 Deme su ingenio Iuan de la Portilla,
              para que ensalce su fecunda vena,
              que temo con mi voz disminuilla.

              L'Antartica region, qu'al orbe atruena
              con Potosi, celebrarà su nombre,
        585 nombre qu'el cielo eternizallo ordena.

              Gaspar Villaroel, digo aquel ombre,
              qu'a pesar de las aguas d'el Leteo,
              con verso altivo, ilustra su renombre:

              Aquel qu'en la dulçura es un Orfeo,   f. 21 v.
        590 i un Griego Melesigenes en ciencia,
              i en magestad, i alteza un dios Timbreo.

              Este, por ser quien es, me da licencia,
              que abrevie aqui las alabanças suyas,
              qu'es símbolo el callar de reverencia.

        595 Mas aunque tu la vana gloria huyas,
              (que por la dar muger serà bien vana)
              callar no quiero, o Avalos las tuyas:

              I cuando calle yo, sabe la Indiana,
              America mui bien, como es don Diego
        600 onor, de la Poesia Castellana.

              Con gran recelo a tu esplendor me llego
              Luis Perez Angel, norma de discretos,
              porque soy mariposa, i temo el fuego.

              Fabrican tus romances, i sonetos
        605 (como los de Anfion un tie[m]po a Tebas,)
              muros a Arica, a fuerça de concetos.

              I tu Antonio Falcon, bien es te atrebas
              la Antartica Academia, como Atlante,
              fundar en ti, pues sobre ti la llebas.

        610 Ya el culto Taso, ya el escuro Dante,
              tienen imitador en ti, i tan diestro,
              que yendo tras su luz, les vas delante.

              Tu Diego de Aguilar eres maestro   f. 22
              en la escuela Cirrea graduado,
        615 por ser tu metro onor d'el siglo nuestro.

---

* v. 580. Juan de la Portilla: Cf. Cap. III, 3 (58).
* v. 586. Gaspar de Villaroel: Cf. Cap. III, 3 (58).
* v. 590. Melesígenes: Homero.
* v. 591. Timbreo: Nombre de Apolo.
* v. 597. Diego de Ávalos: Cf. Cap. III, 3 (58–59).
* v. 602. Luis Pérez Ángel: Cf. Cap. III, 3 (59).
* vv. 604-606. Alusión al mito de Anfión. Cf. nota a los vv. 7-9.
* v. 607. Antonio Falcón: Cf. Cap. III, 3 (59).
* v.608. Atlante: personaje mítico ideado como sostenedor de las columnas en las que se creía que el mundo se basaba.
* v. 613. Diego de Aguilar: Cf. Cap. III, 3 (59).
* v. 614. Escuela Cirrea: de Cirreo, nombre de Apolo.

El renombre de Cordova ilustrado,
quedarà por tu lira; justa paga
d'el amor, qu['][a las Musas as mostrado.

*

No porque al fin Cristoval de Arriaga,
620 te ponga d'este Elogio, eres postrero,
ni es justo, que tu gloria se deshaga:

Qu'en Pimpla se te da el lugar primero,
como al primero, que con fuerça de arte
corres al parangon do llegò Homero.

625 D'industria quise el vltimo dexarte
* don Pedro ilustre, como a quien Apolo,
(por ser Caravajal) dio su estandarte.

* Ni da el Piru, ni nunca dio Patolo
con sus minas, ni arenas tal riqueza,
630 como tu con tu pluma a nuestro Polo.

* Elpis Eroida prestame la alteza
de tu espiritu insine, porque cante
de otros muchos Poetas la grandeza:

Mas pues umano ingenio no es bastante,
635 saquemos de lo dicho este argumento,
* si es buena la Poesia: es importante

Ser buena, por su santo nacimiento   f. 22 v.
i por qu'es don de Dios, i Dios la estima,
queda arriba probado nuestro intento.

640 Ser importante, pruebolo: la prima
siento que se destempla, i voi cansada,
mas la razon a proseguir m'anima.

Serà una cosa tanto mas preciada,
i de mas importancia, cuanto fuere
☞ * 645 mas provechosa, i mas aprovechada

No basta una
cosa para ser   Es d'importancia el Sol por qu'aunque hiere,
importa[n]te   con sus rayos alumbra, i nos da vida,
que sea de   criando lo que vive, i lo que muere.
provecho,
sino que po-   La tierra es d'importancia por qu'anida
damos apro-   650 al ombre, i assi a el como a los brutos
vecharnos   les dà cual justa madre, la comida.
della.

Todos los vegetales por sus frutos
son d'importa[n]cia, i solo el mar, i el vie[n]to
porque nos rinden fertiles tributos.

---

* v. 619. Cristóbal de Arriaga. Cf. Cap. III, 3 (59).
* v. 626. Pedro Carvajal. Cf. Cap. III, 3 (59).
* v. 628. Pactolo: río de Lida muy rico en oro.
* v. 631. Elpis: esposa de Boecio y autora de poemas piadosos.
* v. 636. En la edición príncipe falta punto al terminar la estrofa.
* v. 645. Este verso, además de la marca ya conocida, lleva un comentario al
margen. Para Tauro éste se debería a la pluma de Mexía.

655   No solo es d'importancia un elemento,
mas una ormiga, pues su providencia
al ombre à de servir de documento.

Cada arte importa, importa cada ciencia,
porque de cada cual viene un provecho,
660   qu'es el fin a que mira su existencia.

Pues si una vtilidad haze de hecho,   f. 23
ser cada cosa de por si importante,
qu'importarà quie[n] muchas nos à hecho.

*   Es la Poesia un pielago abundante,
665   de provechos al ombre: i su importancia
no es sola para un tiempo, ni un insta[n]te.

Es de provecho en nuestra tierna infancia,
porque quita, i arranca de cimiento
mediante sus estudios, la inorancia.

670   En la virilidad es ornamento,
i a fuerça de vigilias, i sudores
pare sus hijos nuestro entendimiento.

En la vejez alivia los dolores,
entretiene la noche mal dormida,
675   o componiendo, o rebolvie[n]do Autores.

Da en lo poblado el gusto sin medida,
en el campo acompaña, i da consuelo,
i en el camino a meditar combida.

De ver un prado, un bosque, un arroyuelo,
680   de oir un paxarito, dà motivo,
para qu'el alma se levante al cielo.

*   Anda siempre eł Poeta entretenido
con su Dios, con la Virgen, co[n] los Sa[n]tos,
o ya se abaxa al centro denegrido.

685   De aqui proceden los heroicos cantos,   f. 23 v.
las sentencias, i exemplos virtuosos,
qu'an corregido, i convertido a tantos.

*   I si ai Poetas torpes, i viciosos,
el don de la Poesia es casto, i bueno,
690   i ellos los malos, suzios, i asquerosos.

El Lilio, el Alheli d[']el prado ameno,
son saludables, llega la serpiente,
i haze d'ellos tosigo, i veneno.

Por esto el inorante, i maldiziente,
695   tanta seguida viendo, i çarabanda,
(infame introducion, de infame gente:)

---

* vv. 664-681. Los provechos que la poesía otorga a los hombres: Cf. Cap. IV, 12
(113 y ss.).
* vv. 682-687. Las preocupaciones religiosas de los poetas: Cf. Cap. IV, 12 (115).
* vv. 688-705. Invectiva contra los malos poetas y defensa de la poesía: Cf. Cap.
IV, 9 (102 y ss.).

La lengua desenfrena, i se desmanda
a condenar a fuego a la Poesia,
como si fuere Eretica, o Nefanda.

700 Necio: tambien serà la Teologia
mala, porque Lutero el miserable
quiso fundar en ella su heregia?

Acusa a la escritura venerable
(porque la tuerce el misero Calvino.)
705 para probar tu intento abominable.

Quita los templos, donde al Rei divino
le ofrecen sacrificios, porqu'en ellos,
comete un desalmado un desatino.

D'el oro, i plata, dos metales bellos   f. 24
710 condena al hazedor ecelso, i sabio:
pues tantos males causa el pretendellos.

Contra todas las cosas mueve el labio,
pues todas, si de todas ai mal uso,
hazen a Dios ofensa, al ombre agrabio.

*   715 Si dizes que te ofende, i trae confuso,
ver en la Iglesia llenos los Poetas
de Dioses qu'el Gentil en aras puso.

Las causas son mui varias, i secretas,
i todas aprovadas por Catolicas
720 i assi en las condenar no t'entremetas.

Las unas son palabras Metaforicas,
i aunque muger indota me contemplo,
se que tambien ai otras Alegoricas.

No es esto para ti: por un exemplo
725 m'ente[n]deras, ya as visto en cualquier fiesta
colgado con primor un santo templo.

Alli avràs visto por nivel dispuesta,
rica tapiceria, i tela d'oro,
por mas grandeza a trechos interpuesta

730 Avràs visto doseles, i un tesoro
grande de joyas, i otros mil ornatos,
con traça insine, i con igual decoro.

Avràs visto poner muchos retratos   f. 24 v.
i aun es el adereço mas vistoso
735 en semejantes pompas, i aparatos.

*
*   Cual seria d'Alcides el famoso,
*   otro de Marte, i de la Cipria Diosa,
*   i cual del niño ciego riguroso.

---

* vv. 715-723 Sobre la mención de divinidades paganas: Cf. Cap. IV, 9 (103–04).
  Idem vv. 751-756.
* v. 736. Alcides: Hércules
* v. 737. Otra: errata, debe decir "otro". Cipria: Venus.
* v. 738. Se refiere a Cupido.

La prosapia de Cesares famosa,
*   740   i el Turco Soliman alli estaria,
*   i la bizarra Turca, dicha Rosa.

Pues como? en templo santo, en santo dia,
i entre gente Cristiana d'almas puras,
i donde està la sacra Eucaristia:

745   Se permiten retratos, i figuras
de los Dioses profanos, i de aquellos,
qu'estan ardiendo en carceles escuras?

Permitensen poner, i es bien ponellos,
como trofeos de la Iglesia: i ella
750   con esto muestra, que se sirve d'ellos.

*   Assi esta dama ilustre, cuanto bella,
de la Poesia, cuando se compone
en onra de su Dios, que pudo hazella:

Con su divino espiritu dispone
755   de los Dioses antiguos, de tal suerte,
qu'a Cristo sirven, i a sus pies los pone.

Mas razones pudiera aqui traerte,   f. 25
o inorante, mas siento te turbado,
que es fuerte la verdad, como la muerte.

*   760   O Poetico espiritu, embiado
d'el cielo empireo a nuestra indina tierra,
gratuitamente a nuestro ingenio dado.

Tu eres, tu, el que hazes dura guerra
al vicio, i al regalo, dibuxando
765   el orror, i el peligro, qu'en si encierra.

Tu estàs a las virtudes encumbrando,
i enseñas con dulcissimas razones,
lo que se gana, la virtud ganando.

Tu alivias nuestras penas, i passiones,
770   i das consuelo al animo aflixido,
con tus sabrosos Metros, i Canciones.

Tu eres el puerto al mar embravecido
de penas, donde olvida sus tristezas,
qualquiera que a tu abrigo s'à acogido.

775   Tu celebras los hechos, las proezas
de aquellos, que por armas, i ventura
alcançaron onores, i riquezas.

---

* v. 740. Según Tauro alude a Solimán II, el Magnífico (1485-1566).

* v. 741. Favorita primero, y esposa luego de Solimán II, de acuerdo a la nota de Tauro que resumimos.

* v. 751. "Dama", "señora", formas comunes para referirse a la poesía. Por ejemplo: "...os dire lo que siento de la ecelencia desta señora..." (Sánchez de Lima 46). "...Orna mucho a esta dama dicha Poesía..." (López Pinciano I, 208).

* vv. 760-783. Elogio de la poesía: Cf. Cap. IV, 12 (113 y ss.).

Tu dibuxas la rara ermosura
de las damas, en Rimas, i Sonetos,
780 i el bien d'el casto amor, i su dulçura.

Tu esplicas los intrinsecos concetos   f. 25 v.
de l'alma, i los ingenios engrandeces,
i los acendras, i hazes mas perfetos.

Quien te podrà loar como mereces?
785 i como a proseguir serè bastante,
si con tu luz m'assombras, i enmudeces?

I dime, o Musa, quien d'aqui adelante
de la Poesia viendo la ecelencia,
no la amarà con un amor constante?

790 Que lengua avrà que tenga ya licencia,
para la blasfemar, sin que repare,
teniendole respeto, i reverencia?

I cual serà el ingrato, qu'alcançare
merced tan alta, rara, i esquisita,
795 qu'en libelos, i en vicios la empleare?

*
Quien la olorosa flor harà marchita
i a las bestias inmundas del pecado
*
arroxarà la rica Margarita.

Repara un poco espiritu cansado,
800 que sin aliento vas, yo bien lo veo,
i està mui lexos d'este mar el vado.

I tu Mexia, que eres d'el Febéo
va[n]do el principe, aceta nuestra ofrenda,
de ingenio pobre, i rica de desseo.

805 I pues eres mi Delio, ten la rienda   f. 26
al curso, con que buelas por la cumbre
de tu esfera, i mi voz, i metro enmienda,
para que dinos queden de tu lumbre.

---

* vv. 796-798. En Carballo: " [...] porque lo sancto no se diesse a los perros, ni
las margaritas a los puercos [...] escureció el Poeta su escriptura" (Carballo
I, 121).

* v. 798. Este terceto, como los anteriores, debería terminar con signo de interrogación.

Bibliografía general del *Estudio*

Adán, Martín [pseud. de Rafael de la Fuente Benavides]. "Amarilis". *Mercurio Peruano*, Año XIV, XXI, 148 (Lima, junio de 1939).

Almoina, José. "Introducción". En *La Ilíada y la Odisea*. México: Ed. Jus, 1960.

Alonso, Amado. *Materia y forma en poesía*. Madrid: Gredos, 1955.

Aristóteles: *Poética*. Versión directa, introducción y notas por el Doctor Juan David García Bacca. México: Universidad Autónoma de México, Biblioteca Scriptorum Graecorum et Romanorum Mexicana, 1946.

Baena, Juan Alfonso de. *El Cancionero*. Madrid: Bib. Rivadeneyra, 1851.

Carballo, Luis Alfonso de. *Cisne de Apolo*. 2 vols. Ed. de Alberto Porqueras Mayo conforme a la ed. príncipe (en Medina del Campo, por Iuan Godinez de Millis. Año 1602). Madrid: CSIC, Biblioteca de Antiguos Libros Hispánicos, 1958.

Carrillo y Sotomayor, Luis. *Libro de la erudición poética*. Ed. de Manuel Cardenal Iracheta conforme a la ed. príncipe (*Obras de Don Luys Carrillo y Sotomayor*, en Madrid, por Juan de la Cuesta. Año de MDC-XI). Madrid: CSIC, Biblioteca de Antiguos Libros Hispánicos, 1956.

Cejador y Frauca, Julio. "Notas" al *Libro de buen amor*, de Juan Ruiz, Arcipreste de Hita. 2 vols. Madrid: Espasa-Calpe, 1963. 8a. ed.

Cicerón. *Obras completas de Marco Tulio Cicerón*. 8 vols. Traducidas del latín por D. Marcelino Menéndez y Pelayo. Ed. Luis Navarro. Madrid: 1882.

Cisneros, Luis Jaime. "Temas grecolatinos en nuestra literatura colonial (El honor de Dido)". *Mar del Sur* IX, 25 (Lima, enero-febrero de 1952): 81–82.

-----. "Estudio y edición de la "Defensa de Damas"". *Fénix. Revista de la Biblioteca Nacional [del Perú]* 9 (1953): 81–196.

-----. "Misoginia y profeminismo. (Para las Fuentes de la 'Defensa de Damas')". Parte I: *Mercurio peruano* XXXVI. 340 (julio de 1955): 503–14.

-----. *Ibid*. Parte II: *Mercurio peruano* XXXVI. 343 (octubre de 1955): 683–99.

-----. *Ibid*. Parte III: *Mercurio peruano* XXXVI, 344 (noviembre de 1955): 765–85.

-----. *Ibid*. Parte IV: *Mercurio peruano* XXXVIII, 346 (enero de 1956): 35–62.

Cisneros, Luis Jaime. *Mercurio peruano.* XXXVII, 347 (febrero de 1956): 96–106.

Cornejo Polar, Antonio. *De la sumisión a la rebeldía: notas sobre el Arte nuevo de hacer comedias de Lope de Vega.* Lima: Ed. mimeográfica del Servicio de Publicaciones del Teatro Universitario de San Marcos (Serie I, Nº 22. Estudios de Teatro), 1962.

Corominas, Joan. *Breve diccionario etimológico de la lengua castellana.* Madrid: Gredos, 1961.

Criado de Val, Manuel. *Análisis verbal del estilo. Índices verbales de Cervantes, de Avellaneda y del autor de La tía fingida.* Madrid: Ed. de la *Revista de Filología Hispánica,* Anejo LVII, 1953.

Cueva, Juan de la. *Ejemplar poético.* Ed. de Francisco Icaza. Madrid: Espasa-Calpe, 1953.

Curtius, Ernest Robert. *Literatura europea y Edad Media latina.* 2 vols. México: Fondo de Cultura Económica, 1955.

Dawson, Christopher. *Así se hizo Europa.* Buenos Aires: Ed. La Espiga de Oro, 1947.

Díaz Rengifo, Ivan (Diego García Rengifo). *Arte poética española, con vna fertilissima sylua de consonantes comunes, proprios, esdruxulos y reflexos, y vn diuino Estimulo del amor de Dios.* Salamanca: En casa de Miguel Serrano de Varas, 1592.

Díez Echarri, Emiliano. *Teorías métricas del Siglo de Oro.* Madrid: Consejo Superior de Investigaciones Científicas, 1949. Anejo XLVII de la *Revista de Filología Española.*

Duff, Wight. "Prólogo" a *Obras escogidas de Marco Tulio Cicerón.* Buenos Aires: El Ateneo, 1951.

Enzina, Juan del. *Arte de la poesía castellana* [1496]. Apéndice V de *Historia de las ideas estéticas,* de M. Menéndez y Pelayo. Cf. *infra.* 511–24.

Errandonea, Ignacio, ed. *Diccionario del mundo clásico.* Barcelona: Ed. Labor, 1954.

Garaycochea Millos, José Augusto. *Ensayo de análisis verbal del estilo. (Índices verbales de Clarinda y Amarilis).* Tesis para optar el grado de Bachiller en Letras. Presentada a la Facultad de Letras de la Universidad Nacional de San Agustín de Arequipa, 1960. Ed. mecanografiada.

García Calderón, Ventura. "Prólogo" a *El apogeo de la literatura colonial. Las poetisas anónimas, el Lunarejo, Caviedes.* Biblioteca de Cultura Peruana, vol. 5. París: Desclée de Brouwer, 1938.

Hansen, Federico. *Gramática histórica de la lengua castellana.* Buenos Aires: El Ateneo, 1945.

Henríquez Ureña, Pedro. "El endecasílabo castellano". En *Estudios de versificación española*. Buenos Aires: Universidad de Buenos Aires, Departamento Editorial, 1961.

Horacio. *Epístola de Q. Horacio Flaco a los Pisones. Sobre el arte poética*. En *Preceptistas latinos*, por Alfredo Adolfo Camus. Madrid: Imp. de M. Rivadeneyra y Comp., 1846. La *Epístola*: 296–327. Edición bilingüe.

Kayser, Wolfgang. *Interpretación y análisis de la obra literaria*. Madrid: Gredos, 1954.

Lapesa, Rafael. *La obra literaria del Marqués de Santillana*. Madrid: Insula, 1957.

Leguizamón, Julio A. *Historia de la literatura hispanoamericana*. Buenos Aires: Ediciones Reunidas. S. A., 1945.

León Fray Luis de. *De los nombres de Cristo*. En *Obras completas castellanas*. Madrid: Biblioteca de Autores Cristianos, 1959.

Leonard, Irving A. *Los libros del conquistador*. México: Fondo de Cultura Económica, 1953.

Lida de Malkiel, María Rosa. *La idea de la fama en la Edad Media castellana*. México: Fondo de Cultura Económica, 1952.

López Pinciano, Alonso. *Philosophía antigua poética*. 3 vols. Ed. de Alfredo Carballo Picazo conforme a la ed. príncipe (en Madrid, por Thomas Iunti, MDXCVI). Madrid: CSIC, Biblioteca de Antiguos Libros Hispánicos, 1953.

Mariátegui, José Carlos: "El proceso de la literatura". En *Siete ensayos de interpretación de la realidad peruana* [1928]. Lima: Ed. Amauta, 1952.

Maritain, Jacques. *La poesía y el arte*. Buenos Aires: Ed. Emecé, 1955.

Menéndez Pidal, Ramón. *Manual de gramática histórica española*. Madrid: Espasa-Calpe, 1941.

-----. "La primitiva poesía lírica española". En *Estudios literarios*. Buenos Aires: Espasa-Calpe, 1952.

Menéndez y Pelayo, Marcelino. *Historia de la poesía hispanoamericana*. 2 vols. Madrid: Librería General de Victoriano Suárez, 1913.

-----. *Historia de las ideas estéticas en España*. En *Obras completas*, vol 1. Santander: CSIC, 1940.

Mexía, Diego. *Primera Parte del Parnaso Antártico, de obras amatorias, con las 21 Epístolas de Ovidio, y el in Ibin, en Tercetos. Dirigidos a do[n] Juan de Villela, oydor en la Cha[n]cillería de los Reyes. Por Diego Mexia, natural de la ciudad de Sevilla y residente en la de los Reyes, en los riquissimos Reinos del Pirú. Con privilegio*. En Sevilla, por Alonso Rodríguez Gamarra. Año 1608.

Miró Quesada, Aurelio. "Cervantes y el Perú". Art. en *El Comercio*. Lima, 16 de septiembre de 1947.

Palma, Ricardo. *Cachivaches*. Lima: Imp. Torres Aguirre, 1900.

-----. *Mis últimas Tradiciones y Cachivachería*. Barcelona: Ed. Maucci, 1906.

Palma, Ricardo, ed. *Flor de Academias y Diente del Parnaso*. Lima: Oficina Tipográfica de El Tiempo, por L. H. Jiménez, 1899.

Platón "Ion". En *Diálogos*. Traducción y notas de Juan Bergua. Madrid: Eds. Ibéricas, s. f.

Prado, Javier. *El genio de la lengua y de la literatura castellana y sus caracteres en la historia intelectual del Perú*. Lima: Imp. del Estado, 1918.

Quesada, Vicente G. *La vida intelectual en la América española durante los siglos XVI, XVII y XVIII*. Buenos Aires: Ed. La Cultura Argentina, 1917.

Quintiliano. *Instituciones Oratorias de N. Fabio Quintiliano*. 2 vols. Traducidas del latín por Ignacio Rodríguez y Pedro Sandier. Madrid: Lib. de la Viuda de Hernando, Biblioteca Clásica, 1887.

Reyes, Alfonso. *El deslinde. Prolegómenos a la teoría literaria*. México: Ed. del Colegio de México, 1944.

Riva-Agüero, José de la. *Carácter de la literatura del Perú independiente*. Tesis para el bachillerato en Letras. Lima: Lib. Francesa Científica Galland, 1905.

-----. *Del Inca Garcilaso a Eguren*. Vol. 2 de *Obras completas*. Recopilación y notas de César Pacheco Vélez y Alberto Varillas Montenegro. Lima: Pontificia Universidad Católica del Perú, 1962.

Rosario, Rubén del. *El endecasílabo español*. San Juan: Universidad de Puerto Rico, Junta Editora, 1944.

Sánchez, Luis Alberto. *Los poetas de la colonia y de la revolución*. Edición corregida. Lima: Ed. P.T.C.M., [1921] 1947.

Sánchez, Luis Alberto. *La literatura peruana. Derrotero para una historia espiritual del Perú*. 6 vols. Asunción del Paraguay: Ed. Guaranía, 1951.

-----. *Amarilis. (Un pespunte)*. Estudios de Teatro Peruano, Serie IV, n. 28, Lima: Ed. mimeográfica del Servicio de Publicaciones del Teatro Universitario de San Marcos, 1962.

Sánchez de Lima, Miguel. *El arte poética en romance castellano*. Ed. de Rafael de Balbín Lucas, según la príncipe (Impreso en Alcalá de Henares, en casa de Juan Iñiguez de Lequerida. Año 1580). Madrid: CSIC, Biblioteca de Antiguos Libros Hispánicos, 1944.

Santillana, Marqués de. "Prohemio é carta quel Marqués de Santillana envió al Condestable de Portugal con las obras suyas", 1499.

III de *Historia de las ideas estéticas en España* de Marcelino Menéndez y Pelayo. Cf. supra, 496–510.

Schloezer, Boris de. *Introducción a Juan Sebastián Bach. Ensayo de estética musical.* Buenos Aires: EUDEBA, 1961.

Shepard, Sanford. *El Pinciano y las teorías literarias del Siglo de Oro.* Madrid: Gredos, 1962.

Tamayo Vargas, Augusto. *Apuntes para un estudio de la literatura peruana.* Lima: Librería e Imprenta Domingo Miranda, 1947.

-----. *Literatura peruana.* 2 vols. Lima: Librería e Imprenta Domingo Miranda, 1953.

-----. "Amarilis: autora de dos poemas". En *El Comercio.* Lima: 4 de diciembre de 1962.

Tauro, Alberto. *Esquividad y gloria de la Academia Antártica.* Lima: Ed. Huascarán, 1948.

Torre Revello, José. *El libro, la imprenta y el periodismo en América durante la dominación española.* Buenos Aires: Talleres Casa Jacobo Peuser, Ltda., 1940.

Valbuena Prat, Angel. *Historia de la literatura española.* 3 vols. Barcelona: Ed. Gustavo Gili, 1957.

Vilanova, Antonio. "Preceptistas españoles de los siglos XVI y XVII". En *Historia general de las literaturas hispánicas*, bajo la dirección de Guillermo Díaz-Plaja. 6 vols. Barcelona: Ed. Barna, 1953. Vol. 3.

Vossler, Karl. *Filosofía del lenguaje.* Buenos Aires: Losada, 1947.

-----. *Historia de la literatura italiana.* Barcelona: Ed. Labor, 1951.

-----. *Formas poéticas de los pueblos románicos.* Buenos Aires: Losada, 1960.

Wellek, René y Warren, Austin. *Teoría literaria.* Madrid: Gredos, 1953.

APÉNDICES

Para un estudio del
"Discurso en loor de la poesía"[*]

Luis Jaime Cisneros

a Raúl Porras Barrenechea

I

Si es verdad, como parece, que la filología alcanza sus adquisiciones de certeza después de mucho trajinar entre los conocimientos conjeturales mas disímiles, hay que adelantar que estas notas nuestras se mueven, por la índole de noticias y de documentos a que se acogen, en el terreno de los varios grados de probabilidad a que alude Amado Alonso, en tanto que primeros alcances de una labor estrictamente filológica.

Parten estas notas del estudio que Alberto Tauro (*Esquividad y gloria de la Academia Antártica*) dedica al problema que ahora nos ocupa y buscan discutir en un terreno esencialmente académico la principal de sus conclusiones. Ello no impide afirmar, como lo hemos puntualizado en otro lugar, el valor de la obra del crítico e investigador peruano (v. Cisneros, "Reseña").

Varias veces se ha insistido en la necesidad de estudiar nuestras letras coloniales a la luz de las corrientes españolas coetáneas para comprender mejor el proceso de nuestra evolución literaria. La primera novedad de la obra de Tauro es la que a ese planteamiento se refiere, aunque, por lo que estas notas digan, no concuerde con la realidad el paralelo por él proyectado. Estudia Tauro en su libro los trajines de la crítica para individualizar a la anónima autora del "Discurso", que se decía "señora principal deste reino, muy versada en la lengua toscana y portuguesa"; cree que a Menéndez y Pelayo

---

[*] Este estudio hasta ahora inédito y que se publica en su redacción original, como un homenaje de amistad y reconocimiento a Antonio Cornejo Polar, obtuvo en 1950 el Premio Nacional Manuel González Prada, de Crítica Literaria. Agradezco ahora la diligencia y el esmero con que ha ayudado para su transcripción a Andrés Rosario Hamann.

le faltó exactitud y penetración cuando tuvo al "Discurso" por "un curioso ensayo de Poética", y repara en la persistencia con que "la anónima insiste en su feminidad"; para él, la ilustración que tanto admiraba en la poetisa nuestro Ricardo Palma "es sólo la cultura mitológica y literaria del Renacimiento" (Tauro, *Esquividad* 26), y entiende que si la identidad de la poetisa no despertó preocupaciones en su siglo fue porque la incógnita "no fue tal, ni en su tiempo, ni entre los hombres de letras con quienes la anónima compartió afanes literarios" (Tauro, *ibid.* 27).

Concedemos aquello de la ilustración mitológica característica de la época, que reconoce –no obstante– huellas medievales; nos parece aventurado admitir que los contemporáneos conocieran de sobra la identidad de la Anónima, porque no hay pruebas documentales que den por ahora asidero a la hipótesis, y el propio Tauro las calla. En cuanto a la inexactitud que se pretende ver en el juicio de Menéndez y Pelayo (muchos de cuyos juicios debemos, sí, revisar a la luz de los nuevos métodos de crítica), para quedar demostrada habría requerido que el autor realizara el trabajo de comparación que don Marcelino pedía con el *Ejemplar poético* de Juan de la Cueva. Este trabajo parte de esa comparación[1].

Este primer paralelo con Juan de la Cueva nace no sólo de la reflexión del maestro santanderino, sino de la influencia que parece haber despertado en América una nueva generación de hombres de letras, entre los que está Cueva junto a otros nombres preclaros de poetas españoles[2]. Por otra parte, la comparación insinuada por Menéndez y Pelayo (si nos atenemos a las fechas de *composición*) es puramente metodológica.

La poesía lírica y la narrativa atrajeron en momento determinado a los lectores coloniales del XVI, y fueron reemplazando la "literatura quimérica e idílica" de los libros que hasta hace pocos años teníamos por los únicos que circularon en la América española. Y con libros españoles, libros franceses. Entre los varios libros extranjeros, los italianos, franceses y portugueses compartieron –no lo dudemos– una predilección hasta entonces desconocida[3].

---

[1] La comparación debe tener en cuenta que el "Discurso" ya estaba escrito en 1604, según se desprende de los preliminares.

[2] No es mi propósito estudiar por ahora el problema de la paternidad del "Discurso", a pesar de que en el tema incidimos una que otra vez a lo largo del trabajo. Esta presencia de Cueva entre las nuevas lecturas que preocupan a los americanos viene abonada por los catálogos e inventarios publicados hasta ahora por Irving A. Leonard ("La lectura recreativa"); la traducción es mala, el artículo desordenado y las citas incompletas. El problema está tratado con el brillo y la minucia característicos de Leonard en su magnífico y reciente libro (1948) *Books of the Brave*.

[3] "Los colonos cultos no limitaban las lecturas de sus horas de descanso a las historias caballerescas de origen hispano; disponían también de numerosas

El *Ejemplar poético*

Cuando Juan de la Cueva escribe su *Ejemplar*, una de las obras más recientes que corría impresa sobre tema paralelo era *La hermosura de Angélica*, de Lope, donde, junto a las *Rimas*, se hallaba la flamante *Cuestión sobre el honor debido a la poesía*. El libro de Lope ve la luz en Madrid, en 1602, y la primera redacción del *Ejemplar* es de Sevilla, corriendo el 1606[4].

Son tres, como se sabe, las Epístolas del *Ejemplar*. Escritas todas tres en tercetos, la Primera consta de 540 versos[5]. En ella se dirige Cueva a las "Febeas cultoras de Helicón divino" (verso 11) y pide que lo lleven por camino "de la vulgar rudeza desviado" (v. 14) para llegar a esclarecer hasta dónde ingenio y arte se conciertan (inspirando el uno y adiestrando el otro). Porque si para él es verdad que el arte perfecciona al ingenio, éste sólo logra el acierto cuando aparece conducido por el arte (vv. 16 a 18). Se dirige en seguida al Duque de Alcalá (Don Fernando Enríquez de Ribera), a quien va dedicado el *Ejemplar*, siguiendo la tradición literaria de las dedicatorias de la época, para poder, iluminado por su nombre, vencer el natural temor que podría conducirle al fracaso:

> 25 Vos a quien Febo Apolo da su asiento
> y las Musas celebran en su canto
> y el vuestro escuchan con discurso atento;
>
> en mi temor que dificulta tanto
> la extraña empresa, y me promete cierto,
> 30 la caída en el vuelo que levanto:
>
> por este perturbado mar incierto
> naufragando mi nave va a buscaros,
> pues sóis mi norte, a que seáis mi puerto[6].

---

novelas traducidas o adaptadas del francés, y otras fuentes que llegaban en cantidades de remesas de libros" (Leonard, "La lectura" 147–48).

4 Cueva corrige la obra, también en Sevilla, en 1609. No se ha planteado si en ese lapso tuvo trato con Mexía o si, cuando menos, conoció la obra que nos ocupa. Cf. el prólogo de Icaza (XXVII, en Cueva, *Ejemplar poético*). Sólo citamos la obra de Lope porque es por el momento la única que interesa a nuestro propósito, bien que hayamos de recurrir a paralelos y asociaciones con otras obras hasta cierto sentido contemporáneas.

5 Comprende los folios 4 a 17 inclusive del ms. 10.182 de la Biblioteca Nacional de Madrid.

6 Cf. con el siguiente pasaje del "Discurso" de la Anónima:

> Tu en el Piru, tú en el Austrino Polo,
> eres el Delio, el Sol, el Febo santo;
> 45 sè pues, mi Febo, Sol y Delio solo.
>
> Tus huellas sigo, al cielo me levanto
> con tus alas: defiendo a la Poesía,
> Febada tuya soi oye mi canto.
>
> Tu me diste preceptos, tu la guía
> 50 me serás, tú que honor eres de España[.]

Pocos versos después, enuncia Juan de la Cueva sus primeros preceptos poéticos. Las cualidades que reclama del "escritor prudente" pertenecen al plano de la sensibilidad poética tanto como al de la estricta retórica. Hay que evitar que "la elevación de voces y oraciones / sublimes" (vv. 55 y 56) envicien y enflaquezcan las razones. Por eso pide que el verso

>   50   [...] ha de ser claro, fácil, numeroso
>   de sonido y espíritu excelente.
>
>   Ha de ser figurado, y copioso
>   de sentencias, y libre de dicciones
>   que lo hagan humilde u escabroso.

Versos, pues, "de sentencias lleno" como los que la Anónima admiraba en Ovidio ("Discurso", v. 142). El mucho adicionar el poema de "palabras sonorosas" y de "sílabas llenas" priva a los versos de la "hinchazón" y la "dulzura" que deben ser connaturales (vv. 58 a 60). Estamos frente a la discusión planteada por Herrera, ya recordada por Menéndez y Pelayo (*Historia de las ideas estéticas* II, 396). El secreto (el primer principio) de la poesía no consiste en un hablar puramente conceptual ni en un engarzar palabras en "galeno estilo". El secreto lo recibía Cueva de los viejos preceptos horacianos:

>   76   Entrambas a dos cosas son contrarias
>   a la buena poesía, en careciendo
>   del medio, con las partes necesarias.

Es necesario, pues, que ingenio y arte actúen de consuno; sólo así tendrá el poeta

>   [...] la llave
>   90   con que se abre el celestial museo.

Dulzura y gravedad debe ostentar el poeta; afecto, suavidad y blandura deben ser armas suyas esenciales, y las únicas, para "significar sus sentimientos" (vv. 91 a 93):

>   Ha de ser [el poeta] de sublimes pensamientos,
>   95   vario, elegante, terso, generoso,
>   puro en la lengua, y propio en los acentos.
>
>   Ha de tener ingenio y ser copioso,
>   y este ingenio, con arte cultivallo,
>   que no será sin ella fructuoso.
>
>   100   Fruto dará, mas cual conviene dallo
>   no puede ser, que ingenio falto de arte
>   ha de faltar si quieren apretallo.

Y más adelante, versos 772-774:

>   Tu eres el puerto al mar embravecido
>   de penas, donde olvida sus tristezas,
>   qualquiera que a tu abrigo s'a acogido.

Aires renacentistas corren a lo largo del *Ejemplar*, acucioso a veces en las acotaciones, repetidor las más de lo que, respecto de estas teorías estéticas, parecían ya viejas consejas populares. Horacio, corriendo de mano en mano; Pinciano, de tanta influencia en su hora; Mondragón, para no hablar de Sánchez de Lima, divulgador premioso, y de los más cercanos a la hora en que se escribe el *Ejemplar*, Rengifo (en su segunda edición) y el clérigo Carvallo, y para no mentar a Cervantes, cuya *Galatea* recoge y asimila mucho de la buena preceptiva de su época[7].

Es claro que han alcanzado nombre y fama quienes, desdeñosos del arte, se batieron sólo con su ingenio (vv. 106 a 108). Pero son los del montón: "lugar común les concedemos" dice Cueva (v. 108). El hecho de "hacer versos" sólo da nombre: agudeza y arte de ingenio se precisa para superar el vulgo y alcanzar renombre:

> Este renombre se le debe a aquellos
> que con erudición, dotrina, y ciencia
> les dan ornato que los hacen bellos.

> 115   Vístenlos de dulzura y elocuencia,
> de varias y hermosas locuciones,
> libres de la vulgar impertinencia.

> Hablan por elegantes circuiciones,
> usan de las figuras convenientes
> 120   que dan fuerza a exprimir sus intenciones.

> Los poetas que fueron diligentes
> observando la lengua en su pureza
> formarán voces nuevas de otras gentes.

> No a todos se concede esta grandeza
> 125   de formar voces, sino a aquel que tiene
> excelente juicio y agudeza.

> Aquel que en los estudios se entretiene
> y alcanza a discernir con su trabajo
> lo que a la lengua es propio, y le conviene.

Es el problema de la lengua artística, apuntado ya por Herrera en las *Anotaciones* y magníficamente expuesto por Fray Luis en el Libro III de sus *Nombres*. Pese a incurrir en la tópica del momento, la Epístola I del *Ejemplar* se enfrenta con problemas actualizados hoy por la estilística. El acierto del poeta está en saber escoger:

---

[7] Esto sin mentar a Scalígero y otros italianos. La obra del Pinciano aparece en Madrid, 1596; Sánchez de Lima, Alcalá, 1580; Mondragón, Zaragoza, 1593; el *Cisne de Apolo* de Carvallo, ve la luz en Medina del Campo, 1602, época en que andaría caminando el primer borrador del *Ejemplar*.

130   Cuál vocablo es común y cuál es bajo,
      cuál voz dulce, cuál áspera, cuál dura[8],
      cuál camino es seguido, y cuál atajo:

Aspereza y dulzura surgen emparentadas con el problema de
una cierta sensibilidad lingüística; interesa que el poeta sepa elegir
las voces que "suenan bien" y distinguirlas de las que disuenan (vv.
151 a 153). El secreto está en elegir las palabras, en traerlas de lo
antiguo si fuera menester, en ordenarlas:

          Vocablos propios muchos los condenan
155   por simples, mas las voces trasladadas
          y ajenas, por dulcísimas resuenan.

          Voces antiguas hacen sublimadas
          con majestad y ser las oraciones,
          si las palabras son bien inventadas.

160   La oración hacen grave las dicciones
          inusitadas, y serás loado
          si cuerdamente ordenas, y dispones.

Y esta advertencia, nutrida de la mejor tradición, se refuerza
con preceptos que Fray Luis defendió con desusado entusiasmo:

          Si fuera triste aquello que cantares
167   que las palabras muestren la tristeza
          y los afectos digan los pesares.

Oigamos un instante la *Dedicatoria* del Libro III de los
Nombres:

En la forma del dezir la razón pide que las palabras y las cosas que se
dizen por ellas sean conformes, y que lo humilde se diga con llaneza, y lo
grande con estilo más levantado, y lo grave con figuras y palabras cuales
convienen[...] (Fray Luis de León 8).

[...] y no conoscen que el bien hablar no es común sino negocio de particular juyzio, ansí en lo que se dize como en la manera como se dize; y negocio que de las palabras que todos hablan elige las que convienen y
mira el sonido dellas (*ibid.* 10)

"Negocio y particular juicio" se resuelven en estos versos de
Juan de la Cueva:

          Acomoda el estilo que en él vean
          las cosas que tratares tan al vivo
180   que tu designio por verdad lo crean.

Y luego el recurso mitológico (alusiones a Júpiter, Hebe, Juno,
Orfeo, etc., con indicación de los adjetivos que cada cual reclama); la
alusión a Homero y la crítica a Scalígero, culpable de haber desa-

---

[8] Este afán de evitar dureza y aspereza en los vocablos era ya antiguo. Nebrija
pedía cuidar, en la formación de gentilicios, que su "formación no salga dura
i áspera" (*Gramática*, III, Cap. 4; cito por la edición Galindo 64).

tendido a estos preceptos fundamentales, sin los cuales no habrá modo de alcanzar la gracia del poeta:

> 220 Así el que aspira a la Febea corona
> observe la Poética imitante
> que es la vía a la cumbre de Helicona
>
> . . . .
> . . . .
>
> Después de saber esto le conviene
> al pierio Poeta usar bien de ello
> como no exceda al Arte, ni disuene.

No hay precepto para Cueva que haga "forzoso / el escribir verdad en la poesía" (vv. 235-236). El secreto está

> [...] en saber fingilla de tal arte
> 242 que sea verosímil, y llegada
> tan a razón, que de ella no se aparte.

Quienes se apartan en poesía de la inventiva son historiadores; poetas merecen llamarse solamente quienes "inventaron". De ahí que Quintiliano, mientras ve en Luciano y en Platón a dos poetas, apenas tiene por historiadores a Nicandro y a Lucano, que "no lo fue en su Farsalia laureada" (vv. 244-253). La invención es el secreto que hace al poeta compañero de la fama; quien no se sujeta a ella, "con poco honor" es pagado. La cuestión, más que hacer versos, es saber fingir: "y fingiendo satisface"; huir de la vulgaridad, hablar "en lenguaje puro" para llegar al canto "levantado". Parafraseando a Fray Luis, podríamos decir que Cueva pide ahora al poeta no escribir "desatadamente y sin orden" sino poniendo "concierto"[9] y particular juicio: medida, ritmo, verso numeroso.

Viene luego el recuerdo de Ennio y el del poeta que no supo corregir "dicciones ásperas y duras" (v. 394):

> Sin alcanzar, después de no entedellas,
> consistir la ecelencia a la Poesía
> 399 en variedad de elocuciones bellas.
>
> En esta congojosa fantasía
> su triste y laso espíritu rendido
> a mil perturbaciones le ofrecía[10].

---

9 "Y destos son los que dizen que no hablo en romance, porque no hablo desatadamente y sin orden, y porque pongo en las palabras concierto, y las escojo y les doy su lugar" (Fray Luis 10). "Y si acaso dixeren que es nouedad, yo confieso que es nuevo y camino no usado por los que escriven en esta lengua poner en ella número, levantándola del descaymiento ordinario" (*ibid.* 11) Cf. Ambrosio de Morales, *Discurso sobre la lengua castellana*, 1546: "Muy diferentes cosas son en el Castellano como en cualquier otro lenguaje, hablar bien y con afectación; y en todas el hablar bien es diferente del común".

10 Cf. en el "Discurso" de la Anónima:

Y tras larga queja, la invocación a Apolo, que se resuelve en súplica:

> Revélame algún arte con que acierte
> a hacerme estimar y ser de aquellos
> 450   a quien tu aliento en otro ser convierte[11].

La Epístola termina, después de recordar a Querilo, retornando al punto de partida: ingenio y arte son como fondo y forma en poesía:

> Tenga el poeta en la memoria impreso
> esto, y con este ejemplo no se aparte
> de lo que tengo del ingenio expreso,
> 544   quél es la forma y la materia el Arte.

La Epístola Segunda del *Ejemplar*, que va de los folios 18 al 32 del citado ms. de la BNM, comprende 559 versos. Muchos de ellos están destinados a cantar la excelsitud del verso castellano, repitiendo, como apuntaron en su hora Menéndez y Pelayo y Walberg, y lo recuerda Icaza (en Cueva 134, n. al v. 40) ideas contenidas en el "Discurso" que Argote de Molina publicó en 1575 como apéndice al *Conde Lucanor*. Sigue luego, frente a la falta de donaire y gallardía de la lengua italiana, el encomio de la española:

> En ninguna se halla la dulzura
> 80   que en la nuestra, la gracia y la terneza,
> la elegancia, el donaire y hermosura.

Y el recuerdo de Juan de Mena, Garci Sánchez, Baltasar del Alcázar, Burguillos, Lope de Rueda, Iranzo y Pedro Mexía (vv. 82-99).

Vienen después unas reflexiones sobre el metrificar. Poca es la novedad que traen estas ideas métricas de Cueva, como que no van más allá de las teorías que había echado a andar Nebrija en su *Gramática* de 1492 (Lib. II, caps. V a X). Verso acabado en vocal es más dulce, terso y elegante que si huye de ella.

> tú alivias nuestras penas y pasiones,
> 770   y das consuelo al ánimo afligido
> con tus sabrosos metros y canciones;

y más adelante, siempre dirigiéndose a la poesía:

> Y dime, oh Musa, ¿quién, de aquí adelante,
> 789   de la Poesía viendo la excelencia,
> no la amará con un amor constante?

11 Cf. "Discurso":

> tú explicas los intrínsecos *concetos*
> del alma, y los ingenios engrandeces,
> 783   y los acendras y haces más perfetos
>
> . . . .
>
> . . . .
>
> 805   Y pues eres mi Delio, ten la rienda
> al curso con que vuelas por la cumbre
> de tu esfera, y mi voz y metro enmienda,
> para que dignos queden de tu lumbre.

> Si dar quieres a las consonantes
> voces agudas, puedes, conociendo
> 120   los lugares y causas importantes.
>
> Siempre es forzoso en ellos ir diciendo
> nuevas cosas, y nunca se consiente
> palabra ociosa el número supliendo[12].

La copla, continúa Cueva, tiene que decir algo: debe acabar en agudeza o en sentencia, al igual que los romances, depositarios de la antigüedad y de la pluraridad de la lengua (vv. 123-132). Y recuerda que con tales preceptos cumplieron no sólo los griegos sino "los areítos indios llorosos" (v. 138)[13].

Reclama la prioridad del endecasílabo para España, recordando que iberos y provenzales lo usaron con anterioridad: verso es el endecasílabo que "va sujetos varios demandando" (vv. 153 a 120). Claro que repite noticias de Argote de Molina y de Santillana. Y con la referencia al endecasílabo, la cita inevitable de Garcilaso y de Boscán, la mención de Dante y de Petrarca, con alusión minuciosa a los problemas relacionados con los versos agudos y la protesta frente a quienes aún creen en la deuda para con Italia respecto del endecasílabo. Sin ir muy lejos, Sánchez de Lima hablaba de "las composturas nueuas en España, que de la Toscana por Garcilaso y Boscan se truxeron" (*El arte poética en romance castellano*, Diálogo II, f. 37 v.).

Hace seguidamente el elogio del verso suelto (vv. 217-236), que se aplica, según dice, "a heroicos argumentos" y no consiente vicios, ceñido como está al "ornato y compostura":

> El verso suelto pide diligente
> cuidado en el ornato y compostura,
> 219   en que vicio ninguno se consiente
>
> Porque como la ley estrecha y dura
> del consonante no le obliga o fuerza
> con ningún atamiento ni textura,

---

12 "Porque, como dice Aristoteles, por muchas razones avemos de huir los consonantes: la primera por que las palabras fueron halladas para dezir lo que sentimos, no, por el contrario, el sentido a de servir a las palabras, lo cual hazen los que usan de consonantes en las clausulas de los versos, que dizen lo que las palabras demandan y no lo que ellos sienten [...] porque las palabras son para traspasar en las orejas del auditor aquello que nos otros sentimos teniendolo atento en lo que queremos dezir..." (Nebrija II, 45).

13 Cf. "La cual manera de contar las historias públicas y la memoria de los siglos passados, pudiere dezir que la heredamos de los godos, [...] si no entendiera que esta fue costumbre de griegos, los areytos de los indios..." (Argote de Molina, *Discurso*, en Menéndez y Pelayo O. C. XX, 67). De otro lado, no habla Cueva de lo indiano como quien cae en tema que sería tópico, más tarde, de buena copia de la poesía de su época, pues había vivido en México desde 1574 al 77. Además, en la *Epístola al licenciado Sánchez de Obregón*, se había maravillado de los cantos y bailes de los indios (Gallardo, *Ensayo* II, 648).

la elegancia y cultura en él es fuerza
que supla la sonora consonancia
225   con que el verso se ilustra y se refuerza.

. . . .

. . . .

Aplícanlos a heroicos argumentos
235   cual hacen al hexámetro latino,
no a tiernos y llorosos sentimientos.

Elogio que, si hecho en verdad al margen de los principios de orden que proclama (compárese la pobreza de consonantes), recoge lo que Sánchez de Lima, en el ya citado Diálogo II de su *Arte* decía, por boca de Calidonio:

> El verso suelto, no guarda orden ninguna, mas de la medida de los pies [...]: Los consonantes todos han de ser differentes y disparados, de suerte que no aya ninguno que lo sea, ni aun tonante, si ser pudiere. Sirue esta compostura para escreuir historias largas, y para elegias y otras narraciones que se van amplificando con vocablos galanos. Es estilo, en donde se pueden vsar muchos consonantes exquisitos, que en otras composturas no se podrían [...] (ff. 52 r. y v.)

Y lo que, en el mismo libro, a Calidonio le responde Silvano:

> Pareceme que lo que aueys dicho son tercetos: y si lo son (como yo lo pienso) no se porque me los vendeys por verso suelto, pues ay concierto en los consonantes, lo que en el verso suelto dezis que no se permite (f. 54 r.)

Piérdese la Epístola de Cueva en larga digresión sobre los mismos temas, con la preocupación puesta en los versos extraños, que censura, y con preocupación más honda por reiterar aquello que parece una constante obsesiva en todo el *Ejemplar*: la "fácil disposición" y la "copiosa vena" que el poeta necesita (v. 371). Al plagio dedica largos metros machacantes y monótonos; y con el plagio, a la traducción (vv. 388-655), para, inspirado ciertamente en la enseñanza de Fray Luis, terminar pidiendo otra vez *estilo levantado*:

460   Al espíritu, frases y elegancia
y propiedad de lengua, levantando
el estilo en las partes de importancia.

. . . .

. . . .

Y entre las cosas de importancia digo
que use el poeta cándidas razones
480   si aceto quiere ser, y a febo amigo

que el concurso de hórridas diciones
huye, y evite encuentro de vocales[14]
que sonar hacen mal las oraciones.

---

[14] Sobre estos temas de encuentro de vocales, vid. Nebrija, *Gram.* Lib. IV, caps. 6 y 7. Sobre ellos volverá Cueva en la Epístola III.

> Los poetas que aspiran a inmortales
> 485   condenan el echar a un sustantivo[15]
> tres adjetivos, aunque sean iguales[16].

Y como Cueva sabe muy bien que cuanto dice corre ya en las preceptivas y en los buenos autores coetáneos, se adelanta a "los apoetados" que pretenden recordárselo (vv. 508-534). Lo que él pregona no sólo está observado y vivido en los libros sino que busca alcanzar otros objetivos:

> 535   Si me atrevo a hablar y hablo tanto,
> es porque los poetísimos[17] entienden
> que no es para aquí cisne tan maganto.
>
> Y si sus ojos con estambre vendan,
> que es a lo jumenta, conozcan desto
> 540   que otros métodos hay de donde aprendan.
>
> De los primeros tiene Horacio el puesto
> en números y estilo soberano
> cual en su Arte al mundo es manifiesto.
>
> Scalígero hace el paso llano
> 545   con general enseñamiento y guía;
> lo mismo el doto Cintio y Biperano.
>
> Maranta es ejemplar de la poesía,
> Vida el norte, Pontano el ornamento[18],
> la luz Minturno, cual el sol del día.
>
> 550   Estos, y otros con divino aliento,
> enseñen lo que el cisne no ha cantado
> ni le pudo pasar por pensamiento.

Ya la Epístola Tercera está por entero dedicada a reunir preceptos para los poetas de su tiempo. Poca novedad traen las ideas de Cueva, y esa poca no puede desvincularse de la influencia de las más socorridas retóricas contemporáneas. Necesita para ello 757 versos[19]. La más ligera de las lecturas de esta tercera Epístola nos

---

[15] Un minucioso estudio de la adjetivación de Cueva revelaría hasta qué punto sigue el autor las reglas que predica. Apunto ahora unos ejemplos: "vario, elegante, terso, generoso" (*Ep.* I, 95); "en dulce, numerosa y alta lira" (*ibid.*, 197); "indómita, cruel, lisonginosa" (*Ep.* III, 44); "numerosos, corrientes, tersos, puros" (*ibid.*, 347).

[16] Cf. *El Cisne de Apolo*, de Carvallo: "Poeta se llama aquel propiamente que, dotado de excelente ingenio, y con furor divino incitado, diciendo mas altas cosas que con sólo ingenio humano se pueden imaginar, se llega mucho al divino artificio" (en Menéndez y Pelayo, *Historia* X).

[17] Sobre este *poetísimo*, vale recordar que uno de los primeros en usarlo antes de Cueva fue Alonso de la Vega: "Soy poetíssimo: tengo sciencias, diuinidades que echar por esta boca", en pasaje de *Comedia de la Duquesa de la Rosa*, que Juan de Timoneda le publicó en Valencia en 1566 (vid. Cervantes, *Viaje del Parnaso* 381).

[18] También la Anónima aludirá a Vida ("Discurso", v. 239)

[19] Comprenden los folios 33 al 51 inclusive del ms. de la Biblioteca Nacional de Madrid.

remontaría, con sólo ir asociando temas y opiniones, a Santillana y especialmente a Argote de Molina; a veces la enumeración es episódica, insípida, pero se torna a ratos insistente y caótica, como cuando Cueva enfoca el problema de lo cómico o de lo pastoril.

No importa que el poeta se vea acosado por el temor al emprender su singular tarea (vv. 1 al 5); si está de por medio, Apolo mismo tomará a su cargo disimular el temor y apurar el triunfo:

> Mas este miedo vergonzoso allano,
> gran Señor, con teneros de mi parte
> 18   y el premio espero conseguir ufano.

Y se inicia un tono didáctico, que Cueva conservará a lo largo de la Epístola. La dicción no puede ser humilde ni el vocablo ocioso (v. 138). El poeta debe hablar en lengua "pura, casta" y debe hacerlo "propiamente" (vv. 26 y 27), evitando –otra vez el tema preferido en las anteriores Epístolas– dureza y aspereza en las palabras:

> Dureza de dicciones no consiente
> 36   ni letras que le causen aspereza
> ni del verso detengan la corriente.

Ese dulce fluir del verso, que él quiere sobrio y numeroso, ha de preocupar a Cueva (porque interesaba a los estetas de su hora) con insistencia (vv. 153 a 155). Merece consignarse, aunque de paso, cómo la atención que dedica al número del verso:

> Donde puedes, quieto, y con reposo
> consonar con las musas blandamente
> 180   y con Apolo el verso numeroso[20].
>
> . . . .
>
> 190   En estilo sublime y elegante,
> en oración pulida y castigada
> numerosa, y de espíritu constante;
>
> . . . .
> . . . .
>
> 265   debes anteponer a lo propuesto
> la variación de números que hacen
> vetusto este poema, y bien dispuesto.
>
> . . . .
>
> Si en lengua pura, y versos elegantes,
> numerosos, corrientes, tersos, puros,
> ligados con forzosos consonantes;

---

[20] Cf. "Discurso" (vv. 202-203):

> A Hieremías dexo, aunque mas cante
> sus Trenos numerosos [....].

Respeto *Trenos* del original. Y más adelante, (vv. 442-444):

> De las Sibilas sabe el universo
> las muchas profecías que escribieron
> en metro numeroso, grave y terso.

350 sin sujetarme los precetos[21] duros
del Arte, mis preceptos acomodo
no por cansados términos, ni oscuros.

Ni términos gastados ni oscuros. Porque, siguiendo a Fray Luis, Cueva pide huir de toda oscuridad (vv. 142-144):

Huir de toda oscuridad procura,
y de escribir de modo diferente
que se habla, y hablar en lengua pura.

Argote, Enzina, el mismo Nebrija, vuelven a asomar en los trasfondos de esta preceptiva. Suavidad le viene a la lengua, afirma Cueva, por el número; blandura, por la disposición de las vocales; dulzura, por el acierto en el uso de los epítetos:

Y si quieres que llegue tu deseo
adonde aspira, que es a la dulzura
del número, en que tantas fuerzas veo,

200 la suavidad le viene y la blandura
de nunca o pocas veces las vocales
colidir, o juntar en tu textura.

Donde en número casi son iguales
las vocales y graves consonantes,
dulces serán los versos y cabales.

. . . .
. . . .

Usa en ella [la canción] de muchos epitetos
230 que al verso dan dulzura, y hermosean,
y por ellos se expresan los afetos[22].

La Epístola estudia la estancia, la lira, la canción, la octava rima ("que ilustra la fábula y la historia"); dedica algunos versos al soneto (vv. 125 a 135) y explica el género bucólico en versos que constituyen toda una poética pastoril (vv. 358 a 490). Se dedica mayor atención a la comedia, como que Cueva ha sido uno de los primeros en cultivarla (v. 505), y se estudia en ella los temas y su originalidad, así como la versificación. Uno de los pasajes más significativos de la Epístola registra la protesta de Cueva por el demérito en que muchos tienen a la poesía española:

Esto es lo del otro cita[23] o moro,
que promulgó la bárbara herejía
435 contra España, que ilustra el cintio coro,

---

[21] En la edición de 1608 del "Discurso", se lee *precetos* (vv. 49, 68 y 269) y no *preceptos*, como da Tauro. En alguna otra ocasión abordaremos lo concerniente a la ortografía del "Discurso".

[22] Este verso de Cueva bien puede servirnos para explicar el funcionamiento de los adjetivos en la lengua. Claro que hay también antecedentes, aunque no tan precisos, en Nebrija.

[23] Compárese con el último terceto que Orlando Furioso ofrece a Don Quijote. Cf. Herrera 110.

> diciendo que no estaba la poesía,
> del Pirineo acá, bien entendida[24],
> sin dar otra razón que su osadía.

> Quedara esta ignorancia establecida
> 440   entre la gente, ajena de cordura;
> de invidia, y odio, y deslealtad regida.

> Si Apolo que su propio honor procura
> en nuestra dota España no tuviera
> trasladado su espíritu y dulzura.

Comentando un pasaje del *Viaje del Parnaso* (529-540), recuerda Rodríguez Marín en larga nota la poca estimación en que eran tenidos los poetas de España hasta muy entrado el siglo XVII, y abona su recuerdo con ejemplos copiosos. Agregaríamos a ese dato que, en el sentir de algunos, se diría modificada esta opinión sobre la poesía, ya que la intervención de los poetas en las fiestas efectuadas en Sevilla para honrar a San Ignacio y a San Francisco Javier estarían probando, en opinión de don Juan de Ibarra "lo bien que está fundada i establecida en sus ánimos la poesía castellana, siendo verdad que en España está hoy en tanta alteza y delicado ingenio quanta no puede esperarse en los futuros tiempos" (Ibarra f. 36 v.).

Huir del vulgo; he aquí el secreto que exige Cueva para adquirir renombre y fama; el poeta debe cuidar sus escritos con tanto celo que ha de preferir mantenerlos en secreto mientras su obra esté en gestación. El miedo al plagio[25] (tema sugestivo para una buena monografía sobre la edad de oro española), no abandonaba a ningún hombre de letras:

> Si quieres que se estime, y que se nombre
> tu musa, y que a las musas dinamente
> te hagan de mortal, inmortal hombre;

> 725   hállete el vulgo siempre diferente
> en lenguaje, pues hablan los poetas
> en otra lengua que la ruda gente.

> Procura que tus obras sean secretas
> antes que las divulgues, si no quieres
> que sean a nuevo poseedor sujetas.

---

[24] A griegos, latinos y toscanos dice la Anónima que han excedido los españoles ("Discurso" vv. 463 y ss):

> O[h] España venerable, o[h] madre pia,
> 489   dichosa puedes con razon llamarte
> pues ves por ti en su punto a la Poesia.

[25] Cervantes, en la Adjunta al *Viaje*, no tiene por ladrón al poeta que hurta. Y "dino de mucho loor" era el hurto (verdad que en ambos casos referido a la traducción) para Juan de la Enzina (*Arte de la poesía castellana*).

II

Tema tan traído y llevado como éste de la poética cervantina representa el segundo punto en que se apoyan nuestras anotaciones, y está además vinculado con las conclusiones a que llega Alberto Tauro en la obra aludida más arriba. Voy a prescindir de la mayoría de los estudios sobre las ideas poéticas cervantinas, pues no vienen con mi propósito de ahora. No me preocupa acá el problema de si tuviera o no ideas personales respecto de la creación poética de Cervantes, sino que sólo quiero centrarme en aquellas más frecuentemente mencionadas. Claro que no hay una exposición doctrinaria de las ideas poéticas de Cervantes, como la hay de Lope[26.] Pero Cervantes recoge las que en su siglo había, y las aprovecha a veces para una que otra opinión particular.

Aunque el hacerse poeta es para Cervantes "enfermedad incurable y pegadiza" (*Quijote*, I, 6), dedicará a lo largo de su novela sabias acotaciones respecto de la poesía. Resulta ilustrativa ésta que Don Quijote lanza para aludir al linaje de Dulcinea:

> Su hermosura, sobrehumana, pues en ella se vienen a hacer verdaderos todos los imposibles y quiméricos atributos de belleza que los poetas dan a sus damas: que sus cabellos son oro, su frente campos elíseos, sus cejas arcos del cielo, sus ojos soles, sus mejillas rosas, sus labios corales, perlas sus dientes, alabastro su cuello, mármol su pecho, marfil sus manos, su blancura nieve[...] (*Quijote* I, 13).

Ciertamente hay aquí una ingeniosa crítica de los recursos poéticos de entonces y una encendida y luminosa invitación a buscar limpios caminos a la expresión. Y dígase si no concuerda con las expresiones similares de que hace gala Juan de Zavaleta en su *Día de fiesta por la tarde*. Y admítase asimismo a este pasaje como nutrido de Horacio y como un anticipo de aquella reflexión de Tomás Rodaja, en el *Licenciado Vidriera*, de 1613, al referirse a los poetas insustanciales: un estudiante salmantino preguntó a Rodaja su opinión sobre los poetas; y Rodaja, que sabía, como Cervantes, "en lo que se debe estimar a un buen poeta", respondió sin más trámite que en muy mala opinión. ¿Y por qué en mala opinión? Pues porque "eran tan pocos los buenos que casi no hacían número". La misma

---

[26] Las primeras exposiciones doctrinarias de Lope se dan en el *Isidro*, de Madrid, 1599. Y se continúan en la *Cuestión sobre el honor debido a la poesía*, a que aludimos más arriba, en la *Respuesta a un papel que escribió un señor de estos reinos en razón de la nueva poesía*, publicada con *La Filomena*, Madrid, 1621; en la otra *Epístola a un señor de estos reinos*, aparecida en el volumen de *La Circe*, Madrid, 1624; en la *Epístola a don Francisco López de Aguilar*, publicada en el mismo tomo de *La Circe* mencionado; en el ensayo *En elogio y alabanza de la poesía*, que fue el prólogo que puso Lope al *Desengaño de amor*, de Pedro Soto de Rojas, Madrid, 1623, como están desperdigadas en el *Peregrino* y en la *Justa poética*, de 1620.

actitud, repetida más tarde, del *Viaje del Parnaso*, y similar la respuesta a la que da, palabra más o menos, el paje que regala a Preciosa con unas coplas, en *La Gitanilla*[27].

El tema en *La Galatea*

En 1585 aparece la primera novela cervantina; importa, y mucho, que sea una novela pastoril. De su libro VI nos interesa el *Canto de Calíope*[28].

Calíope tiene por oficio ayudar a los espíritus divinos que se ocupan en la "sciencia de la poesía", tan poco estimada en España:

> Mi nombre es Calíope; mi officio y condición es favorescer y ayudar a los divinos espiritus, cuyo loable exercicio es occuparse en la marauillosa y jamas como deue alabada sciencia de la poesía (II, 269).

> [...] y assí, os prometo, con las veras que de mi virtud pueden esperarse, [...] de hazer siempre que en vuestras riberas jamas falten pastores que en la alegre sciencia de la poesía a todos los de las otras riberas se aventajen; (II, 210).

> [...] porque siempre ha estado y está en opinión de todas las naciones estrangeras que no son muchos, sino pocos, los espíritus que en la sciencia de la poesía en ella muestran que le tienen levantado (II, 237).

Y en el Discurso de Telesio:

> [...] si en esta nuestra España se estimasse en tanto la poesía como en otras provincias se estima. Y assí, por esta causa, los insignes y claros ingenios que en ella se auentajan, con la poca estimacion que dellos los principes y el vulgo hazen, con solos sus entendimientos comunican sus altos y estraños conceptos, sin osar publicarlos al mundo, y tengo para mí que el cielo deve de ordenarlo desta manera, porque no meresce el mundo ni el mal considerado siglo nuestro, gozar de manjares al alma tan gustosos (II, 238).

Estamos en la hora del saber empírico. Calíope habla de la poesía como ciencia, porque el tema de las ciencias era un lugar común de la época. El amor era también la más alta de las ciencias; como lo eran, según lo atestiguan los librejos contemporáneos, la ciencia

---

[27] A los efectos de cuanto busco yo dejar sentado en estas notas sólo me interesa recoger el pensamiento cervantino en obras anteriores a 1608, hora en que aparece el "Discurso". Y mejor, antes, ya que la aprobación y la tasa corresponden a una fecha anterior. No obstante las dudas y las discusiones que hay respecto de la fecha temprana en que fue escrito el *Persiles*, lo relego por ahora a la fecha hasta ahora consagrada. La tesis de Singleton (*Realidad* n°. 5) no invalida cuanto pueda desprenderse de este ensayo.

[28] Citaré siempre por la ed. Schevill-Bonilla, Madrid, 1914, tomo II. Cuando no se haga aclaración especial, los versos se entenderán como pertenecientes al libro VI, *Canto de Calíope*. Para el estudio de la obra, me remito al minucioso trabajo de Francisco López Estrada.

de las armas, la de la jineta, etc. Todos, como Galatea, hablaban por ciencia de las cosas[29]: en el Libro IV, leemos en la Canción de Tyrsi:

> Es el amor principio del bien nuestro,
> medio por do se alcança y se grangea
> el mas dichoso fin que se pretende,
> de todas sciencias sin ygual maestro (II, 72);
>
> . . . .
>
> norte por quien se guia
> en este mar insano
> el pensamiento sano,
> aliuio de la triste fantasía (II, 73).

Así como la poesía, el amor será

> [...] materia que leuante al cielo
> la pluma del mas baxo humilde buelo (II, 91).

Tan cierto es que el tema de la poesía-ciencia era uno de los tópicos predilectos cuando se escribe el *Canto de Calíope*, que un rápido recuento de sus versos nos daría la siguiente lista: "un don Alonso es en quien floresce / del sacro Apolo la divina *sciencia*" (212, v. 21); "Dos famosos doctores, presidentes / en las *sciencias* de Apolo, se me offrescen" (214, v. 22); "de tan mejores Indias y excelencias / quanto mejor qu'el oro son las *sciencias*" (214, v. 36); "tal es su *sciencia*, su uirtud y arreo" (215, v. 12); "conceptos bien dispuestos y subidos, / y *sciencias* que os asombren en oyllas" (215, v. 20); "en todas *sciencias* y artes tan famoso" (217, 11); "Su *sciencia* y su virtud, que es tan notoria" (217, v. 21); "que es de toda *sciencia* thesorero" (217, v. 28); "la habilidad, la *sciencia*, los primores" (218, v. 9); "la *sciencia* y la bondad notoria" (220, v. 2); "ygual a su virtud, valor y *sciencia*" (220, v. 16); "haze su habitación ansí la *sciencia*" (221, v. 3); "la *sciencia* en quien al sacro lauro aspira" (222, v. 8); "humíllense a la *sciencia* alta y divina" (222, v. 27); "del sacro Apolo la mas rara *sciencia*" (223, v. 2); "que de *sciencias* adorna y enriquesce" (223, v. 10); "de aquellas *sciencias* que en su pecho cría" (223, v. 19); "la tiene a *sciencia* y arte reduzida" (223, v. 32); "tan de mil varias *sciencias* y primores" (225, v. 3); "Por el la *sciencia* mas de Apolo medra" (225, v. 29); "vuestra tan sin ygual virtud y *sciencia*" (230, v. 4); "en el mar de las *sciencias* buen passaje" (231, v. 15); "por *sciencias*, por ingenio y virtud rara" (234, v. 28); "tu *sciencia* y tu valor tan a tus años" (235, v. 2); "De Febo la sagrada honrosa *sciencia*" (236, v. 5).

Ciencia es, pues, la poesía en que se respira el aliento de las otras musas que integran el Parnaso[30]:

---

29 "No se yo, Galatea –respondió Damon–, cómo en tus verdes años puede caber tanta experiencia de los males, si no es que quieres que entendamos que tu mucha discrecion se atiende a hablar por sciencia de las cosas..." (II, 149).

30 La numeración es mía. El canto consta de 888 versos. No conozco la numeración que ha de seguir López Estrada en la edición crítica que de *La Galatea*

> Al dulce son de mi templada lira
> prestad, pastores, el oydo atento:
> oyreys como en mi voz y en él respira
> de mis hermanas el sagrado aliento.
> 5   Vereys cómo os suspende, y os admira,
> y colma vuestras almas de contento,
> quando os de relacion, aqui en el suelo,
> de los ingenios que ya son del cielo (II, 212).

Viene Calíope a hablar en la tierra de cosas celestiales, y hará el elogio sólo de los poetas muertos, que viven gracias al renombre (vv. 10 a 16). La fama se alcanza por "mil vias / virtuosas y sabias", como procura hacerlo don Luis de Vargas (vv. 73-80). Los ingenios de España le dan más lustre que el que en su hora dieron griegos y latinos (vv. 81-84). Esa convivencia con los dioses que el quehacer poético hace propicia se alcanza con el "saber altissimo y profundo" de un Campuzano (v. 95), o con la "lengua artificiosa" de un Suárez de Sosa (v. 107), o con los "bien dispuestos" y subidos conceptos del licenciado Daça (vv. 121-128). La fama que se obtiene acá en la tierra (la fama pregonera) sube "hasta el mas alto cielo" para expandirse de uno "hasta el contrario polo", como ha de extenderse la que Calíope promete al enigmático Luxan (vv. 155-161).

La diligencia con que la crítica literaria se ha puesto a buscar quiénes fueron muchos de los poetas aludidos por Calíope, evidencia que la fama no sólo se alcanzaba en medio del bullicio ciudadano, sino que la lograban también aquellos que, siguiendo la reflexión del Discurso de Telesio (*vid. supra*) "comunican sus altos y estraños conceptos, sin osar publicarlos al mundo" (II, 238). Entre ellos se halla el que atesoraba ciencia y se contentaba, de industria, con "no comunicar su bien entero", don Diego Durán (vv. 205-209), frente a aquel otro comunicativo López Maldonado (vv. 215-216).

No hay un criterio regionalista que presida las glorificaciones en el *Canto*: alcanzan la alabanza tanto los nacidos en España como en Portugal. Y es claro que los juicios no traducen valor crítico alguno, porque los calificativos parecen dictados por la amistad y la costumbre: es el elogio renacentista típico, embargado de retórica y construido al margen de una validación seria.

Son cautas las alusiones a los ríos, que abundan en obras contemporáneas a la *Galatea*, como también lo son las referencias mitológicas. Hay a lo largo del *Canto* un no disimulado empeño por mantener el equilibrio (el orden y el concierto renacentistas), a veces frustrado por una que otra rima obligada. Apolo, Marte, Elicona, Hipocrene, las aguas del olvido, la edad antigua y la edad

---

viene preparando para la colección de Clásicos Castellanos, según me anuncia en carta particular, ni sé si ella concuerda con la mía, que toma al *Canto* independientemente, a diferencia de la de Schevill.

presente son temas socorridos, frente a Palas, Homero, Tytiro, Mancio Tormes, que aparecen en ejemplos más espaciados, frente a las profusas alusiones clásicas del cuerpo general de la obra. López Estrada ha estudiado el tema en su *Estudio crítico* (143–44).

Lo que no ocurre en el *Canto* es la reflexión sobre qué cosa sea lo poético. Lo que no hay son precisamente planteamientos de preceptiva. Hay, sí, y en buena copia, adjetivos aplicados a diestra y siniestra, con harta generosidad, y a través de los cuales podemos reconstruir el mundo poético en que vivió el poeta. Pero ninguno es suficiente como para precisar los límites de una idea poética cervantina. Si traemos a colación el *Canto* es porque nos va a proporcionar un equilibrado muestrario de los lugares comunes frecuentes en los panegíricos de la época, y nos probará que algunos de los habituales tropos del "Discurso" (posterior a 1585) se hallaban ya en la novela pastoril cervantina. Nos interesa además el *Canto de Calíope* desde el punto de vista de su lenguaje. Por eso hemos recopilado las voces más repetidas en sus ochocientos ochenta y ocho versos, para compararlas más tarde con la epístola-loa de 1608. Por cierto, no pretendemos probar influencia del léxico cervantino en nuestra Anónima, sino averiguar en qué medida ella se independiza del léxico poético contemporáneo. Eso nos permitirá estudiar mejor su estilo.

LOOR[31]: "Vos, Damasio de Frías, podeys sólo / *loaros* a vos mismo, pues no puede / haser, aunque os alabe el mesmo Apolo / que en tan justo *loor* corto no quede" (231, vv. 9-12); "porque te de el *loor* que se te deve" (231, v. 20); "para *loar* lo que en tí siento y veo" (*ibid.*, v. 24); "que, aunque te alabe, formarás mil quexas / de mí, porque en tu *loa* noche y día / no se ocupa la voz y lengua mía" (234, vv. 18-20); "...assi se huuiera / de *loar*, otra voz mas viva y diestra" (235, vv. 10-11); "pienso *loar*, aunque me falte el modo" (236, v. 4); "y a ellos endereço los *loores*" (*ibid.*, v. 15); "pueden aventajarse en tus *loores*" (216, v. 8); "y en solos sus *loores* estremarse" (219, v. 24); "Y, aunque mas me detenga en sus *loores*" (225, 5); " si te he de dar *loor* a tu medida" (218, v. 4); "mil lauros, mil *loores* beneméritos" (229, v. 32); "Quisiera rematar mi dulce canto / en tal sazón, pastores, con *loaros*" (230, v. 22); "dignos de eterna y de incesable *loa*" (236, v. 28); "Por quantas vias la parlera fama / puede *loar* vn cauallero ilustre" (213, v. 18); "destos dos a *loar* aquí me atrevo" (214, v. 31); "Quién pudiera *loaros*, mis pastores" (218, v. 5).

FÉBADA, FEBEO, FEBO: "assí por serle *Febo* tan amigo" (213, v. 3); "Crezca el número rico desta cuenta / aquel con quien la tiene tal el cielo / con que *febeo* aliento la sustenta" (213; vv. 9-11); "a quien podeys llamar segundo *Febo*" (214, v. 32); "Un conocido el alto *Febo* tiene" (217, v. 25); "aquel en cuyo pecho *Febo* mora" (*ibid.*, v.

---

[31] (Recojo asimismo *loar, loa*). Cito página y línea por la ed. De Schevill-Bonilla.

35); "... con quien tiene *Febo* nueva amistad, discreto trato y nuevo" (221, vv. 24-25); "de aquellas ciencias que en su pecho cría / el divino de *Febo* sacro aliento" (223, vv. 19-20); "Por las sendas de Marte y *Febo* aspira" (224, v. 1); "*Febo* primero y sin segundo Marte" (227, v. 32); "aquel aliento con que *Febo* mueve / tu sabia pluma y alta fantasía" (231;vv. 18.19); "De *Febo* la sagrada honrosa sciencia" (236, v. 5).

LENGUA: "... su virtud inflama / más de una *lengua* a que, de lustre en lustre" (213, v. 22); "y quien puede mostrar en la Toscana / como en su propia *lengua* artificiosa / lo más cendrado y lo mejor consigue" (215, vv. 3-4); "cosas que paran sólo en los sentidos / y la *lengua* no puede referillas" (*ibid.*, vv. 21-22); "mas, pues no puede de la *lengua* mía" (223, v. 21); "*Lengua* del cielo unica y maestra / tiene de ser la que por carrera / de vuestras alabanças se dilate, / que haserlo humana *lengua* es disparate" (230, vv. 9-12); "Que no podra la ruda *lengua* mia" (231; v. 21); "Y en la fama mil lenguas has criado" (233, v. 28); "no se ocupa la voz y *lengua* mía" (234, v. 20).

FAMA: "Yo soy la que hize cobrar *eterna fama* al antiguo ciego natural de Esmirna" (209, vv. 5-6); "y soy la que con *inmortal fama* tiene conservada..." (*ibid.*, v. 14); "Por quantas vías la *parlera fama*" (213, v. 17); "ya triumphas, pues procuras por mil vias / virtuosas y sabias que tu *fama* / resplandezca con viva y clara llama" (214, vv. 10-12); "Si la *fama* os truxere a los oydos" (215, v. 17); "tú, *Fama*, que al ligero tiempo sobras, / ten por heroyca empresa el celebrarte / Verás cómo en el mas *fama* cobras, / *Fama*, que está la tuya en ensalçarte, / que hablando desta *fama*, en verdadera / has de trocar la *fama* de parlera" (*ibid.*, vv. 27-32); "subes tu *fama* hasta el más alto cielo" (216, v. 16); "la *fama* de tu ingenio, unico, solo" (*ibid.*, v. 19); "que en prophecia ya la *fama* canta" (217, v. 6); "Por la difficil cumbre va subiendo / al *templo de la fama*, y se adelanta" (*ibid.*, vv. 1-2); "digno que solo del se hiziera historia / tal, que llegara alli donde su *fama*" (*ibid.*, vv. 19-20); "su gloria y *fama* para siempre viva" (218, v. 16); "alto y honroso nombre, aunque callara / la *fama* del, y yo no me acordara" (219, v. 16); "un subjeto cabal donde pudiera / la *fama* y cien mil *famas* occuparse" (*ibid.*, v. 23); "haga la *fama* y la memoria mia / *famosa* para siempre su memoria" (*ibid.*, vv. 34-35); "tal gloria, tal honor, tal *fama* darte" (222, v. 34); "Su *fama* aquí de nuevo le restauro" (224, v. 17); "Tú, que de Celidon, con dulce plectro / heziste resonar el nombre y *fama*" (226, vv. 33-34); "que ya tu nombre la *parlera fama*" (226, v. 11); "callaré yo lo que la *fama* canta" (229, v. 21); "en tanto que la *fama* pregonera" (230, v. 19); "oyras cuanto tu *fama* se mejora" (233, v. 21); "y en la *fama* mil lenguas has criado" (*ibid.*, v. 28); "aquel a quien la *fama* quiere dalle/ el nombre que su ingenio ha merescido" (234, v. 7-8); "cantó la *fama*, ha de cantar y canta" (235, v. 30).

VALOR: "cantó las guerras y el *valor* de España" (212, v. 27); "assi por serle Febo tan amigo, / como por el *valor* que en el floresce" (213, v. 4); "cortesía, *valor*, comedimiento" (213, v. 36); "... en quien continuo dura / y durará el *valor*, ser y cordura" (217, vv. 31-32); "el raro ingenio y el *valor* subido" (218, v. 10); "pues su antiguo *valor* ensalça tanto" (*ibid.*, v. 17); "que no hay comparación que llegue a cuento / de tamaño *valor*, que la medida" (220, v. 11); "ygual a su virtud, *valor* y sciencia" (*ibid.*, v. 16); "Su ingenio admire, su *valor* assombre, / y el ingenio y *valor* sea conocido" (222, vv. 17-18); "a cuyo son cantasse el bien que inspira / en él el cielo, y el *valor* que cria" (223, vv. 35-36); "Quanto esta luz nascio, nascio con ella / todo el *valor*, nascio Alonso Picado" (227, vv. 5-6); "su estilo y su *valor* tan celebrado" (228, v. 11); "*valor*, virtud, ingenio, te enriquecen" (233, v. 23); "pues es del cielo su *valor* crescido" (234, v. 10); "tu sciencia y tu *valor* tan a tus años" (235, v. 3).

CIENCIA: Me remito a la enumeración que corre más arriba.

VIRTUD: "su vivo ingenio, su *virtud* inflama" (213, v. 21); "tal es su sciencia, su *virtud* y arreo" (215, v. 12); "y en su ingenio y *virtud* me satisfago" (216, v. 28); "Su dulce musa, su *virtud*, offresce" (219, v. 21); "que yo le escoja en este valle assiento / ygual a su *virtud*, valor y sciencia" (220, vv. 15-16); "tanto su ingenio y sus *virtudes* valen" (*ibid.*, v. 20); "vuestra tan sin ygual *virtud* y sciencia" (230, v. 4); "y el mas alto lugar siempre ocupara, / por şciencias, por ingenio y *virtud* rara" (234, vv. 27-28); "tu mesmo aquel ingenio y *virtud* canta" (235, v. 3).

DIVINO: "del sacro Apolo la *divina* sciencia" (212, v. 21); "pues su *divino* ingenio ha produzido" (226, v. 34); "[...] esta bien claro / que llega su *divino* entendimiento" (220, vv. 5-6); "con sus *divinos* versos alegrando" (227, v. 28); "por su *divino* ingenio, al mundo raro" (229, v. 24); "por ser su ingenio, como lo es, *divino*" (230, v. 35); "siempre una fuente que es por el *divina*" (233, v. 34); "de su *divina* musa, heroyca y sancta" (235, v. 28).

MUSA: "y con tu *dulce musa* conoscida" (216, v. 15); "Su *dulce musa*, su virtud, offresce" (219, v. 21); "que podays, siendo *musas*, admiraros" (220, v. 24); "qual su *musa* no ay otra tan perfecta" (224, v. 16); "su *dulce musa* y raro entendimiento" (*ibid.*, v. 24); "que al son sabroso de su *musa* enfrena" (229, v. 11); "Tu, que con nueva *musa* extraordinaria" (229, v. 25); "que nunca dexan tu christiano lado / otras *musas* mas sanctas y mas diestras" (233, vv. 11-12); "de su divina *musa*, heroyca y sancta" (235, v. 28).

Frente a esta lista que no pretende ser exhaustiva, puesto que no se endereza a un estudio del léxico en el canto cervantino, la repetición de la palabra "ingenio" resulta en verdad abrumadora.

La registro sin tomar en cuenta sus varias acepciones; atento sólo al número de veces que en el *Canto* se registra:

INGENIO: "cuando os de relacion, aquí en el suelo, / de los *ingenios* que ya son del cielo" (212, vv. 8-9); "en los quales su *ingenio* resplandece" (213, v. 6); "el *alto ingenio* de Don Diego Osorio" (*ibid.*, v. 16); "Su *vivo ingenio*, su virtud inflama" (*ibid.*, v. 21); "*maduro ingenio* en verdes pocos días" (214, v. 6); "y en el trato e *ingenio* se parecen" (*ibid.*, v. 24); "El *alto ingenio* suyo, el sobrehumano / discurso nos descubre un mundo nuevo" (*ibid.*, vv. 33-34); "de algún *famoso ingenio* maravillas" (215, v. 18); "Aquel *ingenio* que el mayor humano" (*ibid.*, v. 33); "Y sin ellos yo agora corta quedo, / deviéndose a tu *ingenio* los mayores" (216, vv. 9-10); "la fama de tu *ingenio* unico, solo" (216, v. 19); "El *alto ingenio* y su valor declara" (*ibid.*, 21); "Por la senda que el sigue, abierta y clara, / yo mesma el passo y el *ingenio* adiestro, / y, adonde el llega, de llegarme pago, / y en su *ingenio* y virtud me satisfago" (*ibid.*, vv. 25-28); "[...] y cantar quanto / canto de los *ingenios* mas cabales" (*ibid.*, vv. 34-35); "el *raro ingenio* y el valor subido" (213, v. 10); "el *raro y alto ingenio* a que del cante" (*ibid.*, v. 22); "Admireos un *ingenio* en quien se encierra / todo quanto pedir puede el desseo, / *ingenio* que, aunque vive aca en la tierra, / sin par prometo honrarte" (219, v. 31); "tanto su *ingenio* y sus virtudes valen" (220, v. 20); "Muestra en un *ingenio* la experiencia" (221, v. 1); "de los *raros ingenios* os de cuenta" (*ibid.*, v. 31); "Si al alto cielo algun *ingenio* intenta / de levantar y de poner la mira" (222, vv. 9-10); "Su *ingenio* admire, su valor assombre / y el *ingenio* y valor sea conoscido" (*ibid.*, vv. 17-18); "los *ingenios* qu'el tiempo ha ya deshecho" (222, v. 25); "*fértil ingenio*, si por dicha torna" (224, v. 9); "con su *florido ingenio* y excelente" (*ibid.*, v. 35); "está el *ingenio* de don Juan Aguayo" (225, v. 4); "un *vivo raro ingenio* sin segundo" (*ibid.*, v. 18); "tanto procura con su *ingenio* honrarte" (226, v. 10); "eternizar *ingenios* soberanos" (*ibid.*, v. 22); "pues su *divino ingenio* ha produzido" (*ibid.*, v. 34); "de *ingenio* claro y singular nobleza" (227, v. 24); "la corona de *ingenio* y gallardía" (*ibid.*, v. 36); "qual la merescen oy su *ingenio* y arte" (228, v. 36); "por su *divino ingenio*, al mundo raro" (229, v. 24); "Bien se, Damian, que vuestro *ingenio* llega" (230, v. 1); "Aunque el *ingenio* y la elegancia vuestra" (*ibid.*, v. 3); "un *ingenio* que al mundo pone espanto" (*ibid.*, v. 23); "por ser su *ingenio*, como lo es, divino" (*ibid.*, v. 35); "*Claros ingenios* con quien se honran ellas" (231, v. 4); "*Felicissimo ingenio*, que te encumbras" (*ibid.*, v. 25); "y tienes a mi *ingenio* alborotado" (*ibid.*, v. 30); "con quanto *ingenio* el cielo en mi reparte" (232, v. 2); "moran *ingenios* claros mas que estrellas" (*ibid.*, v. 20); "dio quanto *ingenio* y arte dar podía" (*ibid.*, v. 24); "en cualquier caso ya mi *ingenio* alcança" (233, v. 3); "tu *claro ingenio*, tu inculpable vida" (*ibid.*, v. 8); "valor, virtud, *ingenio*, te enriquecen" (*ibid.*, v. 23); "el nombre que su *ingenio* ha merescido" (234, v. 8); "pues te remontas con tu *ingenio* al cielo" (*ibid.*, v. 15); "por sciencias, por *ingenio* y virtud rara" (*ibid.*, v. 28); "diste a *raros in-genios*, ¡oh Gil Polo!" (*ibid.*, v. 30); "tu mesmo aquel *ingenio* y virtud canta" (235, v. 3); "el fruto de tu *ingenio* levantado" (*ibid.*, v. 7); "Si conforme al *ingenio* que nos muestra" (*ibid.*, v. 9); "pues con *ingenio* rustico y grossero" (236, v. 1); "la agudeza de *ingenio*, el adverten-cia" (*ibid.*, v. 9); "que todos los *ingenios* son deudores" (*ibid.*, v. 17).

Este es el mundo léxico en que se gesta el "Discurso en loor de la poesía": su lenguaje y temas corresponden ciertamente al siglo XVI. Como único corolario del *Canto del Calíope*, nos urge recoger esta sentencia: ciencia y virtud van juntas en lo que concierne al que-hacer poético. No habrá sino que recorrer el *Canto* para confirmarlo. Después, hallaremos lugares comunes: a los arriba enumerados cabría agregar el manoseado tema de la falsa modestia[32]:

> que no podra la ruda lengua mía
> por más caminos que aquí tiene y prueue,
> 703   hallar alguno assi qual le desseo
> para loar lo que en ti siento y veo.

Donde sí aprovecha Cervantes para derrochar ideas, las más de ellas bebidas en las retóricas elementales de la época, es en el *Qui-jote*. Vale detenernos, especialmente en la Primera Parte, porque nos permitirá demostrar cómo cuanto se dice en el capítulo del Verde Gabán, y que Tauro tiene por bebido en el "Discurso", estaba anunciado desde 1605.

El tema en el *Quijote*

Copia de opiniones sobre los poetas y la poesía circulan en la Segunda Parte, de 1615. Pero el clima está ya preparado en 1605. Cervantes se ajusta a la preceptiva de los libros de caballerías para cumplir con cuanto dichos libros exigen de un caballero andante, o para extrañarse cuando se encuentra ante hechos no contemplados ni resueltos en sus lecturas caballerescas; después de todo, Don Quijote sabe "mas de libros de cauallerias que de las Sumulas de Villalpando" (I, 47). Sabe también, por boca del barbero, que "la mentira es mejor quanto mas parece verdadera" (*ibid.*) y que

> Hanse de casar las fabulas mentirosas con el entendimiento de los que las leyeren, escriuiendose de suerte que, facilitando los impossibles, allanando las grandezas, suspendiendo los animos, admiren, suspendan, alborocen y entretengan, de modo que anden a vn mismo passo la admi-racion y la alegria juntas (*Quijote* I, 43, vol. II, 342).

---

[32] Sobre el tema remito a mi estudio y edición de *El Lazarillo de Tormes* (30–33).

Lo esencial es que las letras traigan "por adalid a la fermosura" (I, 42). Deleitar sí, pero el deleite ha de surgir "de la hermosura y concordancia que vee o contempla las cosas que la vista o la imaginación le ponen delante" (I, 48); para obtener el triunfo es menester aprender que "el fin mejor que se pretende en los escritos, [...] es enseñar y deleitar juntamente" (*ibid.*). No son sino las ideas modificadas, del Pinciano y de Luis Vives[33].

Rastreando en esta actitud cervantina, y sólo con la edición de 1605 por todo material, iremos puntualizando y descubriendo esas ideas, muchas de las cuales (referidas a la serenidad y a la armonía), recogidas de las preceptivas coetáneas y anticipadas en la propia tradición literaria, parecen inspiradas en los preceptos de Fray Luis y en los de Herrera[34].

Estos climas se anuncian ya en el *Prólogo*:

> El sossiego, el lugar apazible, la amenidad de los campos, la serenidad de los cielos, el murmurar de las fuentes, la quietud del espíritu, son grande parte para que las musas mas esteriles se muestren fecundas y ofrezcan partes al mundo que le colmen de marauilla y de contento (*Quijote* I, 29)[35].

Todo cristiano entendimiento podrá así, según Cervantes, aprovecharse de la imitación, siempre que procure no mezclar "lo humano con lo diuino", y mientras ponga atención muy especial en decir lo que pretende "con palabras significantes, honestas y bien colocadas", pintando la intención, transmitiendo los conceptos "sin intrincarlos y oscurecerlos"; procurando también

> que leyendo vuestra historia, el melancolico se mueua a risa, el risueño la acreciente, el simple no se enfade, el discreto se admire de la inuencion, el graue no la desprecie, ni el prudente dexe de alabarla (*Quijote* I, 37-38).

Esto de que la pluma está destinada a traducir con propiedad lo que no se siente lo repetirá más tarde en el Capítulo 24: "porque, aunque pusieron silencio a las lenguas, no lo pudieron poner a las plumas, las quales, con mas libertad que las lenguas, suelen dar a entender a quien quieren lo que en el alma esta encerrado" (*ibid.*, vol. I, 336–37). Los versos con que Cardenio había expresado su amor, eran "enamorados versos, donde el alma declaraua y trasla-

---

33 Véase al respecto la nota de Schevill-Bonilla en su edición del *Quijote*, II, 467.

34 Lo analizo con cierto detalle en mi estudio *Nuevas papeletas cervantinas*, en preparación.

35 No se puede descontar a Garcilaso ciertamente, ni relegarse del estudio de esta actitud de Cervantes su evidente simpatía por los temas pastoriles, demostrada tantas veces a lo largo de su obra. Un trabajo que sugiere el rastro de estos temas en toda la obra cervantina, que en parte ha emprendido Alonso Zamora Vicente, sería de gran utilidad.

daua sus sentimientos, pintaua sus encendidos desseos, entretenía sus memorias y recreaua su voluntad"[36].

Y en lo relativo a las leyes del gusto, la hermosura corre parejas en Cervantes con la honestidad, la honra y la virtud. El Pinciano tenía por imposible "que uno sea buen poeta y no sea hombre de bien" (Epístola II, 81). Gran prerrogativa de la hermosura es la de estar acompañada de la honestidad: eso afirma el cura a Don Fernando (Cap. 36). Y Marcela aclara (Cap. 14) que la honestidad luce entre las virtudes que "el alma más adornan y hermosean". Y la razón más importante que aduce Dorotea (Cap. 36) es precisamente aquella de "que la verdadera nobleza consiste en la virtud".

Es que en Cervantes hay como un desdoblamiento, que lo mantiene alerta a lo largo de toda la obra: el creador y el crítico. Hay una sorda "meditación constante de su profesión de escritor" (Casalduero 60). A pesar de que lucha lo indecible, no consigue zafarse con éxito de los moldes literarios de su época y termina consolándose con la misma reflexión que a Sancho formula Don Quijote en el cap. 49: "Contra el uso de los tiempos no hay que argüir ni de qué hacer consecuencias"[37].

Bastan estas ideas desperdigadas en el *Quijote*, concentradas en *La Galatea*, para situarnos en el mundo en que ha de ver la luz el "Discurso en loor de la poesía". Cabría añadir que aquello de poesía-ciencia era un antiguo recurso vigente no sólo en España sino en Italia. Venía de atrás. Y habría que rastrear quiénes fueron los que efectivamente consagraron en América la influencia de Santillana, Garcilaso y Boscán.

III

Si observamos con serenidad la redacción a ratos improvisada del *Ejemplar* de Juan de la Cueva, volveríamos a reconocerla (no obstante ejemplos de limpia inspiración) en el "Discurso en loor de la poesía" con que Diego Mexía precede su edición de la *Primera Parte del Parnaso Antártico*. Pocos son los rasgos de espontaneidad que se advierten en los tercetos del "Discurso", como que muchos de ellos parecen escritos ante el apremio de las prensas. Hay otros –lo decimos desde ahora– dignos de ser modelo de maestría.

Durante mucho tiempo se tuvo por imprescindible averiguar el nombre del autor, y hemos trabajado muy poco en torno de las ideas

---

[36] "La pluma es la lengua del alma" dirá en el cap. 16 de la Segunda Parte.
[37] Sobre este afán de salirse de los moldes usuales, consúltese Américo Castro 46-47.

contenidas en el "Discurso", en torno de su léxico y de su versificación. La crítica se ha hecho muchas veces al margen de la obra y las afirmaciones nacieron en verdad de espaldas al problema literario, circunscritas a la pretensión de hacer un problema de nombres donde había ante todo que encarar un problema de historia de las ideas y de lengua literaria. Esta advertencia quiere adelantar el criterio con que nos acercamos a la obra. Los problemas de la paternidad y el de la individualización de los poetas aludidos son para nosotros accesorios, frente al tema vital del propio "Discurso".

"No ya platónico, sino profundamente místico" es el concepto estético en el "Discurso", para Menéndez y Pelayo. Parte por parte trataremos de estudiar hasta qué punto sea cierta la reflexión del polígrafo santanderino. Aparece el "Discurso" en momentos en que tres características fundamentales priman en la poesía y la crónica de la época. Raúl Porras resume estas características así: erudición, fragmentarismo, loa panegírica[38]. No hay sino que auscultar los temas, escudriñar el vocabulario, comparar el tono de las crónicas coetáneas. De los tres elementos tiene ejemplos copiosos la obra que nos ocupa. Menester es estudiarlos aisladamente para precisarlos mejor y asignarles el sitio merecido. Pero los títulos de las obras por entonces más leídas apuntan ya, por lo menos, a lo fragmentario: *Silvas, Florestas, Misceláneas*, etc. Todo va en dirección al barroco. Y la inspiración didáctica de que los críticos hablan es la que convenía a las obras de su género, que adquiere acá a ratos, dentro de una arquitectura equilibrada que busca salirse del renacimiento, "el señorío de las concepciones humanistas y del estilo clásico" (Tauro, *Esquividad* 107).

Que la poesía andaba vinculada a la religión no se le ocultaba a Lope en su *Cuestión sobre el honor debido a la poesía*[39]. Para traer a colación la historia, hace un recorrido parecido al de la Anónima, sólo que con erudición verdadera. Inicia la *Cuestión* una cita de Ovidio. Nadie discute que la poesía sea arte, "y para honra suya a este propósito basta que Platón llame a los poetas *insignes*, y a la poesía *preclara*, y más adelante *sacra*, como también Ovidio: "Quit petitur sacris, nisi tantum fama, poetis" (11). Digna de reprenderse es la poesía "cuando imita enojosamente las costumbres", como se lo tiene censurado el propio Platón. Lope cita luego a Cicerón y a Aristóteles, y dedica ligera atención a Homero. Horacio tomó toda su filosofía de Homero, y tiene por necesarios a los poetas, como Plutarco los tiene por útiles. Ser poeta representa, al parecer, una

---

[38] La observación me fue hecha mientras nacían estas notas, en conversación particular.

[39] En *La hermosura de Angélica* (Madrid: Pedro de Madrigal, 1602). La reimprimió Sancha en Madrid, en el tomo IV de las *Obras sueltas* de Lope, 1776 (513–22). Mis citas por la edición Bergua, Madrid, 1935.

singular fortuna. Cicerón recuerda que Ennio los llamaba santos[40], y los cree inspirados por alientos divinos: son como un regalo de los Dioses. Continúa Lope recordando a Estrabón y copia sus palabras "notables" *Antiqui poeticam primam...* A todo esto alude la anónima autora del "Discurso"[41]:

> Oyd a Ciceron como resuena
> con eloquente trompa en alabanza
> 315   de la gran dinidad de la Camena.
>
> El buen poeta (dize Tulio) alcança
> espiritu divino, i lo que asombra
> es darle con los Dioses semejança.
>
> Dize qu'el nombre de Poeta es sombra,
> 320   i tipo de Deidad santa, i secreta:
> y que Ennio a los Poetas santos nombra.
>
> Aristoteles diga qu'es Poeta,
> Plinio, Estrabón: i diganoslo Roma[.]

Este autor del "Discurso", si mujer, no está ausente de la literatura, como no lo estaban las mujeres, entre las que sobresalen la monja Leonor de Ovando y Sor Francisca Josefa de la Concepción (Henríquez Ureña, *Historia de la cultura en la América hispánica* 53). Vinculación con la literatura, que traduce un florecimiento "tanto más sorprendente cuanto que sólo una décima parte de la población, aproximadamente, era la que podía hablar en correcto español o portugués". Henríquez Ureña apunta que la literatura buscó refugio en las escuelas y conventos, se llegó a la universidad, encontró apoyo en las autoridades eclesiásticas y políticas (Henríquez Ureña, *Las corrientes literarias en la América hispánica* 66).

Como que va a tratar de larga materia, dispone la Anónima en tercetos su "Discurso"; y como parece ser norma de discretos, no desarrollará el tema en tres o cuatro estrofas, sino que necesitará 269 tercetos, que darán los 808 versos, comprendido el cuarteto final de rigor[42]. Era la Anónima versada en lengua toscana y portuguesa.

---

[40] "Atque sic hominibus eruditissimisque accepimus, ceterarum rerum studia et doctrina et praeceptis et arte constare, poetam natura ipsa valere et mentis viribus excitari et quasi divino quodam spiritu inflari. Quare suo iure noster, ille Ennius 'sanctos' apellat poetas, quod quasi deorum aliquo dono atque commendati nobis esse videantur" (*Oratio pro Archia poeta*, XVIII).

[41] En el mismo pasaje, Lope recuerda que Platón y Ovidio hablan de sagrada poesía. En el "Discurso" se lee "sagrados versos" (v. 192) y "sacro y dulce canto" (v. 446). Platón llamó a los poetas *insignes*, y la anónima autora del "Discurso" lo repite en los versos 632 y 732.

[42] "A esso respondo, que los tercetos siruen para tratar larga materia: como es vna epístola, o vna historia, o narracion[...], y por esta razon seria indiscreto, el que hiziesse solo vno, ni dos, ni tres tercetos: pues la compostura no lo requiere, sino que de fuerça sean muchos" (Sánchez de Lima, *Arte poética* ff. 38 r. y v.).

La misma familiaridad que tuvo Garcés. Y la misma que, respecto de la toscana, tuvieran Dávalos de Figueroa y Diego de Aguilar, como lo deja éste sentado en la Dedicatoria de su *Marañón*. Ni eso, ni la erudición de que da muestras el "Discurso" bastan para sentirse abrumado y sorprendido. Ya apuntó Juan María Gutiérrez, por otra parte, que no fue la mujer americana indiferente a la fama literaria, "ni tan tímida que no se atreviese alguna vez a cambiar la aguja por la pluma presentándose como autora y aspirando a los honores de la imprenta" (Gutiérrez 258)[43]. Y estudiando el renacimiento italiano, Burckardt piensa que la mujer habría de "participar en la lectura de los hombres para poder seguir el hilo de la conversación, en la cual predominaba frecuentemente el tema de la antigüedad" (Burckardt 320; v. asimismo 364–65). Esa me parece la coyuntura necesaria para iniciar el estudio del "Discurso". Una indiana culta resulta, en buen romance, esta señora principal del reino, en la que se cumplía aquello de Feijóo sobre que a los criollos e hijos de españoles que nacían en América "les amanecía más temprano que a los de España el discurso". Aun cuando el verso adquiere las más veces temple renacentista, su espíritu y su técnica apuntan, como he dicho, hacia el barroco; se va aclimatando en la Anónima, como en Amarilis, lo que Martín Adán da en llamar "lo grecorromano concreto de la España distinta" (cit. por Tauro, *Amarilis indiana* 47).

Temática del "Discurso"

Para iniciar su canto, pide el poeta[44] el favor de Cirene (v. 1), el agua de Hipocrene (v. 3), la lira de Orfeo (vv. 4-5), el verso de Homero (v. 13). No le bastan según la tradición literaria de la lengua española, sus propias fuerzas; necesita, para elevarse al cielo, la fuerza inspiradora de una lira nueva, pues poco es lo que alcanzaría a decir con su propia voz, ya que son toscas sus palabras, rústico su estilo, peregrina su inspiración, y su lenguaje todo parece resumir prolijidad:

> Dexemos las antiguas, con que gloria
> 437   de una Proba Valeria, qu'es romana,
> harà mi *lengua rustica* memoria?
>
> ....
>
> Donde vas Musa? no emos prosupuesto
> 503   de rematar aqui nuestro discurso,
> que de *prolixo* i *tosco* es ya molesto?

---

[43] Confieso que no se me alcanza ni el "colorido americano" ni el "sentimiento patriótico" que dice Gutiérrez que se "respira en todos los tercetos" (259 col. a y 258, col. b).

[44] Hablaré en adelante del poeta, ajeno al problema de la autoría.

Ha necesitado iniciarse invocando a los símbolos universales que se proyectaban en la vida y en el arte renacentistas[45]. Esta invocación, que mantiene tensa la atención del lector por la estructura sintáctica, no quiere pedir la inspiración propicia. Pero ya están en ella Ovidio y Cervantes, en lo que respecta a la lira de Orfeo y un cúmulo de poetas, en lo que hace a Cirene, Hipocrene y Helicones.

Tres veces alude Cervantes a Hipocrene en el *Canto de Calíope*. Primero, cuando, hablando de Diego de Sarmiento, dice en el verso 27 (II, 213): "de nuestro coro y de *Ipocrene* lustre". Luego, tratando de Francisco de Terrazas (226):

> 31   cuya vena caudal nueva *Ypocrene*
>   ha dado al patrio venturoso nido.

En seguida (235), aludiendo a Silvestre de Espinosa:

>   yo [le] dare por verdadera
> 15   con el bien que del Dios de Delo tiene,
>   el mayor de las aguas de *Hypocrene*.

Como priva en el "Discurso" la sobriedad sobre la afectación, no habrá más mención de Hipocrene que la del verso 3 ("y el agua consagrada de *Hipocrene*"), como las habrá de Orfeo. Las citas de Helicona apenas serán dos; el poeta luchaba por librarse de lugares comunes, como lo confesará más adelante. Helicona era alusión más socorrida entre los poetas que frecuentaban excursiones al Parnaso. Leemos en Cervantes (*Calíope*, vv. 517-520); hablando de Barahona de Soto:

> En el licor sancto de *Elicona*
> si se perdiera en la sagrada fuente,
> se pudiera hallar, ¡o extraño caso!,
> en las cumbres del Parnaso.

Y refiriéndose a estos lugares comunes seguramente, decía Gálvez de Montalvo en su *Pastor de Fílida* (numeración mía):

>   No llevas capas, ni ornatos
> 29   de Parnasos, ni *Helicones*
> (cit. por Menéndez y Pelayo, *Orígenes* II, 400).

Y el doctor Campuzano, en el soneto que Gálvez de Montalvo inserta en su *Pastor* (484, b), trae esta alusión:

> ¿Dónde está esto, Pastor? quiero gustalle;
> aquí es el agua dulce, aquí se cría
> aquel *licor del monte soberano*.

Y Juan de la Cueva, en su *Viaje de Sannio* (57; cit. también en Farinelli II, 150):

---

45 "Lo mitológico se proyecta en la vida y en el arte del Renacimiento. Orfeo, Hércules, son símbolos universales" (Marasso 24).

> El qu'entre los más dotos resplandece
> Con viva llama y esplandor divino,
> El qu'en la cumbre *d'Elicona* paresce
> Abrir con nuevo método camino.

Y Juan de Castellanos, hablando de Lorenzo Martín, en sus *Elegías*:

> el cual bebió también en *Hipocrene*
> aquel sacro licor que manar hizo
> la uña del alígero Pegaso,
> con tan sonora y abundante vena.

Sólo a dos citas reduce el "Discurso" la alusión; cuando comprueba el estado en que se halla por entonces la poesía:

> 55   mas el grave dolor que m'a causado
>   ver a *Elicona* en tan umilde suerte
>   me obliga a que me muestre tu soldado.

y cuando advierte que este "arte celestial" (v. 281) de la poesía:

> Fu'en montes consagrados colocada,
> 305   en *Helicon*, en Pimpla, i en Parnaso,

Las tres principales citas de Orfeo que aparecen en el *Discurso* (prescindo de la cuarta, v. 589) nos remiten a Ovidio y a Cervantes.

> y aquella lira con que d'el Averno
> 5   Orfeo libertò su dulce esposa,
>   suspendiendo las furias del infierno.
> ....
>
> ....
>
> D'esto tuvo principio, i argumento
> 275   dezir que Orfeo con su voz mudava
>   los arboles i peñas de su asiento.
>
> Mostrando, que los versos que cantava
> fuerça tenian de mover los pechos
> mas fieros, que las fieras que amansaba.
> ....
>
> ....
>
> Si en las grutas d'el Baratro secretas,
> 395   los demonios hizieron cortesia
>   a Orfeo por su arpa, i chançonetas.

Es evidente la reminiscencia de Ovidio (*Met.* X, 40-49), que López Estrada (54) recuerda a propósito de Cervantes y que yo traigo ahora a colación:

> Talia dicentem neruosque ad uerba mouentem
> Exsangues flebant animae; nec Tantalus undam
> Captauit refugam stupuitque Ixionis orbis,
> Nec carpsere iecur uolucres urnisque uacarunt,
> Belides, inque tuo sedisti, Sisyphe, saxo.
> Tunc primum lacrimis uictarum carmine fama est
> Eumenidum meduisse genas; nec regia coniunx

> Sustinet oranti nec, qui regit ima, negare
> Eurydicen que uocant; umbras erat illa recentes
> Inter et incessit passu de uulnere tardo.

Leemos en el comentario que formula Cervantes al canto entonado por Galatea en el Libro Primero de la obra de 1585:

> Con mas justa causa se pudieran parar los brutos, mouer los árboles y juntar las piedras a escuchar el suaue canto y dulce armonia de Galatea, que quando a la citara de Orfeo, lyra de Apolo y musica de Anfion los muros de Troya y Thebas por si mismos se fundaron, sin que artífice alguno pussiese en ellos las manos, y las hermanas, negras moradoras del hondo chaos, a la estremada voz del incauto amante se ablandaron (I, 45),

alusión que se repite, verdad que encubierta por la perífrasis, en el Libro Quinto (II, 50).

Con este tema de Orfeo, que tanto iba a dar que hacer a Jáuregui y a Góngora más tarde, se relaciona sin duda la cita de Policiano en el verso 427 del "Discurso":

> Lease Policiano, que de Apolo
> fue un vivo rayo, el qual de muchas ca[n]ta
> 429 divulgando su onor de Polo a Polo,

Policiano había dedicado en el 1471 un drama a Orfeo, aportando con él una nueva característica al teatro italiano de fines de siglo XV. Cuando aparece el "Discurso en loor de la poesía", no se había apagado la celebración de las obras que Peri y Caccini dedicaron a Eurídice; acababa de representarse en Mantua (1607), la primera obra de Monteverdi, titulada precisamente *Orfeo*[46].

Por esta misma época escribía Francisco de la Torre su "Égloga Sexta", en uno de cuyos pasajes leemos:

> 40 quando la tenebrosa noche oscura
> eclipsando la luz del claro cielo
> y mostrando en descuento sus estrellas,
> cuya resplandeciente lumbre pura,
> si no se conociera salir dellas,
> 45 fuera tenida por el dios de Delo,
> el cuytado Florelo
> de suerte se quexaua,
> que pienso que ablandaua
> la dura causa de su cruda muerte,
> 50 jamás con llantos tiernos ablandada,
> sacando desta muerte
> la triste voz del alma fatigada (150, numeración mía).

---

46 No he visto en Lima la obra de Schevill, *Ovid and the Renaissance in Spain*, ni conozco el libro de Cabañas *El mito de Orfeo en la literatura española*, del que sólo tengo noticias por algunas reseñas bibliográficas.

Dura prueba atraviesa la poesía, sí. Pero la musa en quien busca el autor del "Discurso" inspiración ha de lograr extender su nombre "por todo el universo", derrotando al vulgo:

>El verso con que Homero eternizava
>lo que del fuerte Aquiles escrevia
>15 y aquella vena con que lo ditava,
>
>quisiera qu'alcançaras Musa mia,
>para qu'en grave, i sublimado verso,
>cantaras en loor de la Poesia.
>
>Que ya qu'el vulgo rustico perverso[47]
>20 procura aniquilarla, tu hizieras
>su nombre eterno en todo el universo[48],

Terminada la invocación, se inicia el llamado a las musas que habitan en el Sur. El autor busca "situar" la acción. Rechaza encuadrarse dentro de las preceptivas de la hora; y a lo lejano y mitológico del "más allá" quiere oponer el "más acá", aunque no alcance su objetivo con la anhelada felicidad, pues, llevado por el clima que su "Discurso" hace propicio, ha de caer en otra nueva alusión mitológica. Todas las ninfas del Sur son convocadas, como si el autor, consciente de su prestigio recoleto, quisiera trascender los límites peruanos:

>Aqui, *Ninfas* d'el *Sur*, venid ligeras,
>23 pues que soy la primera qu'os imploro,
>dadme uvestro socorro las primeras.

La invocación parece una lejana reminiscencia de la *Diana* (Libro II) de Gil Polo:

>Oidme, claras *Nimphas* y pastores,
>que sois hasta la Arcadia celebrados:
>(cit. por Menéndez y Pelayo, *Orígenes* II, 373).

Deben venir las ninfas abandonando todo: el coro pimpleide que habita el Helicón (vv. 25-30), olvidando a Libetros y a Parnaso. Hay que hacerlo porque si es verdad que está peligrando la poesía, a

---

[47] Tauro separa por una coma *rústico* y *perverso*, como si se tratara de una gradación. En la ed. *princeps* corre sin pausa ortográfica, que yo respeto, porque del "vulgo rústico" hablaban casi todos los contemporáneos del "Discurso".

[48] Cf. en el soneto de Góngora, de 1583:

>5 Templa, noble garzon, la noble lyra,
>Honren tu dulce plectro i mano aguda
>Lo que al son torpe de mi auena ruda
>Me dicta Amor, Caliope me inspira.
>
>Aiudame a cantar los dos extremos
>10 De mi pastora, i qual parleras aues,
>Que a saludar al Sol a otros conuidan.
>
>Io ronco, tu sonoro, despertemos
>Quantos en nuestra orilla cisnes graues
>Sus blancas plumas bañan y se anidan.

América corresponde reunir las fuerzas y entonar el canto apetecido:

> 25　I vosotros Pimpleides cuyo coro
> abita en Elicon dad largo el paso,
> i abrid en mi favor uvestro tesoro,
>
> De l'agua Medusea dadme un vaso,
> i pues toca a vosotras, venid presto,
> 30　olvidando a Libetros, i a Parnaso.

Convocación de parecida técnica formula doña Antonia de La Paz en los versos que anteceden al *Viaje Entretenido* de Agustín de Rojas, que aparece entre 1603-1604:

> *Ninfas* que en *vuestro coro* retumbando
> estan los instrumentos, *en olvido*
> *los dexad por agora*, celebrando
> de Rojas El Viaje entretenido.
>
> Vereys en el quan bien que va ymitando
> al sacro Apolo y al rapaz Cupido
> y pues le pinta qual famoso Apeles,
> coronadle su frente de laureles.
> (cit. por Menéndez y Pelayo, *Orígenes* IV, 436a).

Para llegarse a este llamado a las ninfas del sur, para acercarse del plano de lo ultraterreno (mitológico), ha pasado el "Discurso" por Homero, a quien se siente por entonces emparentado con la mitología ("el verso con que Homero eternizava / lo que del fuerte Aquiles escrevia / y aquella vena con que lo ditava" vv. 13-15). Este aludir a Apolo, con que seguidamente el "Discurso" cobra aliento para humanizarlo en Mexía, testimonia esta aparente voluntad del poeta de rehuir la tradición y "humanizar" sus temas.

> I tu divino Apolo, cuyo gesto
> alumbra al Orbe, ven en un momento,
> i pon en mi de tu saber el resto.
>
> Inflama el verso mio con tu aliento,
> 35　i en l'agua de tu Tripode lo infunde,
> pues fuyste d'el principio i fundame[n]to.

Buen lugar común es éste de Apolo, principio y base de la poesía, cuya consignación teñiría de prolijidad nuestro discurso. La dualidad *cielo-suelo*, tan grata a todo el siglo de oro, comienza ya a abrirse campo en los tercetos de la Anónima. Y otra vez, su afán de desvincularse del cartabón trazado por las preceptivas:

> Mas en que mar mi debil voz se hunde?
> 38　a quien invoco? que deidades llamo?
> que vanidad, que niebla me confunde?

que nos recuerda estos versos de Calíope en la *Galatea*:

> Un nuevo espanto, un nuevo assombro y miedo
> 314　me acude y sobresalta en este punto.
> ....

> Mas ¿que hare, que en los primeros passos
> que doy descubro mil estrañas cosas,
> otros mil nuevos Pindos y Parnasos
> 340   otros coros de hermanas más hermosas

¿A qué perderse en los vericuetos de las invocaciones absurdas y paganas que ya huelen a rancio, si hay acá un punto, émulo de Apolo, que puede ser el venturoso guía? ¿A qué invocar deidades, si sólo la vanidad puede hacer que se nuble el nombre de Mexía, que es honor de España y honor y gloria de su nombre? El poeta abandona por un instante el clima de ensueño para adentrarse en lo real, para hablar de aquel que "en este mundo viviendo", como diría Manrique, es "Febo santo" y "Delio solo":

> 40   Si, ô[h] gran Mexia, en tu esplandor m'inflamo,
> si tu eres mi Parnaso, tu mi Apolo,
> para qu'a Apolo, i al Parnaso aclamo?
>
> Tu en el Piru, tu en el Austrino Polo
> eres el Delio, el Sol, el Febo santo,
> 45   sè pues, mi Febo, Sol y Delio solo.

Ya está elegido el norte y el modelo: así como Mexía cubre su nombre en el seno de la tierra antártica con el de Delio[49], así será el secreto inspirador del canto: a él se sujetará el autor del "Discurso" para poder remontar el vuelo. El poeta ha salido del bosque mitológico en que estaba destinado a perderse, y en esta confesión de seguimiento que proclama expresa, silencioso, su confianza:

> Tus huellas sigo, al cielo me levanto
> con tus alas: defiendo a la Poesia,
> Febada tuya soy, oye mi canto.
>
> Tu me diste precetos, tu la guia
> 50   me seràs, tu qu'onor eres d'España,
> i la gloria d'el renombre de Mexia.

Otra vez acude el recuerdo de Cervantes, ahora en su libro IV de la *Galatea*:

> Ya tengo nuevo ser, ya tengo vida,
> ya puedo cobrar nombre en todo el suelo,
> de ilustre y clara fama conoscida.
>
> En tí, Silena, espero; en tí confío,
> Silena, gloria de mi pensamiento,
> norte por quien se rige mi alvedrío (II, 28).

---

[49] Viejo recurso, por cierto, es encubrirse bajo el nombre de Delio. Las citas serían innumerables; cf. Mena, *Laberinto*, LII, ed. Foulché Delbosc:

> Naxon la redonda se quiso mostrar,
> Colcos, Ortigia, llamada Delos,
> de la qual Delio se dixo aquel Dios
> que los poetas suelen ynvocar.

Recuerdo que todavía nos va a perseguir cuando, acuciados por estos paralelos a que invita la *Galatea*, recojamos, siempre en el libro IV, estos versos:

> 25   Mas ¿quién ay que te presuma
> echar sobre tus hombros tanta carga,
> si no es un nuevo Atlante,
> en fuerças tan bastante
> que poco el cielo le fatiga y carga? (II, 36)

y los comparamos con estos que siguen en el "Discurso":

> Bien sè qu'en intentar esta hazaña
> 53   pongo un monte, mayor qu'Etna el no[m]brado
> en ombros de muger, que son d'araña.

Se inicia, a partir de este terceto, el desarrollo de la tesis que tiene a Dios autor de la poesía. La poesía, suma de ciencias (vv.100-108) es un don de Dios (vv. 85 y 637); es casi su instrumento (v. 175), y a Él debe estar por lo menos dedicada, ya que se presta como ningún otro arte a su alabanza (vv. 163 y 713). Es un tema reiterativo en el "Discurso", desarrollado aquí y allá. Como le viene al hombre por comunicación angélica (el carisma de la poesía), sólo quienes tengan espíritu cristiano alcanzarán su goce, ya que siendo ciencia "fundada en Dios al mismo Dios enseña" (vv. 127, 153, 715-720). Los temas bíblicos comienzan a ir poblando el "Discurso", frente a la ineficacia de las alusiones paganas. El orden que se sigue es el mismo del Antiguo Testamento[50]: *Génesis* (versos 61-84); *Trisagio* —coro de serafines y querubines— (121-123); otra vez el *Génesis* (139-150), para seguir en adelante en orden: *Éxodo* (160-165); *Jueces* (166-171); *Samuel* (172-174); *Salmo de David* (175-186); *Judit* (187-192); *Daniel* (canto de los tres mancebos) (139-198); *Job* (199-201); *Jeremías* (202-204). Siguen los Evangelios: Lucas, a quien alude la siguiente estrofa del "Discurso":

> Y que dire d'el soberano canto
> 218   d'aquel, a quien dudando allá en el te[m]plo
> quitò la habla el paraninfo santo?[51]

Y a quien vuelve a remitir en los versos siguientes, que hablan de Simeón (Lucas, I, 46-55), ya aludido antes en los versos 205 a 210, al entrar en el Nuevo Testamento:

> 205   La Madre d'el Señor de lo criado
> no compuso aquel canto qu'enternesce
> al coraçon mas duro, i ostinado?

---

[50] Debo la observación a Luis Alberto Ratto, del seminario de Filología del Instituto Riva Agüero.

[51] "Y estaba el pueblo aguardando a Zacarías y se maravillaban de que se detuviese tanto tiempo en el santuario. Y cuando salió no podía hablarles, y conocieron que había visto una visión en el santuario" (Lucas, I, 21-23).

> A su señor mi anima engrandesce
> i el espiritu mio de alegria
> 210   se regozija en Dios, i le obedesce.

Al Evangelio de San Mateo alude al hablar del canto que entonaron los judíos al entrar en Jerusalén (v. 223), según Tauro (*Esquividad* 58); pero la alusión parece referirse al Evangelio de San Juan, si la relacionamos con los versos del terceto entero, alusivos al soldado que atraviesa al Cristo con la lanza[52]:

> El ô Sana cantaron los Iudios
> a aquel, a cuyos miembros con la lança
> 225   despues dexaron de calor vazios.

Seguidamente el autor evoca a griegos y latinos, a Paulino y Juvenco, (como Lope, como Francisco de la Torre), para caer luego en los modernos. Otra vez el ir y venir de la edad antigua a la edad presente[53]: la vieja técnica de la Edad Media, a la que no fue ajeno ni Cervantes. El renacimiento literario es resultado de un conjunto de esfuerzos, y es inútil que el autor luche por independizarse de ellos[54]. Siempre ha de estar entre el siglo pasado y el presente. Volvamos, advertidos de esto, al recuerdo de Cervantes, sabedores de que este amor singular por lo grecolatino, y a veces por la edad media, es rasgo de los humanistas españoles (*RFE*, VI, 161). Cuando Calíope se presenta ante los pastores y declara ser quién es, explica:

> yo soy la que hizo cobrar eterna fama al antiguo ciego natural de Esmirna, por el solamente famosa; la que hara uiuir al mantuano Tytyro por todos los siglos venideros, hasta que el tiempo se acabe; y la que haze que se tengan en cuenta, desde la passada hasta la edad presente, los escriptos tan asperos como discretos del antiquissimo Enio (*Galatea*, VI, 209).

Y cuando debe ensalzar a Adam Bivaldo en el *Canto*, dice de él que:

> [...] illustra y dora
> 463   con su florido ingenio y excelente
> la venturosa nuestra edad presente

El mismo recurso hallamos en el "Discurso en loor de la poesía". Hablando de lo bien tenida que estuvo la poesía entre griegos y latinos, escribe el autor:

---

[52] La entrada en Jerusalén (Jn. 12, 13-14). Y más adelante: "Mas a Jesús, cuando vinieron, cuando lo vieron ya muerto, no le quebrantaron las piernas, sino que uno de los soldados con una lanza le traspasó el costado..." (19, 33-34).

[53] Cristóbal de Villalón publicó en Valladolid, 1539, su *Ingeniosa comparación entre lo antiguo y lo presente* (II, 264-65).

[54] "La Renaissance littéraire est beaucoup plus qu'une aventure imaginée par quelques grands esprits: elle n'est pas l'œuvre d'un petit nombre" (Stephen d'Irsay, II, 253)

> Fue en *aquel siglo* en gran onor tenida,
> 302   i como don divino venerada,
>   i de mui poca gente merecida.

Y unos versos más adelante, sin salirse del mundo de la antigüedad:

> ¡O[h] tiempo vezes mil, y mil dichoso,
> 332   (digo dichoso en esto), pues que fuiste
>   en el arte de Apolo tan famoso.

que evocan las misteriosas palabras con que Don Quijote asombró a los cabreros, y nos remueven además en la memoria la reflexión del propio Quijote a Sancho, después de la aventura y derrota de los encamisados:

> Dichosa edad y siglos dichosos aquellos a quien los antiguos pusieron nombre de dorados (*Quijote* I, 11).

> Sancho amigo, has de saber que yo nací, por querer del cielo, en esta nuestra edad de hierro, para resucitar en ella la del oro, o la dorada, como suele llamarse (*Quijote* I, 20).

El "Discurso" parece escribirse en la edad de bronce de la literatura americana y busca por eso inspiración en la vieja y dorada edad griega.

Otros ejemplos nos ha de proporcionar todavía el autor de los tercetos del "Discurso": después de aquellas invocaciones a lo de ayer y a lo de ahora, comienza el panegírico. Y en primer término, el panegírico de la poesía; el autor va de lo general a lo particular, de lo universal a lo concreto. Antes que elogiar a poeta alguno, impóne-se el elogio de la poesía. Habla del poder de los poetas, capaz de ablandar las piedras como con su canto las mudaba Orfeo (vv. 260 y 275); del objeto moralizador de la poesía (v. 290); de la identidad entre poeta y profeta (v. 320); de cómo vena y arte son necesarios para el verdadero acierto poético (vv. 310 y 530); de cómo la poesía reside sólo en los discretos (v. 127); de la bondad de la poesía (vv. 637 y ss.); de la ocupación verdadera del poeta (v. 683), y de cómo se sirven los poetas para cantar las cosas celestiales y reprender los vicios (vv. 260-280 *passim*); y de cómo juicio y castidad son esen-ciales al oficio del poeta (v. 688).

Viene a cuento, a propósito de estos temas, la disquisición que Calidonio hace a Silvio en el Diálogo Primero del ya citado libro de Sánchez de Lima[55]: "Es tanta la excelencia de la Poesia, que no bas-

---

[55] En su reciente obra *La universidad en el siglo XVI* (61), Luis Antonio Eguiguren, repitiendo, sin citar fuentes, a Nicolás Antonio (*Nova*, II, 146 b), da a Sánchez de Lima por peruano, atribuyéndole gratuitamente esta nacionalidad, pues no aduce documento alguno que lo apoye. Si el señor Eguiguren hubiera tenido entre manos el libro de Sánchez de Lima, se habría persuadido de que el autor era portugués.

tara mi poco ingenio a declararos la menor parte delo mucho que ay que dezir della" (ff. 24 r. y v.):

> Y de la Poesía, vsando della como se deue, se saca mucha uitalidad y prouecho, assi como para el alma como para el gusto de los hombres de claro juyzio y delicado entendimiento... Y demas desto es esta vna virtuosa y santa ocupacion: pues mientras el Poeta esta componiendo, eleua el sentido de las cosas celestiales, y en la contemplación de su criador, vnas vezes sube al cielo contemplando aquella inmensa y eterna gloria: los escuadrones de los bienaventurados, mira los Angeles, oye los Archangeles, contempla los Cherubines y Seraphines, vee las Potestades, Virtudes, y Thronos, y Dominaciones, como todos se ocupan en continuo alabar a su criador. De alli baxa al infierno, siente las penas de los dañados en espíritu, oye sus gritos, contempla la pena que por la culpa padescen... En estas y otras semejantes contemplaciones gasta su tiempo el verdadero y buen Poeta, escusando el gastallo en otros, que podrian ser offensa de Dios y daño de su consciencia: por donde queda bien declarado, de quanta vitalidad y prouecho sea esta excelentissima poema (ff. 27 v.-28 v.)

Viene luego el elogio de los poetas latinos, cuya sola enumeración serviría para restablecer lo que debe haber sido una buena biblioteca clásica en que el "Discurso" se escribía.

Y entramos en seguida en el elogio de nuestros poetas antárticos. Un cierto sentido generacional preside el criterio de la enumeración. No hay orden de méritos expreso. Sigue la misma escuela de Cervantes, cuando expresaba, como advertencia prelimi-nar al *Canto*: "os quiero advertir que no entendays que los primeros que nombrare son dignos de mas honra que los postreros, porque en esto no pienso guardar orden alguno" (*Canto de Calíope* II, 210). Sólo los méritos, las obras, validarán el testimonio y el elogio. El autor del "Discurso" lo anuncia casi a fines del canto:

> No porque al fin, Cristoval de Arriaga,
> 620   te ponga d'este Elogio, eres postrero;

No puede decirse que exista el sentido del paisaje en el "Discurso", pues si muchas de sus ideas son renacentistas, lenguaje y técnica prefiguran, como lo denunciará el estudio del léxico, el barroco. La única alusión al paisaje se ofrece cuando, recordando que la poesía hace provechosa la infancia (v. 667), adorna la virilidad (670) y consuela en la vejez (673), el poeta agrega:

> Da en lo poblado el gusto sin medida,
> en el campo acompaña, i da consuelo,
> i en el camino a meditar combida.
>
> De ver un prado, un bosque, un arroyuelo,
> 680   de oir un paxarito, dà motivo
> para qu'el alma se levante al cielo.

Versos que os colocan en el amable ambiente pastoril del Libro Primero de la *Galatea*:

> No tenia ni podia tener mas cuydados que los que podian nascer del pastoral officio en que me occupaua. Las seluas eran mis compañeras, en cuya soledad muchas vezes, combinando la suaue armonia de los dulces paxarillos, despedia la voz a mil honestos cantares[...] (I, 52).

Se escribe el "Discurso" en tierra antártica, en horas en que, como en ocio cortesano, entra el Perú literario en la época llamada de la siesta colonial. Se vive a través de él la lucha entre el tema renacentista que comienza a ponerse rancio, y el barroco, que busca abrirse camino, mientras que los dos hombres auténticamente renacentistas de América, el Inca Garcilaso y Alarcón, escriben páginas de limpio estilo clásico.

Aun cuando su *"patrimonio básico"* es el de "las poéticas filosóficas o pseudofilosóficas" (Frattoni 19, nota), conviven en esta primera preceptiva escrita en América la inspiración renacentista y el intrincado problema sintáctico del barroco; hay en la obra una lucha por la expresión, que pide capítulo nuevo, más amplio horizonte, más rigor. Y hay, más que ideas personales, un muy particular modo de decir. Ese es ahora el problema por resolver.

Organización del "Discurso"

Lo primero que necesita el autor del "Discurso" son los instrumentos del Canto, los elementos primeros, sustantivos: la mano y el favor de Cirene, el agua consagrada, la lira inspiradora, la "célebre armonía religiosa", el "platicar suave en llanto"; y, como resumen de todo, el verso de Homero. He ahí cuanto cualquier retórica habría pedido para exaltar a la poesía. Toda ella estaba sumida en literatura pagana, lo que haría que el verso panegírico fuera "grave y sublimado".

Es interesante anotar la gradación con que se va a dar el panegírico. Hasta que no haya reunido todos aquellos elementos, el autor no va a dar la cara en el "Discurso". Quiere llenarse de una desconocida voz, que pueda "dar espanto", hablar del "fuerte Aquiles" y tener el ingenio de Anfión; frente a la aniquilación de que siente amenazada a la poesía, busca el poeta reunir elementos capaces de eternizarla. Y sólo entonces da comienzo a la invocación, que irá creciendo en dramatismo hasta llegar a la súplica consiguiente: la distensión sintáctica ha acompañado esta solicitud del poeta.

Cinco son los tercetos con que se inicia la súplica de estos elementos; cada uno de ellos comienza por un sustantivo, preciso y esencial intrumento para el canto:

> 1   *La mano i el favor* de la Cirene
> 4   *I aquella lira* ......
> 7   *La celebre armonia* milagrosa
> 10   *El platicar suave*
> 13   *el verso* con que Homero eternizava

Sólo ahora, quince versos después, el verbo centra el deseo y pone fin a la tensión mantenida: *quisiera que alcanzaras*. Ha sido una dolorosa expectativa, porque la súplica ha salido de lo más hondo del poeta y ha terminado por ser, en el fondo, un diálogo consigo mismo: *quisiera qu'alcançaras, musa mia*.

Este tenso espectáculo que se ofrecía a los ojos del poeta (mano y favor, platicar suave, lira de Orfeo) se vuelve ahora dramático en la invocación a las oceánidas. Ya está en primer plano el poeta, como centro que es y se siente (responsable) del "Discurso": "*Aqui*, Ninfas d'el Sur, *venid ligeras*". La invocación parte también de un aquí, muy cercano al hablante, y va cobrando ritmo ascendente hasta llegar a Apolo. El tono reiterativo y dramático de la invocación está plenamente logrado con el recurso a la polisíndeton: ("I vosotras, Pimpleides...", "i pues toca a vosotras, venid presto", "I tú divino Apolo,..."). La deixis está repetida mentalmente en los imperativos que matizan la súplica: *venid ligeras, dadme vuestro socorro, dadme un vaso, venid presto, ven en un momento*. Si la súplica recoge la invocación ascendente, centraliza en torno del poeta la acción hasta hacer que a él vengan las musas y el propio Apolo. Pero este poeta, munido ya de los elementos necesarios y ungido con el favor apolíneo, repara en la realidad de Mexía. Pasa un instante del plano mitológico al real, del que saldrá bien pronto, llevado por otras necesidades del canto.

Este Mexía merece un comentario. Es un Mexía haciendo escuela en el Perú (vv. 44 y 45); y más, dejando huellas (*Tus huellas sigo, al cielo me levanto / con tus alas...*). Más que poeta, este Mexía parece preceptista, y lo que se aspira a celebrar en él no es lo que pueda tener realmente de creador y vate sino lo que aparenta de promotor y defensor del canto. Promotor como Apolo, que acoge y convoca a los poetas en el Parnaso, los premia o los rechaza. Con esa fuerza, *febada* suya, defiende la Anónima a la poesía, y se levanta al cielo.

Más que de inspiración, habría que hablar de compenetración de Mexía con el autor del "Discurso". Los cuatro tercetos en que se recurre a él (la última frase de la invocación) desarrollan entre ideas pronominales y adjetivas un cierto patetismo coloquial que halla expresión feliz en el posesivo pleonástico. Mexía está tan cerca del autor, siente tan propia su obra, que ya no nos extraña la reiteración:

> 40   Si, ô[h] gran Mexia, en *tu esplandor m'*inflamo
>   si *tu* eres *mi* Parnaso, *tu mi* Apolo,
>   para qu'a Apolo, i al Parnaso aclamo?

Tu en el Piru, *tu* en el Austrino Polo,
eres el Delio, el Sol, el Febo santo;
45 sè, pues, *mi* Febo, Sol y Delio solo.

Tus huellas sigo, al cielo *me* levanto
con *tus* alas: defiendo a la Poesia,
Febada *tuya soy*[,] *oye mi* canto

Tu me diste precetos, *tu* la guia
50 *me* seràs, *tu* qu'honor eres d'España [...].

Este conglomerado de cultismos, típico de un lenguaje académico universitario, constituye el fondo del que surge Mexía, como un austro, un viento de amanecida, que alumbra como un sol y en cuyo esplendor ha de inflamarse el poeta.

Esto de elevarse al cielo es empresa gigantesca. Pero es que hay que ver a la poesía desde lo alto. Hazaña grande; superior a la de escalar un monte (el renombrado Etna), hazaña de mujer, de araña que se eleva sutilmente, tejiendo y entretejiendo su destino, a pesar de su estructura deleznable. Reparemos en el contraste. Fuerza de monte y fuerza de araña; hazaña de hombre (escalar el monte) y hazaña de mujer.

Como Apolo tiene soldados (escuadrón, ejército de Apolo), y como Mexía es su émulo, si Fébada se sintió cuando lo tuvo por sol, ahora que lo siente poderoso no ha de tener duda en convertirse en su soldado. Qué afirmación. Parece muy poco lo de ser Fébada (cosa quizá demasiado abstracta); menos consistente lo de ser araña; pero es tal la firmeza, tal la inquietud de la acción y la cruzada, que ya se siente el poeta con fuerza y empuje de soldado. Ver a la fe en quiebra hizo soldados en la Edad Media a los cruzados. Ver a la poesía en crisis, pisoteada por el vulgo (el enemigo vulgo) hará soldados a quienes de la poesía se enajenan. Soldado, para hacer frente a la guerra, que afrenta y mata; la gloria será ver triunfar a la poesía (la vencedora), que en esta conjunción de términos (*guerra, amenaza, muerte, afrenta*) resulta la más débil, la menos fuerte:

Que en *guerra* qu'*amenaça afrenta*, o *muerte*,
serà mi triunfo tanto mas glorioso
60 cuanto la *vencedora* es menos *fuerte*.

Luis Alberto Sánchez ve en este último verso un testimonio de la femineidad de la Anónima, asunto ajeno, como he dicho, a mis propósitos. Si la guerra es el caos, la serenidad, como la poesía, terminará por triunfar siempre del caos. El caos es lo primero. El peligro del caos empuja a la cruzada. Después llegará la hora del triunfo: la serenidad, el hombre, la creación; la poesía, después. Porque la poesía es la perfección, la recreación de las cosas a imagen y semejanza de Dios. Estamos en el instante en que el periplo del "Discurso" comienza a bordear la esfera de lo milagroso. El mundo; mapa mila groso. El hombre, imagen milagrosa. Milagrosa empresa la de la poesía.

Recapacitemos: para ver llegado el momento en que la poesía impere en el universo, hay que comenzar por el caos. Y qué bien encaja, en esta síntesis de lo caótico que elude la enumeración, el adverbio *después*. Después que Dios dispuso el límite de las cosas y fijó los signos celestiales y concordó los elementos, para dar unidad a esta copia de creaciones suyas, *recopiló* el orbe entero en el hombre. Qué bien conseguido está el clima abrumador de lo caótico, la entrada en el caos, de la mano del adverbio y la conjunción:

> *Despues* que Dios con braço poderoso
> dispuso el Caos, *y* confusion primera,
> formando aqueste mapa milagroso;

> *Despues* qu'en la celeste vidriera
> 65 *fixò* los Signos, *i* los movimientos
> del Sol *compuso* en su admirable Esfera;

> *Después* que concordò los elementos
> *i* cuanto en ellos ai, dando preceto
> al mar que no rompiese sus assientos;

Y cómo se va, paulatina pero seguramente, mediante la progresión verbal desde el primer momento en busca del plano superior y en procura de la concordancia, de la armonía (*dispuso* el caos, *fixò* los signos, *concordò* los elementos). Ya se camina hacia el sentido de la recopilación en el hombre. Recopilar es ahora el puntual quehacer; Dios no hizo al hombre como una de tantas criaturas, lo concibió como *recopilación*. Y fue la del hombre milagrosa imagen (creada por el milagro, y milagrosa tal vez por ser imagen de su creador), la consumación de la obra divina. En el hombre epilogó Dios la suma de todo lo creado. Y como lo sintió a la par de él, munido de sus perfecciones, le dio imperio, le otorgó honores, lo hizo casi Dios. Le infundió, además, ciencias y artes liberales, y encerró todas esas virtudes (desde entonces naturales en el hombre) en un don que por celestial era eminente. La poesía, la perfección, en la eminencia, en la cumbre; término de las ciencias, fuente de las artes donde las ciencias abrevaban y a la que ellas concurrían y de la que en buena cuenta derivaban. La poesía, fuente de donde todo mana. *Fuente* quiere decir *manantial*. Pero no le dio Dios al hombre el poder de ser él también generador de fuentes; le dio solamente el instrumento para acercarse, para servirse de ella. "El dallo" lo reservó Dios para sí mismo. Poder divino el de la poesía, que sólo a Dios estaba reservado; el hombre podía gozarla, enseñarla, difundirla, pero no revelarla. El secreto era atributo del poder divino, era un don celestial. Y en el dulce y sabroso metrificar estaba el signo de este don inmenso. ¡Y todo con sólo frágil tierra y nada más que con barro quebradizo por elemento!:

70   *Recopilar queriendo* en un sujeto
     lo que criado abia al hombre hizo
     a su similitud, qu'es bien perfeto.

     De frágil tierra, i *barro quebradizo*
     fue hecha aquesta imagen milagrosa,
75   que tanto al autor suyo satisfizo:

     I en ella con su mano poderosa
     epilogò de todo lo criado
     la suma, i lo mejor de cada cosa

. . . .

     Quiso que aqueste *don* fuesse una *fuente*
     de todas cuantas artes alcançase,
90   *i más que todas ellas ecelente*;

     de tal suerte, *qu'en él se epilogase*
     la vmana ciencia, i ordenò qu'*el dallo*
     a solo el mesmo Dios se reservase;

     Que lo demas *pudiesse* él *enseñallo*
95   a sus hijos, mas que este don precioso
     solo el que se lo dio pueda otorgallo[56].

Ciencias y artes terrenales aparecen perfeccionadas por la poesía. Quien no es diestro en ciencia y arte no merece llamarse poeta. Estamos frente a la primera sentencia, que viene dicha como revelación tras dos preguntas inquietantes. ¿Cuál es este don, que, cual el mar, comprehende y cierra a cuanto acá en la tierra dice de ciencia y arte? El poeta se preocupa por recurrir a un óbelo tipográfico para resaltar la sentencia (una mano, con el índice orientado hacia el primer verso). Cada vez que aparezca una sentencia como remate de versos anteriores, aparecerá en el "Discurso" este óbelo indicador, procedimiento que se cumple también, verdad que sin la constancia del "Discurso", en las traducciones de Ovidio que le siguen. Y la sentencia dice que no habrá poeta consumado: la preceden infinitivos que explican la razón de la sentencia misma y guardan su estricta fuerza significativa: no interesa tanto que pueda estar cifrado todo el saber en un hombre sino que importa subrayar lo imposible y lo inútil de tal conjetura: el *no poder ser*:

     Y por *no poder ser* qu'estè cifrado
110 todo *el saber* en uno sumamente,
     no puede aver poeta consumado

     Pero seralo aquel mas ecelente,
     que tuviere mas alto entendimiento,
     i fuere en mas estudios eminente.

---

[56] Tauro coloca entre comas "que se lo dio" y toma el artículo por pronombre. Respeto la puntuación original, que casa mejor con el sentido del tono general del terceto.

Estamos en la gran discusión. En el Diálogo Primero de *El arte poética* de Sánchez de Lima, Calidonio dice, entre otras cosas, a Silvio: "Y a lo que algunos dizen que la Poesia se adquiere con el estudio de las letras, y que de otra manera no puede ninguno ser Poeta: a esso respondo, q[ue] Montemayor fue hombre de grandissimo natural" (f. 23 r). Y en otro pasaje del diálogo, el mismo Calidonio: "… para lo qual, aueys de saber, que la Poesia es la que mata la necedad, y destierra la ignorancia, auiua el ingenio, adelgaza y labra el ente[n]dimiento, exercita la memoria, ocupando el tiempo el Poeta en studiosas, y altas consideraciones, tratando conceptos muy subidos, mezclando el agradable y dulce estilo, co[n] lo prouechoso y muy sentido" (f. 25 r).

Para encarecer las virtudes de este don que acaba de revelársele, el autor del "Discurso" necesita hacer su panegírico. ¿Se originó en "el suelo", tiene acá en la tierra su fundamento? ¿Es cosa divina o cosa terrenal? Juega el poeta en sus rimas con *suelo* y *tierra*, que no es cosa de extrañar[57]:

> 115 Pues ya de la Poesia el nacimiento
> i su primer origen fue en el suelo?
> o tiene aca en la tierra el fundamento?

Y entramos en la parte del "Discurso" en que los juegos de palabras –muchos de ellos tópicos en su hora– van a dar, aunque escasos, la nota singular: los espíritus celestiales que celebran a Dios con un *Trisagros trino,* / qu'al *trino, i uno siempre estan cantando*; o sea, compusieron el trisagio jubilosos para cantar a quien es *uno en tres* (el trino y uno) personas. Y en seguida, los distintos valores que cabría aislar en la voz *conceptos*, desde la acepción de *prestigio* hasta la de *pensamiento*:

> I como la Poesia al ombre vino
> 125 d'espiritus angelicos perfetos,
> que por *concetos* hablan de contino:

> Los espirituales, los discretos
> sabran mas de Poesia, i serà ella
> mejor mientras tuviere mas *concetos.*

Esta ha sido la segunda sentencia. Frente a la primera, que había sido negativa, (no puede haber poeta consumado), está ahora ésta afirmando e insistiendo en la afirmación: *sabrán más, y será ella mejor.* Pinciano y el propio Cueva han venido informando hasta

---

[57] Las citas serían inacabables. Cf. Gil Vicente, *Templo d'Apolo* (164):

> Apolo: De Dios estoy espantado
> poner la *tierra* en el *suelo*;
> ....
> Porque hubiera de ordenar
> todo el mundo de otro pelo:
> los ángeles *acá en el suelo,*
> y los peces en el cielo […].

ahora al autor, aparte de lo ya señalado en Sánchez de Lima, y de cuanto cabría anotar respecto de otras preceptivas de la hora.

Descubre el poeta a la poesía en el paraíso, encarnada en Adán del mismo modo como el sol derivaba su luz en las estrellas (vv. 130 a 132). Cree que las primeras canciones debieron serlo de gratitud y hasta aventúrase a adivinar la compañía de Eva en la melodía. Hasta que vino el contraste con la realidad del pecado. El hombre se encuentra de improviso entre pedazos de tierra compacta, "comiendo con sudor". Es el *multo sudore* de la *Eneida* (IX, 459), los trabajos y fatigas, de tan larga tradición grecolatina. Frente al panorama paradisíaco, no hay frente al hombre más perspectiva que la reja y el arado, la muerte, la tristeza, la pasión. Estamos en el clima que Satanás veía propicio en el *Auto da História de Deus*, que Gil Vicente compuso en 1527:

> Ja são derrubados
> Adão e Eva os primeiros casados,
> voltas as vodas em pranto mui forte,
> o gõzo em lagrimas, a alegria em morte,
> a vida em suspiros, prazer em cuidado,
> ventura sem sorte.
>
> He ja convertida esperança em temores,
> em pena tamben a seguridade,
> repouso en *suor*, o a liberdade
> deixo-a captiva em vivas dolores;
> e o paraiso
> lhes fica bem longe do seu pouco siso,
> e he pera rir de seu desatino:
> porque o fruito era pequenino,
> e pera fazerem tal regno diviso
> não era tão fino.
>
> Porém crede vós que são destruidas
> duas criaturas mui maravilhosas,
> muito acabadas, e tão graciosas,
> que tardo verão outras taes nascidas.
> Emfim que, Senhor,
> *comerão seu pão com grande suor*,
> seu mal tem ja certo, o bem duvidoso
> (*Obras completas* II, 177–78).

Muy sobrio ha sido el cuadro del poeta; las pinceladas necesarias y el repertorio de palabras escogido:

> 140   Y viendose despues entre terrones,
> comiendo con sudor por el pecado,
> i sujeto a la muerte, i sus passiones:
>
> Estando con la rexa, i el arado,
> qu'Elegias compornia de tristeza,
> por verse de la gloria desterrado.

Y "estando con la reja" el hombre, y viéndose "comiendo con sudor", entró la *rudeza*. El terceto se carga de exabruptos: frente a *ignorancia*, no dice "brutalidad", sino *bruteza* (cf. Cueva IX, 186):

> 145   *Entrò* luego en el mu[n]do la *rudeza*
> con la culpa; hincheron las *maldades*
> al hombre *d'inorancia*, i de *bruteza*.

Y es tal la fuerza, tal el ímpetu con que la rudeza actúa, que el mundo queda instantáneamente *dividido*: los que se dieron a Dios y los que se dieron "a sus iniquidades" (v. 150). La gente que siguió el bando de Dios heredó toda ciencia y tuvo en gran reverencia a la poesía, como que la sabía obra celestial (*vid. supra*, versos 94 a 96):

> La que siguio de Dios el vando, i seña,
> toda ciencia eredò, porque la ciencia
> fundada en Dios al mesmo Dios enseña.
>
> Tuvo tambien, i en suma reverencia
> 155   al don de la Poesia, conociendo
> su grande dinidad, i su ecelencia.

Y se entra en los temas bíblicos, en el *Libro de los Jueces*, después de haber pasado por el *Éxodo*, y en el *Libro de Samuel*. Para caer después en un tema repetido por las retóricas y los comentaristas contemporáneos, los salmos de David:

> 175   El Rei David sus salmos componia,
> i en ellos d'el gran Dios profetizava,
> de tanta magestad es la Poesia.
>
> El mesmo los hazia, i los cantava:
> i mas, que con retoricos estremos
> 180   a componer a todos incitava,
>
> Nuevo cantar a nuestro Dios cantemos
> (dezia,) i con templados instrumentos
> su nombre bendigamos, i alabemos.
>
> Cantalde con dulcissimos acentos
> 185   sus maravillas publicando al mundo,
> i en el depositad los pensamientos.

Vale traer a colación este fragmento del Diálogo Primero del tantas veces citado *Arte poética* de Sánchez de Lima, donde Calidonio dice:

> Y assi en la Poesia se tratan cosas celestiales, y en ella escriuio el Real propheta Dauid, y el sapientissimo rey Salomon hizo sus Canticos y otras muchas cosas, como claramente parece en los diuinos Officios, que por los sagrados Doctores han sido ordenados: De suerte, que tanto en el viejo, como en el nueuo testamento, siempre Dios nuestro Señor mostro agradarse mucho de la Poesia: y assi dize el Psalmista. *Cantate Dominum canticum nouum, quia mirabilia fecit*. De manera q[ue] Dios nuestro señor escogio para si esta manera de alabança, y gusta della q[ue] quiere que so pena de graue pecado, ningún sacerdote dexe de alabarle cada dia[...] (ff. 25 v. y 26 r.).

Este tránsito por la *Biblia* va a terminar en la Virgen María; la versificación se empobrece, para hacerse monótona en los tercetos siguientes, que entran en el Nuevo Testamento. Un breve paso por Paulino y el hispano Juvenco coloca al "Discurso" en el terreno de los modernos; de ellos calla "a Mantuano, a Sannazaro, a Fiera". A propósito de este terceto, Tauro hace algunas aclaraciones, en cuya rectificación debo insistir. Se pregunta si cuando el autor se refiere a "Fiera" querrá recordar "la comedia pastoril de Miguel Angel, quien, aparte de ser escultor y pintor, llevó a la poesía un fino erotismo y presentó en dicha obra a los vivaces e ingeniosos campesinos de la Toscana". Agrega que la comedia consta de cinco jornadas, con cinco actos cada una. Sí, son cinco la jornadas y cinco también los actos de la comedia a que Tauro se refiere. Pero su autor es Miguel Angel el joven (1568-1646). La comedia fue representada parcialmente en 1619 y publicada solamente en 1726; en 1860 vuelve a aparecer, anotada por Piero Fanfani (cf. Matalía; también mi "Reseña" 155). Aparte de ello, y admitiendo que haya errata –cosa muy improbable– podría colocarse entre las posibles lecciones la de *Faria*, sabiendo que don Francisco de Faria tradujo (Madrid, 1606), el *Robo de Proserpina*, que dedicó al Duque de Sessa (*Viaje del Parnaso*, III, 152). Pero la misma fecha, seguramente posterior al "Discurso" obligaría a descartarla.

Hasta aquí ha tratado el "Discurso" de los que se entregaron al bando de Dios y siguieron sus señas (vv. 151 a 240). Ahora dedica su atención a la otra parte:

> De la parcialidad que desasida
> quedò de Dios, negando su obediencia,
> 243   es bien tratar, pues ella nos combida.

Como no había ciencias ni doctrina alguna, no hubo para los réprobos más ley que "el propio gusto y apetito". Y Dios, para poner calma y serenidad y derrotar a la crueldad del sanguinario y a la soberbia del arrogante.

> Dio al mundo (indino d'esto) los Poetas
> 260   a los cuales filosofos llamaron,
> sus vidas estimado por perfetas.
>
> Estos fueron aquellos, qu'enseñaron
> las cosas celestiales, i l'alteza
> de Dios por las criaturas rastrearon:
>
> 265   Estos mostraron de naturaleza
> los secretos; juntaron a las gentes
> en pueblos, i fundaron la nobleza.
>
> Las virtudes morales ecelentes
> pusieron en preceto; i el lenguaje
> 270   limaron con sus metros eminentes.

Otra vez Sánchez de Lima, por boca de Calidonio, en el ya aludido Diálogo Primero (ff. 27 v. y 28 r). De aquí, sigue discurriendo el "Discurso", "tuvo principio[...] decir que Orfeo" mudaba árboles y peñas. Y estamos frente a otro tema, ya recordado anteriormente; el de Orfeo. Leemos en el *Arte de poesía castellana*, de Juan del Enzina:

> Y no en vano cantaron los poetas, que Orfeo ablandaua las piedras con sus dulces versos, pues que la suauidad de la poesia enternecia los duros coraçones de los tiranos (en Menéndez y Pelayo, *Historia de las ideas* I, 154).

Y agregamos a los ejemplos anteriormente citados, éste del soneto que Góngora escribe en 1583 para Juan Rufo, jurado de Córdoba:

> . . . .
> Haga, pues, tu dulcísimo instrumento
> bellos efectos, pues la causa es bella;
>
> que no habrá piedra, planta, ni persona,
> que suspensa no siga el tierno acento,
> siendo tuya la voz, y el canto de ella.

Caemos otra vez en la mención escrituraria (Jove) como para no desmentir a Santillana cuando afirmaba repitiendo a Cassiodoro que "todo modo e manera de poesía o poetal locución e fabla, toda variedad ovo e ovieron comenzamiento de las divinas Escrituras". De ahí deriva el autor su concepción: de acuerdo con la etimología, *poetizar* es *hacer*.

Hay que caer en Santillana, en el *Prohemio* famoso al Condestable de Portugal, para beber en vieja fuente lo que el "Discurso" recrea, porque allí podremos hallar tal vez buena razón para discrepar de Tauro respecto del Mantuano citado en el "Discurso", y a quien él tiene por Bautista Mantovano; ¿por qué no el Sordello Mantuano cantado por Dante, y recordado por Santillana? (*loc. cit.*). Y hasta el mismo cortar brusco la enumeración de las "estorias antiguas, para allegarnos mas cerca de nuestros tiempos" de Santillana, parece conciliarse con los propósitos del "Discurso" de enfrentarse, de pronto, con los modernos.

La tercera sentencia del "Discurso" está bebida en los mismos textos:

> I assi el que fuere dado a todo vicio
> 290 Poeta no serà, pues su instituto
> es deleytar: i dotrinar su oficio.

Y se hunde el "Discurso" en la antigüedad; ha abandonado el marco de lo moderno para reiniciar el recorrido desde una perspectiva histórica, ahora en un tono de narración, respaldado por el pretérito y el tono misterioso de conseja: "Fue en aquel siglo...". Estamos entre un mar de lugares comunes. La poesía está colocada entre los montes del Parnaso (quizá sean los alegóricos que aparecen en la portada de la Primera, 1608, y la Segunda Parte de la obra de Mexía), antes que los de Potosí, como se pretende, y de ella desciende la inspiración a los poetas; sin esa inspiración el poeta no dará paso alguno para llegar a gozarla:

> Fu'en montes consagrados colocada,
> 305   en Helicon, en Pimpla, i en Parnaso,
> donde a las Musas dieron la morada.

> Fingieron que si al ombre con su vaso
> no infundian el metro, era imposible
> en la Poesia dar un solo paso.

En esa misma cumbre había colocado Garcilaso de la Vega a doña María de Cardona, la "gentil poetisa", cuando le ofrendó el soneto XXIV:

> Ilustre honor del nombre de Cardona,
> décima moradora del Parnaso,
> a Tansilo, a Minturno, al culto Taso
> sujeto noble de inmortal corona;

> 5   si en medio del camino no abandona
> la fuerza y el espirto a vuestro Laso,
> por vos me llevará mi osado paso
> a la cumbre difícil de Helicona (II, 226).

En el citado *Templo d'Apolo* de Gil Vicente, la fama, entrando en el templo de Apolo, le dirige esta oración, pidiendo inspiración divina:

> Pues de ti, Dios, tanta gracia mana,
> aumenta victoria de bien en mejor,
> dame mil lenguas, que cuente, señor,
> las gracias de mi Señora soberana.
> (*Obras completas* IV, 174)

Antes de entrar en los latinos, se nos ofrece la cuarta sentencia del "Discurso":

> 310   Porqu'aunque sea verdad, que no es fatible
> alcançarse por arte lo qu'es vena,
> la vena sin el arte es irrisible.

Y estamos otra vez con Santillana y con Sánchez de Lima: será siempre Calidonio en el Diálogo Primero: "A esso respondo, que lo q[ue] el vulgo llama vena, no es otra cosa, sino vn natural bueno e inclinado a la Poesia, y este natural tiene qual mas, qual menos: y otros no tienen ninguno" (f. 23 r.), "[...] Assi que queda concluydo, q[ue] vena Poetica no es otra cosa, saluo vna natural inclinacio[n] q[ue] los ho[m]bres tienen y esta les crece y mengua" (f. 23 v.).

Evoca en seguida el "Discurso", como Lope en su *Cuestión* de 1602, a Tulio, Aristóteles, Enio y Estrabón; recuerda que Roma coronaba a los poetas con las mismas palmas que otorgaba al vencedor. Y entona la alabanza de la poesía, evocando "sus excelencias" y su prestigio entre monarcas, reyes y señores:

> 340   De monarcas, de Reyes, de señores,
> sujetaste los cetros, i coronas
> al arte, la mayor de las mayores.

"No faltaron también monarchas, Emperadores y Reyes en el mundo que tuuieron mucha afficion a la Poesia" se lee en el Diálogo Primero de Sánchez de Lima (f. 26 v.).

Hasta el verso 501 vaga el "Discurso" por entre poetas antiguos de la latinidad, y por el camino de España (vv. 460 y ss.) tiende el puente a las antárticas regiones, asombrado su autor de que el discurso se haya tornado tosco, prolijo y molesto, cosa que es cierta. Se entra en la enumeración de los poetas avecinados en América. Y el comentario debe detenerse acá, porque el tema forma parte de otro estudio que tengo en preparación.

Sale del Perú el "Discurso" (v. 631) para refugiarse nuevamente en el pasado, ahora en el siglo VI: va a recoger nuevo aliento para su ya cansada inspiración. Hay que reiterar las cualidades y los beneficios de la poesía. Lo dice ahora el autor en una nueva sentencia, reforzada en la edición con nota marginal y óbelo tipográfico, y anticipada ya en el Prólogo y en los versos 290 y 291:

> Serà una cosa tanto mas preciada[58],
> i de mas *importancia*, cuanto fuere
> 645   mas provechosa, i mas aprovechada.

Y sigue la enumeración de los elementos esenciales: el sol (v. 646), la tierra (v. 649), los vegetales y sus frutos (v. 652), la hormiga (v. 656), cada arte, cada ciencia (v. 658), es decir, lo útil. El poeta ha necesitado desarrollar lentamente la idea de la utilidad porque le interesa hablar ahora de la utilidad de la poesía, recogiendo ideas de Pinciano, de los preceptistas; en esta enumeración de elementos importantes (*"Es de importancia* el sol..." [v. 646], "La tierra *es de importancia...*" [v. 649], "Todos los vegetales por sus frutos / *son de importancia*" [v. 652)], "No sólo *es de importancia* un elemento, / mas una hormiga..." [v. 655], "Cada arte *importa, importa* cada ciencia" [v. 658]); la importancia de la poesía cobra gran énfasis:

---

[58] Cf. vv. 290 y 291: "poeta no será, pues su instituto / es deleitar, i dotrinar su oficio". Tauro recuerda (*Esquividad* 85) las palabras del *Prólogo* de Mexía: "la Poesia que deleita, sin aprovechar con su doctrina, no consigue su fin como lo afirma Horacio en su Arte, y, mejor que él, Aristóteles en su poética", pero nada dice respecto del antecedente de estos dos versos, para mí innegable. La nota marginal, que se da en el f. 22 v. de la edición *princeps*, y que Tauro reproduce, reza: "No basta una/ cosa, para/ ser importante que sea de/ provecho, si/no que poda/mos aprove/charnos de/lla".

Es la Poesia un pielago abundante,
665   de provechos al ombre: i su *importancia*
no es sola para un tiempo, ni un instante.

Tres tercetos enumeran en seguida las ventajas de la poesía en la niñez, en la virilidad y en la vejez; otros tres descubren la función de la poesía en la ciudad y en el campo (¡Ah, cómo están silenciosos Fray Luis de León y Fray Antonio de Guevara en lo más hondo de estas reflexiones!). Pero no hemos salido aún del mundo en que nos habían colocado los versos anteriores (664-666), que era el de Enrique de Villena: "Tanto es el provecho que viene desta dotrina a la vida civil quitando ocio, o ocupandolos generosos ingenios en tan honesta investigación, –dice en su *Arte de trovar*– que las otras nasciones desearon e procuraron haver entre sí escuela desta dotrina. E fue por eso ampliada por el mundo en diversas partes".

El panegírico de la poesía (mejor, del lenguaje poético) se dedica a recorrer los campos diversos en que la poesía cumple su oficio de doctrinar y aprovechar. Y el "Discurso", iniciado con una invocación pagana, pidiendo los elementos esenciales del verso, termina en otra invocación, ahora a la misma poesía: siete son los tercetos que colocan en primer lugar a la poesía; la construcción sintáctica normal centra en el pronombre *tú* toda la tensión de la invocación y concentra en ella lugares comunes de la época: pinta la poesía el horror de la guerra (Ercilla y el *Arauco Domado*, quizá los recuerdos más patentes del poeta); encumbra a las virtudes (no se olvida el *Isidro* de Lope, que ve nueva edición en 1603); alivia las penas, da consuelo al ánimo afligido (¡ah, Garcilaso, Cervantes, los temas pastoriles!), resulta "el puerto al mar embravecido / de penas, donde olvida sus tristezas / cualquiera que a tu abrigo se ha acogido" (¿cómo no iba a ser la tradición desembocando en Fray Luis?); los hechos de armas (Fernando de Herrera); dibuja la hermosura de las damas (*La defensa de damas*, de 1603); explica los "intrínsecos concetos" (las copiosas preceptivas). Ya está colocada en la cumbre la poesía, y no hay lengua que la pueda cantar. El poeta está cansado, y ahora que puede gozar en eternidad a la poesía, comprende que su ofrenda es pobre de ingenio y henchida de deseo. Centra su atención nuevamente en Mexía, que fue el inspirador del canto, para que enmiende metro y voz. Los últimos tercetos son sosegados, lentos, refrenados.

Bibliografía

Anónimo. *El Lazarillo de Tormes*. Estudio y edición de Luis Jaime Cisneros. Buenos Aires: Editorial Kier, 1946.

Argote de Molina, Gonzalo. *Discurso sobre la poesía castellana*. En Menéndez y Pelayo, *Obras completas* XX (*v. infra*).

Bataillon, Marcel. *Erasmo y España*. México: FCE, 1950.

Burckhardt, Jacob. *La cultura del Renacimiento en Italia*. Buenos Aires: Losada, 1942.

Casalduero, Joaquín. *Sentido y forma del "Quijote"*. Madrid: Ediciones Insula, 1949.

Castellanos, Juan de. *Elegías de varones ilustres de Indias*. Madrid: Atlas, 1944.

Castro, Américo. *El pensamiento de Cervantes*. Madrid: Impr. de la Librería y Casa Editorial Hernando, 1925.

Cervantes, Miguel de. *Viaje del Parnaso*. Edición de Fco. Rodríguez Marín. Madrid: C. Bermejo, impresor, 1935.

-----. *La Galatea*. Edición de Rodolfo Schevill y Adolfo Bonilla. 2 vols. Madrid: Rodríguez, 1914.

-----. *Don Quixote de la Mancha*. Edición de Rodolfo Schevill y Adolfo Bonilla. 4 vols. Madrid: Gráficas Reunidas, S.A., 1928-1941.

Cisneros, Luis Jaime. "Reseña" a *Esquividad y gloria de la Academia Antártica*, de Alberto Tauro del Pino. *Filología* III (Buenos Aires, 1951): 152–58.

Cueva, Juan de la. *Ejemplar poético*. Edición, introducción y notas de Francisco A. de Icaza. Madrid: Clásicos Castalia, 1941.

-----. *Viaje de Sannio*. En F. A. Wulff. *Poèmes inédits de Juan de la Cueva*, vol. I. Lund: C. W. K. Gleerup, 1887. 1–62.

Irsay, Stephen d'. *Histoire des universités francaises et etrangeres des origines à nos jours*. París: A. Picard, 1933-1935.

Enzina del, Juan. *Arte de la poesía castellana*. En *Historia de las ideas estéticas en España*, de Marcelino Menéndez y Pelayo, vol. I (*v. infra*).

Eguiguren, Luis Antonio. *La universidad en el siglo XVI*. Lima: UNMSM, 1951.

Foulché-Delbosc, Raymond, ed. *Cancionero castellano del siglo XV*. Madrid: Bailly-Baillière, 1912-15, 2 vols.

Frattoni, Oreste. *Ensayo para una historia del soneto en Góngora*. Buenos Aires: Instituto de Filología Románica, 1948.

Gallardo, Bartolomé José. *Ensayo de una biblioteca española de libros raros y curiosos*. 4 vols. Madrid: Rivadeneira, 1863.

Gutiérrez, Juan María. "Dos virjinidades [sic.]. Poetisas americanas". *El Correo del Perú* 32 (Lima, 1875): 258–59.

Henríquez Ureña, Pedro. *Historia de la cultura en la América hispánica*. México: FCE, 1947.

-----. *Las corrientes literarias en la América hispánica*. México: FCE, 1949.

Herrera, Fernando de. *Poesías*. Ed. y notas de Don Vicente García de Diego. Madrid: Ediciones de "La Lectura", 1914. Serie Clásicos Castellanos, 26.

Ibarra, Juan de. *Encomio de los ingenios castellanos*. Madrid: Francisco de Lyra, 1623. Biblioteca Nacional de Lima, Colección Zegarra, CXXVIII, 3.

León, Fray Luis: *De los nombres de Cristo*. Edición y notas de Federico de Onís. 3 vols. Madrid: Ediciones de "La Lectura", 1914-1938.

Leonard, Irving A. "La lectura recreativa en la América española". *Boletín Unión Panamericana* s/n: 145–51.

López Estrada, Francisco. *La Galatea de Cervantes. Estudio crítico*. La Laguna de Tenerife: Universidad de La Laguna, 1948.

López Pinciano, Alonso. *Filosofía antigua poética*. Edición de Pedro Muñoz Peña. Valladolid, 1894.

Marasso, Arturo. "Humanismo de Lope de Vega". B.A.A.L. IV (1936). [Recogido en *Estudios de Literatura Castellana*. Buenos Aires: Kapelusz, 1955. 186–214].

Matalía, Daniel. "La fiera". En *Dizionario letterario Bompiani delle opere e dei personaggi di tutti i tempi e di tutte le letterature*. 9 vols. Milán: Bompiani, 1947. Vol. III, 389–90.

Menéndez y Pelayo, Marcelino. *Obras completas*, vol. XX, Santander: CSIC, 1941.

-----. *Historia de las ideas estéticas en España*. Madrid: Espasa-Calpe, 1943.

-----. *Orígenes de la novela*. 4 vols. Santander: Aldus, 1943.

Morales, Ambrosio de. "Discurso sobre la lengua castellana". Córdoba, 1585. En *Las apologías de la lengua castellana en el Siglo de Oro*. José Francisco Pastor, ed. Los Clásicos Olvidados, VIII. Madrid: Compañía Iberoamericana de Publicaciones, 1929.

Nebrija, Antonio de. *Gramatica castellana*. Texto establecido sobre la ed. "princeps" de 1492 por Pascual Galindo Romeo y Luis Ortiz Muñoz, con una introd., notas y facsímil. Prólogo del Sr. D. José Ibáñez Martín. Madrid, 1946.

Sánchez de Lima, Miguel. *Arte poética en romance castellano*. Alcalá de Henares: En casa de Juan Iñiguez de Lequerida, Año 1580.

Tauro del Pino, Alberto. *Amarilis indiana*. Lima: Ediciones Palabra, 1945

-----. *Esquividad y gloria de la Academia Antártica*. Lima: Editorial Huascarán, 1948.

Torre, Francisco de la. *Poesías*. Ed. de Alonso Zamora Vicente. Madrid: Espasa-Calpe, 1944. Clásicos Castellanos, 124.

Vega, Lope de. *La hermosura de Angélica*. Edición de José Bergua. Madrid, 1935.

Vicente, Gil. *Templo d'Apolo*. En *Obras completas*, IV. Con prefacio y notas del Prof. Marques Braga. 6 vols. Lisboa: Sa da Costa, 1942-1944.

El "Discurso en loor de la poesía", carta de ciudadanía del humanismo sudamericano*

Alicia de Colombí-Monguió

Para Antonio Cornejo Polar,
paladín de Clarinda

El discurso humanista es, por esencia, un discurso mediatizado desde sus géneros y subgéneros hasta su lengua. Lengua culta, siempre determinada por la intervención contextual y subtextual de otro discurso subyacente. Tal mediatización impregna tanto significados como significantes, y determina el discurso erudito del humanismo en todos sus aspectos. En América se lo encuentra muy a menudo potencializado por muchos, diversos y complejos factores, es decir mediatizado en grado altísimo. La amplitud y la generalización de tal discurso en nuestro hemisferio me parecen síntoma de una necesidad urgente en la comunidad cultural. A mi juicio, este imperativo tiene en América una doble ladera, que creo poder delinear con dos palabras: la necesidad de pertenecer y la de poseer.

El discurso humanista resulta de inmediato identificable por sus vehículos literarios: los subgéneros donde se explaya en poesía o en prosa. Fueron éstos usados deliberadamente como carta de presentación que define tales obras como humanistas, implícitamente exigiendo ser aceptadas, entendidas y juzgadas desde los valores de los *studia humanitatis*. Cuando Clarinda, la Anónima Peruana, escribe su "Discurso en loor de la poesía", está señalando la filiación de su obra desde los mismos umbrales del poema; se trata no sólo del elogio sino de la *defensa de la poesía*, "ya qu'el vulgo rústico

---

* Apareció originalmente en *Mujer y cultura en la colonia hispanoamericana*. Mabel Moraña, ed. Pittsburgh: Instituto Internacional de Literatura Iberoamericana, 1996. 91–110.

perverso / procura aniquilarla" (vv. 19-20) [1] como se declara desde los tercetos preliminares. Más adelante, en la invocación a Diego Mexía define el género de su labor sin mayores vueltas: "defiendo a la Poesía" (v. 47), para casi de seguido insistir en la causa y razón de su "Discurso":

> Mas el grave dolor que me'a causado
> ver a Elicona en tan umilde suerte,
> me obliga a que me muestre tu soldado.
>
> Que en guerra qu'amenaça afrenta, o muerte
> serà mi triunfo tanto mas glorioso
> cuanto la vencedora es menos fuerte (vv. 55-60).

El "Discurso", contemplado desde la mira de uno de los ejemplos más tempranos, venerables y difundidos de su especie, el de Giovanni Boccaccio en el penúltimo capítulo de su *Genealogia Deorum Gentilium* [2] muestra a las claras la indudable estirpe humanista del subgénero literario a que pertenece, subgénero que a su vez señala el verdadero alcance de la obra. Boccaccio, apenas terminado el parlamento inicial, comienza el ataque al "inetto vulgo", confrontándolo a los "dotti", los doctos. Por su parte la peruana también alude al enemigo vulgo al comienzo de su obra, para más adelante indicar que la poesía que defiende es la de "los dotos poetas" (v. 337)[3].

Clarinda se siente imprescindible paladín de la poesía, y procede a usar metáforas militares para definirse como "soldado" suyo, y para caracterizar como mortal "guerra" la situación en que acomete la empresa. Semejantes figuras no las encontró nuestra Anónima en los usuales panegíricos a la poesía, ya que ni las requerían ni las acomodarían fácilmente. Muy otra cosa ocurre en una *defensa* con su implicación de ataque y contraataque que reclama imágenes bélicas, las cuales, claro está, abundan en los modelos humanistas. Después de hablar de los enemigos de la poesía, Boccaccio pide la ayuda del rey al que dedica su obra: "porgi aiuto a chi *per te guerreia*. Hora fa bisogno lo animo & il petto saldo, percioche *l'armi* di questi (de los enemigos de la poesía) sono acute & venenose" (230 v.). Muy consciente de su femineidad, Clarinda declara:

---

[1] Todas las citas del poema de la Anónima se harán por la edic. de Antonio Cornejo Polar 218–251. La numeración de versos citados se da siempre en texto.

[2] Usaré la versión italiana, *Della Genealogia degli Dei*. V. bibliog. Daré la numeración de páginas en texto.

[3] Boccaccio ("Alcune cose contra gli ignoranti" 225 r.). La defensa de la Anónima no es necesariamente aristocrática, pero sí elitista, porque todo el humanismo lo fue, no tanto por el estrato social al que pertenecían sus miembros (en su gran mayoría de la clase media profesional), sino por lo docto. Casi no falta mención del enemigo vulgo en pluma humanista, que imita de Petrarca, el cual como siempre imita a sus bienamados clásicos, y en este caso en particular a Horacio.

> Bien sè qu'en intentar esta hazaña
> pongo un monte mayor qu'Etna, el no[m]brado,
> en ombros de muger que son d'araña (vv. 52-54).

De inmediato viene a concluir que tal debilidad, más que en desmedro irá en mérito suyo, porque sin falsas modestias está harto segura de su victoria final: "será mi triunfo tanto más glorioso / cuanto la vencedora es menos fuerte". En un poema que repetidamente trasluce su feminismo, estos versos lo anuncian, revelando en la supuesta debilidad de la mujer la garantía de su victoria. Y, sin embargo, hasta en palabras tan personales se reconoce el tópico humanista. Tal como hará la peruana, Boccaccio, en el momento mismo de introducir las metáforas bélicas confiesa que, "attento che *le mie forze sono picciole* & l'ingegno debile", no duda que "acompañado de la justicia" ha de vencer (230 v.). Ninguno de los dos duda del triunfo final, pero mientras el gran toscano deplora su debilidad y confía en la ayuda del rey para lograr la victoria, la Anónima lejos de lamentar sus menguadas fuerzas las enaltece en directa relación a su condición femenina, de modo que el triunfante "sexo débil" merezca mayor gloria.

Sin duda nuestra poeta conocía bien la estructura y los motivos, hacia su época ya codificados, de la Defensa de la Poesía, uno de los subgéneros más distintivos de las letras humanistas. Nace *ab ovo* con el primer humanismo en las epístolas de Albertino Mussato, en la *Invectiva contra médicos* de Petrarca[4]. Su amigo Boccaccio continúa la defensa, la repite Coluccio Salutati en varias de sus cartas y en *Las labores de Hércules*. Avalada desde su génesis por la más autorizada e indiscutible paternidad, se transmite a innúmeras plumas más o menos preclaras. El hecho mismo de ser una obra "Defensa de la Poesía" conlleva un significado de incalculable alcance para la caracterización intelectual de su autor, de modo que ninguna de estas declaraciones debe ser considerada un puro ejercicio retórico.

De las cinco disciplinas de las humanidades fue la Poética acaso la más distintiva, porque en su nombre los primeros humanistas lucharon contra los "modernos" escolásticos, en repetida apologética de los *studia humanitatis*[5.] El "Discurso en loor" es mucho más que

---

[4] Al final de la *Invectiva contra médicos* (*Invectivarum contra medicum quendam libri IV*) Petrarca defiende la Poesía como superior a todas las artes prácticas (entre ellas, claro está, la medicina). Fue la *Invectiva* texto fundamental para el humanista del futuro, como modelo ejemplar de este subgénero peculiarmente humanista, la Defensa de la Poesía.

[5] Uno de los ataques más formidables contra los estudios humanistas se dio en *Lucula noctis* (La luciérnaga), libro que el dominico, y futuro Cardenal, Giovanni Dominici, dedicó a Coluccio Salutati. Paul Oskar Kristeller señala con su acostumbrada lucidez que el concepto de poesía era para los humanistas de la mayor importancia: "During the fifteenth century, before the term humanist had been coined, humanists were usually known by the

una simple *laudatio*[6], aunque no podía menos que incluir un elogio de la poesía, tópico necesario y obligado dentro de toda "Defensa". Reconocer que pertenece a uno de los subgéneros más característicos del humanismo permite oír el genuino mensaje de un poema que justamente por ser Defensa de la Poesía es todo un manifiesto, el del humanismo sudamericano. Al elegir escribir esa Defensa su autora se declara humanista, y esa Academia Antártica de que habla tiene absoluta e indiscutible realidad cultural, siendo sus miembros todos ciudadanos de la patria de los *studia humanitatis*. Ésta es la Academia Antártica en el momento de presentar credenciales. Atendamos a ellas.

Justo es comenzar por las de la autora confrontada al problema de su condición femenina. Como era sabido —baste leer al Dr. Huarte de San Juan que se basa en las premisas científicas en boga respecto a la naturaleza femenina— las mujeres, por serlo, no podían tener ingenio de ningún tipo ni, por tanto, dedicarse al estudio de ninguna ciencia. Puesto que la Poesía las involucra todas, se desprende que nadie más negado a ella que una mujer. Para Clarinda las cosas no podían quedar en semejantes términos porque entonces mal podía luchar como soldado victorioso en las lides poéticas, ni podía considerarse Fébada y habitar honrosamente el Parnaso humanista (v. 48).

¿Era frecuente agregar al "catálogo de héroes"[7] uno de heroínas? No, por cierto. Boccaccio por ejemplo no lo hace. Pero para ser ciudadana de la república de poetas doctos la Anónima tiene que probar que le pertenece por un derecho que no puede negársele en nombre de la incapacidad de un sexo que ha mostrado su capacidad desde la mujer primera, porque así como no es de dudar que su marido "cantasse a su Dios muchas canciones" también es de pensar "qu'Eva alguna vez le ayudaría" (vv. 130-138). Entre Moisés y David aparecen Jael y Débora, y poco después Job y Jeremías, con un terceto cada uno, son precedidos por la magnífica Judit a cuya gloria cabe el doble de tercetos (vv. 187-192), quien victoriosa "eroicos y sagrados versos canta". La era cristiana la abre en cuatro tercetos el

---

name of poets... This notion might help us to understand why the defense of poetry, one of the favorite topics of early humanist literature, involved a defense of humanist learning as a whole" (153).

[6] Antonio Cornejo Polar ha mostrado con justeza cómo la Anónima desarrolla con nitidez los tópicos de la *laudatio* clásica de un Arte (120–21 en la primera edición; 47–48 en la presente). Se refiere al sistema tópico señalado por Robert E. Curtius, quien establece los *topoi* de la loa desde el ejemplo de Plutarco. Por cierto la alabanza es parte de fundamental importancia dentro de toda defensa de la poesía, pero mientras que el elogio de un arte no es un subgénero distintivo del humanismo, la defensa de la poesía sí lo es.

[7] Sobre el tópico clásico del Catálogo de héroes, ver Cornejo Polar (121) *apud* Curtius y Alberto Tauro (409).

ejemplo supremo de María, la Virgen del Magnificat, lo cual en verdad "no es pequeño argumento" (vv. 205-216). Recuerda tres paganas, comenzando por Safo, y hace muy apropiada transición al cristianismo con la latina Proba Valeria, de obra jánica[8], a la que suceden las Sibilas, proféticas "en metro numeroso, grave y terso" (vv. 430-450). De allí pasa a la Italia moderna y al femenino presente de su Perú:

> pues què dirè d'Italia, que adornada
> oy dia se nos muestra con matronas,
> qu'en esto eceden a la edad passada.
>
> Tu o Fama, en muchos libros las pregonas,
> sus rimas cantas, su esple[n]dor demuestras,
> i assi de lauro eterno las coronas.
>
> También Apolo s'infundio en las nuestras[9]
> y aun yo conozco en el Piru tres damas
> qu'an dado en la Poesia eroicas muestras (vv. 451-459).

De no tener en mientes el postulado médico, biológico y teológico de la inevitable flaqueza del ingenio mujeril nos resultaría imperceptible la acusada ironía de sus palabras. Clarinda presenta sus credenciales reclamando sus derechos de intelectual y poeta, tal como a finales de siglo lo hará la espléndida audacia de Sor Juana Inés. Aunque menos osada, no es nuestra Anónima menos subversiva. Como a la mexicana, le era preciso demostrar que en lo que respecta a su sexo los sabios yerran, porque a lo largo de la historia numerosas mujeres de muy diferentes naciones han logrado bien merecido lugar entre las huestes poéticas:

> Mas serà bien, *pues soi muger,* que d'ellas
> diga mi Musa, si el benino cielo
> quiso con tanto bien engrandecellas.
>
> *Soi parte,* y como parte me recelo,
> no me ciegue aficion, mas dire solo
> *que a muchas dio su lumbre el Dios de Delo*
> (vv. 421-426, énfasis mío).

El catálogo de heroínas le fue imprescindible para probar la existencia de una capacidad que, de serle negada, la exiliaba *de facto* de la comunidad humanista. Para presentar su propia identidad dentro de tal comunidad, de hecho y por derecho, por saberse y proclamarse mujer y poeta Clarinda, desde el comienzo, se agrega a sí misma a la nómina gloriosa. Bien a las claras nos lo dice al principio del catálogo de heroínas: "pues soi mujer" diga la Musa de las mujeres poetas, porque en esto yo "soi parte". Con tal catálogo Clarinda ha cumplido su primer requisito de ciudadanía al reclamar los

---

[8] Autora antes de su conversión al cristianismo de una épica pagana y después de la misma de una vida de Cristo en centón virgiliano.

[9] V. 457 se leía en la ed. de Cornejo Polar de 1964 "También Apolo se infundió en las *muestras*", obvio error de imprenta por "nuestras".

indudables derechos que estableciera el mismísimo Apolo cuando derramó su luz entre tantas mujeres, Fébadas todas desde Eva hasta las anónimas señoras peruanas.

En su invocación inicial nuestra poeta pide "la mano y el favor de la Cirene / a quien Apolo amó con amor tierno" (vv. 1-2), para muy pronto dirigirse no ya a una ninfa universal –por lo clásica y mitológica– sino a otras tanto más íntimas, nacidas de palabra poética tan urgente cuanto insólita:

> *Aquí Ninfas d'el Sur* venid ligeras,
> pues que *soy la primera* qu'os imploro,
> dadme uvestro socorro las primeras (vv. 22-24, énfasis mío).

"El poeta ha visto ninfas", como alguna vez dijo Rubén. No son estas deidades invención menos milagrosa que las que transcurren su maravilla por el "Cántico espiritual". Si San Juan contempló las "ninfas de Judea", –y los críticos aún no se han cansado de comentarlas–, el humanismo virreinal creó la visión de estas ninfas meridionales, hasta hoy tristemente desapercibidas por una crítica indiferente a su breve milagro.

Si la Cirene del primer verso, y tantísimas otras deidades al uso no son más que simples transplantes al espacio sin espacio de la mitología clásica, en estos tercetos la Anónima se empeña en localizar puntualmente su sudamericanismo en espléndida conjunción de ninfa y poetizar: "Aquí [lugar de su acto poético] Ninfas d'el Sur [ninfas sudamericanas]". Del mismo modo en que no se siente poetizar en apátridas Parnasos, tampoco lo hace en el indefinido *illo tempore* del mito. Escribe desde un ahora muy consciente de su prioridad temporal: en tal acto poético Clarinda se sabe "la primera" (v. 23). Es hora que contemplemos en estos tercetos, y con el debido asombro, nada menos que el surgir de las ninfas sudamericanas, recién nacidas gracias a la también recién nacida palabra del humanismo del Perú, que las creó al invocarlas. Versos que hubiese adorado y sin saberlo adoró Darío, aparecen con admirable propiedad en el primer manifiesto de una Poética sudamericana. Versos, en verdad, emblemáticos.

Boscán en su manifiesto y defensa de una nueva poesía, la "Carta a la Duquesa de Soma"[10,] declaró la propia primacía histórica, repitiendo el sentir del autor de una de las Artes Poéticas más célebres, *libera per vacuum posni vestigia princeps.* Así Horacio (*Carmina*, 1. 19, 21). Parnasianas y olímpicas, todas las criaturas que la erudición del sueño humanista hizo pulular por innúmeros textos de la vieja Europa, llegan ahora a un mundo para ellas necesariamente nuevo. Sin duda, como Boscán, la peruana "puso su planta libre en tierra nunca hollada". Musas, pegasos, ninfas ha-

---

10 Ver mi artículo "Boscán frente a Navagero: el nacimiento de la conciencia humanista en la poesía española".

bían hecho obligado cortejo al esfuerzo del poeta renacentista, y en el "Discurso" vienen a definir desde sus primeros versos el carácter de una poesía que se exige y se exhibe culta. Bien sabe la Anónima que es "la primera" en invocar estas insólitas, pelúcidas, prístinas "ninfas del Sur". Lo hace para crear en tierra virgen un poema que no es menos que el certificado de nacimiento de la comunidad humanista del Perú.

Todo en el "Discurso" demuestra el hecho, comenzando por su catálogo de héroes. Raro catálogo. Salvo en una estrofa[11], Clarinda ha excluido mención individual de todo poeta moderno, mientras Boccaccio, por ejemplo se explaya en los mismos. Sin embargo, ambos lo hacen por motivo semejante. El toscano quiere mostrar el entronque de su generación con los *antiquii*, en nombre de los cuales el más temprano humanismo se lanzó a la batalla contra los "modernos" escolásticos (de ahí el énfasis en su admirado Petrarca) y en los poetas vernáculos de su patria y de su lengua (de donde el venerado Dante). La Peruana quiere arraigar la república humanista en su propia tierra, por lo cual los únicos contémporaneos que nombra *in extenso* son los que la habitan. Citar individualmente a los modernos italianos y a los españoles de la Península no haría más que diluir y menguar la importancia de los únicos que en realidad le importan, los de las Ninfas del Sur. No podía omitir el catálogo de celebridades de la antigüedad porque, en su función definitoria, le resultaba muy útil. Nuestra Anónima no repite meramente *topoi* clásicos, los utiliza poniéndolos al servicio de su propósito. Todo humanista necesitaba –para serlo– resucitar a los antiguos, sin los cuales el humanismo no hubiese existido jamás, de ahí que el hecho mismo de mencionarlos revele la identidad de la autora como auténtica humanista.

Nuestra Anónima hace las cosas con mucho tino, tanto en lo que calla como en lo que canta. Recién decía que los modernos aparecen en una sola estrofa:

> De los modernos callo a Mantuano,
> a Fiera, a Sanazaro, y dexo a Vida,
> y al onor de Sevilla Arias Montano (vv. 238-240).

¿Por qué Mantuano y no Ariosto, Sannazaro y Vida en vez de Bembo, Arias Montano en vez de Garcilaso? Si todos ellos eran conocidos ampliamente en el Perú, y eran todos humanistas ¿por qué tan heterodoxa selección de modernos? La razón es muy sencilla. Los que nombra habían escrito obras profanas, pero ella los ha elegido por sus obras religiosas. El suyo es el Jerónimo Vida de la

---

[11] Aunque no pertenezcan al catálogo propiamente dicho, en el sentido que no son nombrados por sí mismos sino como términos comparativos, vale la pena señalar marginalmente las menciones a Dante y a Tasso en el elogio a Antonio Falcón (v. 610).

Cristiada que imitó Hojeda, el Sannazaro del largo poema latino sobre el parto de la Virgen –no el de la celebérrima *Arcadia*–, y el Arias Montano de los estudios bíblicos. Todos grandes humanistas que fueron autores de obras religiosas escritas en latín –la lengua por excelencia del sabio humanista– porque lo que la Peruana quiere ilustrar es la poesía sagrada del humanismo:

> De aqui los sapientissimos varones
> hizieron versos Griegos, y Latinos
> de Cristo, de sus obras y sermones (vv. 232-234).

Nada de esto tiene desperdicio. Dada su definición de la poesía como docta y como don divino, su defensa requería que estos poetas fuesen humanistas a la par que teólogos[12]. Del mismo modo celebrará al poeta como filósofo, pues Dios

> Dio al mundo (indino d'esto) los Poetas
> a los cuales filosofos llamaron,
> sus vidas estimado por perfetas.

> Estos fueron aquellos qu'enseñaron
> las cosas celestiales, i l'alteza
> de Dios por las creaturas rastrearon (vv. 259-264).

Petrarca había insistido en que los poetas no decían nada distinto de lo que habían dicho sabios como Platón y Aristóteles (*Ep. Me.* 2.10); siguiendo a su amigo, Boccaccio fue aún más lejos al

---

[12] Considerando que en los ya mencionados ataques contra los *studia humanitatis* (ver nota 5 *supra*) se condenaba en los poetas la inmoralidad, inutilidad y frivolidad de sus temas e intereses, en las Defensas de la Poesía es frecuente encontrar desde muy temprano una serie de tópicos relacionados a semejantes ataques. Ninguno de éstos falta en el "Discurso" de la Anónima. El horaciano *utile dulce* viene a respaldar la defensa tanto de la moralidad como de la utilidad de la poesía (vv. 289-291, v. 294). *Topos* que no falta en ninguna poética humanista, Cornejo Polar lo ilustra ampliamente en las españolas (191–94 en la primera edición, 105–08 en la presente). Por mi parte, para situarlo en la estructura tópica a la que corresponde, que es la de un subgénero humanista, lo refiero al mencionado capítulo XIV de la *Genealogia* de Boccaccio, donde se le dedican dos apartados, "La Poesia essere utile faculta" (230 v.–231 r.) y "Che piu tosto si vede essere cosa utile che dannosa" (233 v.–234 r.–v.). El ejemplo de los poetas teólogos funciona en el "Discurso en loor" como prueba contundente del carácter nada frívolo y en verdad sagrado del quehacer poético, tal como lo había hecho en Boccaccio, "percioche molti de i nostri sono stati poeti, & oggi dì ve ne sono, iquali sotto la corteccia delle loro fittione hanno rinchiuso i sacri & devoti sensi della religion Christiana, accioche vi sia mostrato di molti alcuna cosa. Il nostro Dante, benche in lingua volgare ma arteficiosa, in quel libro chiamato Comedia mirabilmente ha designato il triplice stato de i fonti secondo la dottrina della sacra Theologia, & l'illustre e novissimo poeta Francesco Petrarca nelle sue Bucoliche... ha notato le lodi del vero Iddio & della inclita Trinita, & molte atre cose" (248 r.), a lo cual sigue una lista de autores latinos donde no falta, como en los correspondientes versos del "Discurso" la alabanza del "Hispano Iuvenco" (vv. 236-237) casi en eco del "Giuvenco, huomo spagnolo" de las *Genealogia* (248 r.–v.).

declarar que los poetas "di esso numero de philosophi essere computati, non essendo da loro alcuna altra cosa sotto velame poetico nascosta ecetto che conforme alla philosophia", salvo que la visten de la hermosura y la elegancia del arte. Los poetas discurren de la Naturaleza y de sus obras, del Cielo y las estrellas (242 v.). La similitud de estas ideas con las de nuestra Anónima es tan evidente que no requiere más prueba que su mismo enunciado. Para todo el humanismo se trata de un tema de central importancia en la defensa de la poesía, y que implica el concepto –tan preeminente en el "Discurso"– de la poesía como compendio de todas las artes liberales.

Ya Dante en su *Comedia* (*Paradiso* 2, 10-11) se alza en solemne loa de aquéllos que dedicaron al estudio largo tiempo de sus vidas; Petrarca por su persona y su obra fue arquetipo del poeta sabio; Boccaccio consideraba que el más meritorio entre sus muchos escritos era la eruditísima *Genealogia*, donde insiste que el poeta debe ser esforzado y ferviente estudioso ya que la Poesía exige severa disciplina y largo aprendizaje (231 v.–232 r.). Este tema junto con el de la poesía como don divino, fundamental en el "Discurso" como en toda la poética del humanismo, remitía naturalmente al Cicerón del *Pro Archia*[13]. Si Clarinda lo leyó debió ser en traducción[14], pero en realidad no es indispensable que lo haya hecho[15].

---

[13] Desde Menéndez y Pelayo hasta Alberto Tauro y Antonio Cornejo Polar, la crítica más señera del "Discurso" lo ha relacionado acertadamente con Cicerón y en especial su *Pro Archia* (Menéndez y Pelayo 164; Tauro 262 ss, 307–10, 310 ss, 373 ss; Cornejo Polar 163–164, 173–175, 204–208 en la primera edición, 82–83, 90–92, 116–20, en la presente).

[14] Tengamos en cuenta que "la Colonia era un excelente mercado para las obras de Cicerón, y no hay embarque que no consigne variadas obras de él, tanto en latín como en romance" (Cornejo Polar 207 en la primera edición, 118 en la presente). Observación importante: Clarinda debe haber leído sus obras en español porque creo poder probar que no sabía latín como para haberlo hecho en el original. De haber tenido algunos latines, fueron muy pocos, porque ya hacia el primer año de estudios se solía leer la obra de Julio César, la cual –como todos los textos clásicos– era exhaustivamente estudiada en todos sus aspectos históricos, comenzándose por la biografía del autor ¿cómo no hacerlo con la historia de una guerra escrita por el vencedor? ¿cómo no redoblar el comentario histórico con un hombre de importancia tal que su nombre hasta el siglo XX denotó el poder de Káiseres y Zares? Pues bien, nuestra docta peruana comete al respecto un error tan garrafal que revela de sobra la parquedad de sus conocimientos clásicos, y lo superficial de un latinismo de oropel. Seánme testigos estos tercetos: "A *Iulio César* vimos (por quien luto /se puso Venus, siendo *muerto a mano del Bruto* / en nombre, i en los echos bruto), / en cuanta estima tuvo al soberano / metrificar, pues de la negra llama / *libró a Marón, el doto Mantuano*. / I en onor de Calíope su dama / escrivió el mesmo la sentencia en verso / por quien vive *la Eneyda* y tiene fama" (vv. 349-357. Énfasis mío). Por un lado es obvio que aquí no se trata de un César que se pueda confundir con otro, porque éste es el Julio al que mató Bruto. De donde Clarinda sabía algo de su muerte, pero nada sustancial de su vida, porque no sabe siquiera cuándo vivió. Aunque está enterada de

que nació en Mantua ignora cuándo vivió Virgilio, cuya *Eneida* –lo digo tristemente– no leyó nuestra poeta, como tampoco leyó esas *Églogas* que tanto amara Garcilaso. De haber leído las *Bucólicas* (lo primero que los maestros hacían leer de la obra virgiliana) hubiese sabido ya desde la Primera que el Mantuano vivió bajo Octavio, el vencedor de Actio, quien salvó la *Eneida* de las llamas. De haberla leído Clarinda se hubiese enterado, al llegar al Canto VI, que cuando Virgilio escribe la obra Julio César estaba muerto, de modo que no le hubiese atribuido el acto salvador. Por todo lo cual puedo decir con certeza que nuestra Anónima ni estudió latín ni estaba interesada en historia y literatura romana, ya que ignora cosas que hubiese dado por sentadas un muchacho de diez a doce años que hubiera atendido el *curriculum* normal. La lengua que sí conocía bien era la italiana, como lo afirma Diego Mexía en la *Primera Parte del Parnaso Antártico* al hablar de la autora del "Discurso": "señora principal d' este reino, mui versada en lengua Toscana y Portuguesa". Si la señora hubiese sabido latín este estupendo traductor de Ovidio se hubiera apresurado a decirlo en primerísimo lugar. Este conocimiento del italiano que nos documenta Mexía es de importancia fundamental para entender cuáles fueron las auténticas fuentes, las fuentes directas, de la obra de Clarinda, de las cuales creo que proviene el yerro revelador. En las defensas de la poesía escritas en italiano, una de las cuales hubo de ser el modelo del "Discurso en loor", se dan a menudo como ejemplos arquetípicos de gobernantes que amaron y protegieron la poesía, los dos de Clarinda, el de Alejandro Magno (vv. 364-378) y el de Octaviano. Así lo hace Boccaccio en su *Genealogia* en lo que respecta a Homero y Alejandro (228 r.), y seguido da el de Augusto, "che diviene amicissimo d'Ottaviano Cesare alhora imperatore del mondo, dalquale per serbare l'egregio poema dell'Eneida, da lui morendo lasciato per testamento che fusse abbrugiato, ogni autorità delle leggi fu calcata co[n] piedi et con questi eleganti versi comandò che fosse serbato et honorato" (228 r.). Lo que debió ocurrir, me atrevo a conjeturar, es que la peruana leyó en alguna defensa italiana *il Cesare*, como se ha dicho y hasta hoy aún se dice comúnmente al hablar de Augusto. Naturalmente a ningún humanista italiano se le hubiera ocurrido que un lector podía confundir este *Cesare* con ningún otro, tratándose de anécdota tan sabida y de autor tan venerado como Virgilio. Por no conocer ni someramente la historia de Roma ni la vida y obra de Virgilio, la Peruana al leer *il Cesare* creyó que se trataba del único César que remotamente recordaba, tal vez por lo impresionante de su muerte.

15 Cornejo Polar considera el *Pro Archia* como fuente directa del "Discurso": "A nuestro parecer es absolutamente cierto que Clarinda conoció directamente las obras del escritor latino. Así lo prueban las anotadas similitudes, ciertamente importantes y notoriamente numerosas. Clarinda enteróse –y bien– del pensamiento ciceroniano, conocimiento que no tenemos por qué dudar que fuera de primera mano" (207 en la primera edición, 118 en la presente). Creo que tras lo dicho en la nota anterior cabe dudar que la peruana se interesara en conocer a Cicerón, pues no le interesó leer a Virgilio ni en latín ni en traducción alguna. Dada tal actitud, las similitudes notadas y hasta las paráfrasis de textos ciceronianos que por cierto se dan en el poema, no son probatorias de modo alguno, porque todas ellas se daban –en exactamente la misma estructura tópica y temática– en las Defensas de la Poesía del humanismo italiano, el cual eligió –por lo menos desde Petrarca– que su elocuencia fuese estrictamente ciceroniana tanto en estructuras como en temas. De ahí que con justicia Tauro notara la estructura ciceroniana del "Discurso," y que los críticos señalaran un parecido que, por lo cercano, creyeron directa derivación textual. Cuando

Podía muy bien usar los mismos argumentos y seguir parafrástica-
mente muy de cerca el texto ciceroniano sin recurrir directamente
al mismo, por la sencilla razón de que amplias citas del *De Oratore*,
del *De Inventione* y, claro está, del *Pro Archia* aparecen en las defensas de la poesía humanista desde siempre. Así, por ejemplo, lo
hace *in extenso* Boccaccio, al afirmar que la poesía es "del seno
d'Iddio essere infusa" para responder a quienes lo niegan:

> Si leggerono adunque quello che Marco Cicerone, homo philosopho ... ha
> detto in quella oratione che fece nel Senato per Aulo Licinio Archia, forse
> se inchineranno piu a darmi fede. Dice egli in tal modo: et cosi habiam-
> mo inteso da grandi huomini & dottisimi gli studi dell'altre cose essere
> fermati nella dottrina, ne i precetti & nell' arte, ma il Poeta voler per na-
> tura essere eccittato dalle forze dell'ingegno, & quasi esser enfiato da un
> certo spirto divino. Adunque, per non far piu lunga diceria, assai si pro-
> vedere de gli huomini pii la poesia essere una facolta, aver origine del
> grembo d'Iddio, dall' effetti pigliar il nome, & a lei appartenersi molte co-
> se degne, & eccelse, delle qual quelli istessi, che ciò negano, spesse volte
> si serveno, se cercano dove ò quando, & con qual guida & per opra di cui
> essi compongano le loro fittione, mentre drizzano le scale per gradi dis-
> tinte fino al Celo, mentre medesimamente i famosi Alberi di rami fecondi
> producono a le stelle, mentre circondano con giri i monti fino in alto (231
> v.–232 r.).

Larga cita parafrástica muy propia de las letras humanistas, es
muy de esperar en lo que respecta a Cicerón. Petrarca –quien había
redescubierto el *Pro Archia*– había consagrado al gran orador como
modelo por excelencia de la prosa latina, tal como Virgilio en poesía;
a principios del siglo XVI el Cardenal Bembo, en su epístola *De imi-
tatione*, canonizaría a ambos como los únicos modelos para la imitación humanista de las letras latinas. De ahí que en el catálogo de
poetas célebres Virgilio ocupe más estrofas que todos los poetas clásicos nombrados en el "Discurso" (vv. 349-355 y 406-408) donde su
eminente presencia resulta, con la de Cicerón, signo evidente de la
poética humanista, presente en toda Defensa de la Poesía: la de la
imitatio. Para decirlo en breve me serviré del Brocense, cuyas palabras merecen considerarse emblemáticas de tal poética: "Digo y
afirmo que no tengo por buen poeta al que no imita los excelentes
antiguos"[16]. El "Discurso en loor" justamente por humanista es imi-

---

Cornejo Polar juzga que "el clasicismo del 'Discurso' es en lo fundamental
un latinismo" (205 en la primera edición, 116 en la presente) tiene razón
sobrada, no porque Clarinda fuese una latinista ni mucho menos, sino porque todos los humanistas italianos no podían menos que ser acabados lati-
nistas, supremamente ciceronianos. Porque la fuente directa del "Discurso"
fue una Defensa de la Poesía escrita por algún clasicista italiano, es decir,
por un típico humanista, el clasicismo, el latinismo del poema es indudable,
aunque el de su autora fuese de segunda mano.

16 Gallego Morell 25. Continúa el Brocense: "Y si me preguntan por qué entre
tantos millares de Poetas, como nuestra España tiene, tan pocos se pueden
contar dignos deste nombre, digo que no ay otra razón, sino porque les faltan las ciencias, lenguas y doctrinas para saber imitar".

tativo, por eso sólo en su intertextualidad genérica y en los subtextos específicos de sus versos puede hallarse acabado su sentido.

La *imitatio* determina la naturaleza mediatizada de la lengua humanista, de donde no basta con leer el texto, es preciso subleerlo, atendiendo renglón a renglón los subtextos que lo informan. Subleamos el "Discurso" y se verá cómo lo que a primera vista pasa por detalle insignificante adquiere rico sentido, y lo que parece no tenerlo rebosa de significado. Se ha pensado, por ejemplo, que no es posible desprender "las preferencias literarias [individuales] que tuviera Clarinda"[17]. Si bien no las indica explícitamente, todo poema imitativo, desde su misma subtextualidad, señala cuáles son los modelos que más precia su autor. La Anónima no necesitaba nombrar sus poetas favoritos; cualquier lector de entonces los hubiese reconocido en versos que, por lo diáfanos, translucen los bienamados modelos. Así para presentar a Pedro de Oña en todo su humanismo, le bastan dos palabras, "espíritu gentil" (v. 553), porque el inconfundible eco de Petrarca es definitorio de toda una poética[18.] Sin leer su

---

[17] Cornejo Polar 135 en la primera edición, 59 en la presente. Ver mi nota 22 *infra*.

[18] Nuestra sensibilidad moderna, hija del romanticismo, no termina por comprender que la imitación, lejos de ser un fenómeno adventicio es factor *sine qua non* para que un poeta del Renacimiento y del Barroco sea considerado poeta. Las palabras de crítico tan eximio como el profesor de Retórica de Salamanca, Francisco Sánchez de las Brozas, deberían limpiarnos de criterios anacrónicos. Muchos de los pecados de Menéndez y Pelayo se deben a estos rezagos de un romanticismo que lo cegó al momento de juzgar la obra de Boscán (Colombí-Monguió, art. citado *supra*), la de Góngora, la de Sor Juana y, caso que aquí nos interesa, la de Pedro de Oña. Dice el santanderino que el *Arauco domado*, aunque no carece de lozanía, está afeado por su artificiosidad, y Cornejo Polar lo cita, lamentando que la obra sufra "casi constantemente inoportunas influencias de Virgilio, Tasso y Ariosto" (131 en la primera edición, 56 en la presente). Oña ya desde el título mismo está intentando emular a Ercilla, es decir, imitar victoriosamente *La Araucana*, que había sido de inmediato reconocida como la mayor épica culta escrita en español. Ya desde la primerísima estrofa de su épica, Ercilla está señalando su modelo fundamental, Ariosto, siendo la presencia de la *Eneida* más que evidente, ya que era obligatoria en toda la épica del humanismo que tenía como modelo óptimo y santo tutelar a Virgilio. De modo tal que Pedro de Oña no hubiese podido de ninguna manera escribir su obra sin imitar la *Eneida*, ni hubiese podido emular a Ercilla sin imitar a sus dos modelos. Oña agrega en sabio contrapunto el de Torquato Tasso, contrapunto sobre el que la crítica literaria de la época estaba alzando bien estridente querella teórica, a la que se suman los *Discorsi sopra l'epica* del mismo Tasso. Dada la intención emuladora de Oña sus imitaciones de Torquato no son por casualidad: al modelo privilegiado de su rival está contraponiéndole el del poeta que intentaba vencer a Ariosto, tal como él esperaba hacer con Ercilla. La gloria del poeta renacentista *es* la imitación. Sin ella no debía haber poema culto que mereciera tal nombre. La cuestión no era si se imitaba o no, sino cómo y a quién se imitaba. El "espíritu gentil" de Clarinda proviene del "spirto gentil" del *Canzoniere* LIII, celebérrima canción de Petrarca.

nombre más al descubierto se entiende que el vate del *Canzoniere* era íntimo de la Musa de Clarinda. Para saber que Pedro Falcón fue poeta humanista basta la definición que nos da el "Discurso": "Ya *el culto Tasso*, ya el escuro Dante / tienen imitador en ti" (vv. 610-611). Más que los posibles modelos de Falcón, estos versos nos revelan otro poeta favorito de quien en su "culto Tasso" está repitiendo exactamente palabras de Garcilaso de la Vega, suprema gloria de la poesía del humanismo en nuestra lengua[19].

Al comienzo de la serie de ingenios peruanos nos dice nuestra poeta:

> Testigo me seràs, sagrada Lima,
> qu'el dotor Figueroa es laureado
> por su grandiosa, i elevada Rima.

> Tu d'ovas, y espadañas coronado
> sobre la vrna transparente oiste
> su grave canto i fue de ti aprobado (vv. 520-526).

¿Quién es ese "tú" coronado d'ovas y espadañas? No puede ser Figueroa que lleva, además de la *laurea* del doctor, la corona de laurel del poeta (recuérdese la obsesión dáfnea del tan laureado Petrarca). Tampoco puede ser la ciudad que en femenino es "sagrada Lima", mientras el "coronado" es masculino. El enigma deja de serlo si nos acordamos de Garcilaso, el modelo de imitación por excelencia de nuestro segundo Renacimiento. La Anónima ha telescopado varias imágenes –las ovas, las espadañas y la urna– que describen al río Tormes en la Segunda Egloga del toledano[20]. De donde quien aquí oye y aprueba el canto del poeta tiene que ser, novísimo como

---

[19] Garcilaso de la Vega, Soneto XXIV, vv. 3-4: "a Tansilo, a Minturno, al culto Tasso / sujeto noble de imortal corona" (Gallego Morell 99). El Tasso a quien se refiere el toledano es Bernardo, el padre de Torquato.

[20] Garcilaso de la Vega, Égloga II: "el viejo Tormes como a hijo / lo metió al escodrijo de su fuente, / de do va su corriente comenzada. / Mostróle una labrada y cristalina / urna, donde él reclinaba el diestro lado" (vv. 1169-1174); y el Danubio: "de sauces coronado y de un vestido / de las ovas tejido" (vv. 1591-1592). Naturalmente la "cristalina urna" de Garcilaso es la madre de la "transparente" del "Discurso". Sobre la corona de espadañas (cañas) véase el comentario de Herrera respecto de los ríos, nº 30: "Cosa muy usada fue poner dioses a los ríos, pintándolos recostados y alzando el medio cuerpo, y con las urnas debajo el brazo..., coronábanlos por la mayor parte con guirnaldas de caña... Tal describe Virgilio en el 8 al mismo Tibre: cum tenuis glauco velebat amictu / carbasus, et crines undosa tegebat arundo... Dicen que coronan las sienes con cañas porque las riberas de los ríos están vestidas y hermosas con la selva y espesura de ellas... o porque la caña es palustre y se cría en lugares llenos de agua... Antonio Minturno: alzato un poco sovra l'onde il petto / tra verdi fronde; cui ceruleo è'l velo, / il crin di salce, e di tremante canna / la lunga barba... Mario di Leo en el 2 canto del Amor preso: ...tiene a man destra un urna... / e di ghirlande di palustri fronde / cinge le tempie..." (Gallego Morell 412–13).

las ninfas del Sur, el tan limeño Rímac que aparece en la mítica imagen fluvial que creó la poesía clásica y veneró la humanista[21].

Acabamos de atender a tres detalles del "Discurso" que por lo ejemplares definen la poética desde la cual escribe Clarinda –la de la *imitatio* humanista– y señalan su preferencia por el petrarquismo y el garcilasismo que comparte con Dávalos y Figueroa y, probablemente, con la mayoría de los miembros de la Academia Antártica[22].

He dicho que nuestra Fébada escribe en su aquí y su ahora. Lo hace por cierto muy a conciencia. No podía ser menos ya que se sirve del más venerable subgénero de la poética humanista creo que no tanto por defender la poesía como por manifestar los derechos de las letras australes a formar parte de la elite de un humanismo que, internacionalizado en Europa, aspira y logra en el "Discurso" hacerse intercontinental. A mi juicio no otro es el propósito de nuestra peruanísima poeta. Su obra –como confío haber demostrado– es una

---

[21] Puesto que el "tú" del v. 524 se refiere al río, propongo que el v. 520 se lea: "Testigo me serás, *sagrado* Lima", coligiendo que el femenino "sagrada" debe ser error de imprenta en la edición de 1964 o en el original. Lima es la ciudad del río Lima, como lo atestiguan abundantes textos, y entre los poéticos pocos tan elocuentes como la Epístola de otra peruana: "Y quien del claro Lima el agua beve / sus primicias te ofrece" (Amarilis vv. 83-84, 138 r.). Sin duda, el "sagrado Lima" de la Anónima es un recuerdo, tal vez a modo de homenaje, de un verso de Mejía de Fernangil, quien en su Epístola a Don Diego de Portugal había escrito: "Y, tú, sagrado Lima, tremolento". Bernardino de Montoya, en su canción "Al río Lima", usa el motivo de la urna: O sacro Lima, / la caudalosa urna a que se arrima / tu cuerpo anziano" (vv. 6-8), de las ovas, "por tiernas cañas y por verdes obas" (v. 192). En Chang-Rodríguez, ed. 53 y 58.

[22] Alicia de Colombí-Monguió, *Petrarquismo peruano*, capítulos VI, VII, VIII, IX. Cornejo Polar al hablar de los poetas antárticos dice que "todos los escritores citados se mueven dentro de los límites del italianismo renacentista, algunos en el sentido de la inquietud humanista por el saber universal, otros llevados por el espíritu de exquisitez cortesana y todos –cual más, cual menos– admiradores fervientes de la cultura clásica y su resurrección italiana" (135 en la primera edición, 59 en la presente). Palabras que, como los describen con toda justeza, he de usar de base para acabar de caracterizarlos en un intento de definición. El italianismo renacentista, la inquietud humanista, el espíritu de exquisitez cortesana, el fervor por la cultura clásica y su resurrección italiana son todos característicos de un solo fenómeno: el humanismo, que en poesía no es otra cosa que petrarquismo. El Cardenal Bembo que había declarado a Virgilio y Cicerón modelos únicos para las letras latinas, en su *Prose della volgar lingua* (1525) había hecho lo mismo con Petrarca para la poesía en lengua vernácula. En breve, el petrarquismo debe entenderse como el discurso homógeneo de la poesía del humanismo, primero en Italia, luego en el resto de Europa y por fin en la América hispana. De modo que todos los miembros de la Academia Antártica, escriban en verso o en prosa, pertenecen a una sola corriente cultural, la más prestigiosa de su época, el humanismo, por lo cual en tanto intelectuales son humanistas, y en tanto poetas petrarquistas.

defensa de la poesía, que sigue de muy de cerca los tópicos establecidos por aquéllos denodados campeones de las Musas cuando la poesía estaba siendo acosada y denostada muy de veras en las largas
décadas que van desde Mussato a Petrarca y desde Boccaccio a Coluccio Salutati. A comienzos del siglo XVII hacía más de un siglo
que el *curriculum* humanista había triunfado en Europa. La dignidad de la poesía no sólo había quedado sobradamente establecida
sino que el prestigio de practicarla había cundido tanto que la so-
carronería de Cervantes veía en el enjambre de poetas estridente y
pululante "poetambre". La Poesía no necesitaba ya de los denodados
esfuerzos que, siglos antes, había requerido de esos campeones suyos que se llamaron a sí mismos poetas antes de que se llamasen
humanistas. De ahí que los argumentos de Clarinda suenen a veces
algo anticuados[23]. Son de cierto vetustos, y no por medievales, sino

---

[23] Cornejo Polar afirma que el "Discurso" se inscribe "en la vieja polémica acerca de las relaciones entre el cristianismo y la cultura pagana... La actitud
de Clarinda es positiva; esto es, se muestra de acuerdo con que los poetas
cristianos aludan a personajes de la mitología pagana y en esto está de
acuerdo con el sentir del Renacimiento. Pero la justificación de su manera
de pensar, además de curiosísima, desentona fuertemente con la mentalidad de su época. Podría decirse, incluso, que éste es el único tema en el que
se percibe nítidamente un olorcillo a antigualla, a retraso cultural, que
desdice todo lo anteriormente comentado" (190 en la primera edición, 104
en la presente). La formulación de la Anónima es la siguiente: "Si dizes que
te ofende i trae confuso / ver en la Iglesia llenos los Poetas / de Dioses qu'el
Gentil en aras puso, / las causas son mui varias y secretas / y todas aprovadas por Católicas, / i assí en las condenar no te entremetas. / Las unas son
palabras Metafóricas / i, aunque muger indota me contemplo, / sé que también ai otras Alegóricas" (vv. 715-723). Boccaccio en el Cap. XV de su *Genealogia*, después de defender el uso de los clásicos por los poetas cristianos
en su apartado "Che molti versi si sono posti in molti luoghi dell'opera non
senza cagione", entra en abierta defensa en los dos apartados siguientes, el
último de los cuales, ya desde su título –"Non essere cosa dishonesta alcuni
Christiani tratare cose gentili"– prueba cuán propio del humanismo en su
defensa de la poesía fue el tipo de argumentación de la Peruana. Como ella,
Boccaccio no intenta justificar el uso de las letras paganas con razones
puramente estéticas sino que, como hará la Anónima, arguye que "mentre
le loro [de los paganos] favole tengono in se cose naturali overo morali, &
questa anco piu adoprarsi cerca la verità Catolica, purche in qualità delle
favole il voglia, il che habiammo conosciuto havere fatto alcuni poeti Ortho-
doxi dalle fittione di quali sono stati coperti i sacri documenti" (255 r.). Y
para probar lo dicho aduce el supremo ejemplo de Dante, quien puso a los
dioses y poetas gentiles al servicio de la religión católica en el supremo
ejemplo de alegoría cristiana que es la *Divina Comedia*. Confrontamos aquí
uno de los principios fundamentales de la Poética humanista, que Petrarca
expresó repetidamente, y a su zaga todo el primer humanismo, y que continúa sosteniéndose mucho después y llega hasta el modernísimo Torquato
Tasso, de donde no puede considerársele anticuado. Como decía, no todo
panegírico pero sí toda Defensa de la Poesía, implica una Poética. El humanismo, justamente por su defensa de los clásicos griegos y latinos, no podía
dejar de lado las relaciones entre el cristianismo y la cultura pagana, de
donde todos los documentos básicos de la poética humanista
inevitablemente aluden al tema. Tal es el caso del "Discurso", cuyos

por ser exactamente los mismos que usó ese primer humanismo contra muy reales ataques a la Poesía, la disciplina en nombre de la cual alzarán su grito de batalla contra los "bárbaros" escolásticos. Resulta imprescindible reconocer los venerables tópicos que –al nacer en Italia hacia los siglos finales de la Edad Media europea– el humanismo estableció desde sus primeras defensas de la poesía. Es preciso no sólo para saber lo que la Anónima está haciendo, sino el porqué y el cómo de lo que hace. Es necesario para lograr discernir el alcance de tales tópicos en la forma en que los sigue al mismísimo tiempo en que los desvía hacia intereses muy inmediatos de su aquí y de su ahora.

Considérese un tema que no es de esperar en las poéticas clásicas. Los ignorantes y maldicientes enemigos del Parnaso pretenden "condenar a fuego a la Poesía, / como si fuese Erética o Nefanda".

> Necio: tambien serà la Teologia
> mala, porque Lutero el miserable
> quiso fundar en ella su heregia?

> Acusa a la escritura venerable,
> (porque la tuerce el misero Calvino)
> para probar tu intento abominable (vv. 700-705).

¿Qué puede sonar más a Contrarreforma que estos tercetos? El obsesivo odio de Trento ha hecho que Lutero y Calvino se inmiscuyan en esta tan humanista defensa de la poesía. Insólitas presencias... y, sin embargo, no deberían parecernos tan insólitas. El ataque a la poesía provino, sobre todo, de teólogos escolásticos frecuentemente dominicos, para quienes esgrimir argumentos de herejía era hábito del alma. De ahí que, para establecer la indiscutible ortodoxia del arte, las defensas de la poesía la muestran nacer con

---

conceptos se basan en los de textos humanistas tan ilustres como la *Oratio* –el discurso en ocasión de su coronación– de Petrarca, su *Epistola Metrica* 2.10, la carta a su hermano, *Familiares* 10.4, el IX libro del *Africa*, su épica latina, la *Vida de Dante* de Boccaccio, varias églogas de su *Bucolicum Carmen* (la XI, *Pantheon*, la XII, *Sapho*, cuya tesis es que la poesía es sagrada, y la XII, *Laurea*) y en los capítulos finales de la *Genealogia*. El programa intelectual del humanismo puede resumirse en la fórmula que da Petrarca, y que define casi perfectamente la tónica intelectual y espiritual del "Discurso en loor": "Sabiduría platónica, dogma cristiano y elocuencia ciceroniana" (*De sui ipsius et multorum ignorantia*). El concepto de que en la poesía la verdad se oculta al tiempo que se sugiere bajo un hermoso velo, la "fermosa cobertura" de Juan Ruiz, central en muchas obras medievales (sea el *Libro de Buen Amor* o la *Divina Comedia*), se hace humanista en las repetidas formulaciones de Petrarca, a quien siguen Boccaccio y Coluccio Salutati; de ahí provienen las "palabras metafóricas" y "alegóricas" en los versos del "Discurso". Cornejo Polar acierta en reconocer lo viejo del concepto, pero no por serlo es menos moderno que todos los demás *topoi* discutidos. Éste también es parte, y muy importante, de una estructura literaria unificada en todos sus tópicos y temas, la de la Defensa de la Poesía humanista.

el Génesis y acumulan héroes de las Sagradas Escrituras, como Moisés y David, Job y Jeremías. Por eso el "Discurso" nombra explícitamente los autores de poesía sacra aunque hable en general de los de la profana; por eso defiende la moralidad de los poetas y de su arte e insiste en el origen divino del "don de la Poesía" "casto y bueno" (v. 689) a la par que en su provechosa dulzura. Estos están muy lejos de ser tópicos exentos que provienen de tiempos y fuentes tan varios como los de Platón, Aristóteles, Cicerón, Horacio y Quintiliano. Semejante diversidad de autores no implica correlativa variedad de lecturas ni contacto directo con los clásicos. A la erudición de la Anónima le hubiera sido suficiente –y en mi opinión lo fue– estar íntimamente familiarizada con algunos de los textos básicos del humanismo italiano, y muy en especial con sus Defensas de la Poesía que ofrecían un conglomerado de anécdotas, menciones y citas de la inmensa mayoría de los autores clásicos, algunas de cuyas obras más célebres los mismos humanistas habían salvado del polvoriento olvido de las bibliotecas medievales. Petrarca rescata el *Pro Archia* de Cicerón y sus cartas a Attico, Poggio Bracciolini resucita a Quintiliano... No, la Peruana no tuvo que esforzarse en descifrar a los clásicos, le sobró con leer los textos de quienes los leyeron: los humanistas italianos en defensa de la Poesía entraron a saco con cuanto motivo, tópico y tema su vastísima erudición hállase entre los clásicos para, en su ordenado cúmulo, pertrechar el territorio bienamado. En repeticiones infinitas dentro de incontables proemios, discursos, epístolas y diálogos, todos apologéticos de una Poética, se terminó por hacer tópicos propios de un subgénero humanista, no sólo los tópicos clásicos sino también conceptos, motivos y temas que en la obra de su antiguo progenitor fueron originales y nuevos. Independientemente de cómo funcionaran originariamente, el humanismo los acomodó dentro de las nuevas estructuras literarias que inventara para expresarse. Así lo que en Ovidio pudo ser idea nueva en frase recién nacida, en el Arcipreste de Hita es ya tópico ovidiano, en Petrarca se vuelve tema humanista, y en Sannazaro y Tansillo ya *topoi* del humanismo.

En el "Discurso en loor" la serie de tópicos, mencionados en el párrafo anterior, no debe entenderse como una suma por adición de términos sueltos. Debe, en cambio, comprenderse como una estructura cuyas partes en correlación estrecha conforman un todo bien unificado, del cual el tema de la herejía no es detalle desdeñable. No estaba aún ni en ciernes la Reforma cuando ya Boccaccio usaba los ejemplos de "Arrio, Pelagio et di gli altri heretice" (234 v.). La peruana usa pues y una vez más los tópicos de la antigua Defensa humanista en muy contemporáneo *aggiornamento*. Nadie que viviese en alguna parte del Imperio hispánico podía fácilmente evadirse de la preocupación y hasta del terror de una sombra de herejía. Con Lutero y Calvino la defensa de la poesía del "Discurso" entra de lleno en el reino de lo temporal, en el ámbito de la historia. No son estos los aires del Parnaso. Son los del Imperio.

Para legitimar lo que se poseía, antes que nada, estos peruleros y criollos tenían que proclamar su pertenencia al Imperio, en segundo término participar de su misión en la comunidad espiritual de los civilizadores, y finalmente formar parte de una elite cultural que les garantizara nobleza en el único mundo que ellos consideraban civilizado, es decir, en la república humanista. Si bien la Anónima escribe su poema para cimentar la pertenencia a esta última, no por eso olvida el *sine qua non* de las otras dos. Recibiendo legitimación de tan alta autoridad como el dios de la guerra junto al de las artes, he aquí el Imperio en la pluma y en la espada:

> Que como dio el Dios Marte con sus manos
> al Español su espada, porque el solo
> fuesse espanto, i orror de los Paganos,
>
> Assi tambien el soberano Apolo
> le dio su pluma, para que bolara
> d'el exe antiguo a nuestro nuevo Polo (vv. 469-474).

Muy hábilmente se hace que la dual gloria del Imperio vaya a desembocar en cauce americano. ¿Contra qué paganos se ejercitaban las espadas españolas en aquel entonces? Considérese que estos versos están planteados en un paralelismo hecho bien explícito en el "assí también" con que arranca el segundo terceto, de modo que Marte tanto como Apolo vinieron del mundo viejo al Orbe Nuevo. Por tanto estos "paganos" no pueden ser otros que los indios de América, los nuevos "bárbaros". La clase dominante del Virreinato debió sentir imperiosa necesidad de legitimar su poder como elite conquistadora de la "barbarie". Por lo menos desde Herodoto, barbarie es lo que define la otredad; lo aunque domeñable ajeno, y por domeñado, despreciable. Si para poseer y medrar necesitaban de "la barbarie" en toda su inmediatez, esa misma inmediatez los amenazaba con la feroz vivencia del propio exilio cultural. Al indio se lo espanta con la espada, a la par que con la pluma se civiliza un mundo bárbaro. Pero no debo adelantarme. Vayamos por pasos.

Muy curiosamente el "Discurso" al usar otro consabido tópico humanista —el de las armas y las letras— lo ha yuxtapuesto al antiquísimo de la *translatio studii* en los imperios. Como Grecia la pasara a Roma, ahora España la pasa a América. El mensaje es atrevido, porque el fin de toda *translatio* es enaltecer al receptor con necesaria mengua del donante, pero esto ¡cuánto más contundente suena en el verso de Clarinda! Apolo dio su pluma al Imperio español no para que permaneciera en la Península o sus posesiones europeas, fuera en ese Reino de las Dos Sicilias que engendró la gloria de Valla y de Sannazaro, fuese en aquel Flandes que ennobleció Erasmo. No, se la dio translaticiamente para que España la pasara a otro hemisferio que el europeo, que en el "Discurso" no es simplemente el viejo mundo sino el *"exe* antiguo". Con una palabra la asombrosa peruana nos ha cambiado el *axis mundi*: América es ahora el eje nuevo. Y aun dice más. Esta extraordinaria *translatio* de las Musas no acontece en tierra sólo nueva, sino y sobre todo en tierra *nuestra*. No creo que ningún peninsular hubiese deseado o escrito cosa semejante. ¡Qué peculiar elogio de España el de la Peruana! En silenciado desmedro de la Península, eje antiguo de una *translatio* que empobreciéndolo transfiere el *axis* cultural a la propia patria, esas vírgenes regiones donde la Academia Antártica ha hecho resonar la lira del Musageta humanista. En el "Discurso" los doctos del Virreinato podían reconocerse en toda su soñada nobleza: esa gloria de pertenecer a un Imperio y a un Parnaso donde el Perú se ha vuelto *axis mundi*.

El tópico mismo de la *translatio studii* implica la misión civilizadora del Imperio, y viene muy a cuento en el "Discurso" ya que en ella se fundaba el mandato legitimador de la España imperial. Bien lo entiende la lúcida peruana, a quien le viene a las mil maravillas el tópico humanista del poeta como civilizador:

> Estos mostraron de naturaleza
> los secretos; juntaron a las gentes
> en pueblos, i fundaron la nobleza (vv. 265-267).

Cimentado en la autoridad de Cicerón y de Horacio, este linajudo *topos* de la defensa de la poesía, avala en los tercetos del "Discurso" la misión imperial. La centra en sus poetas, esas doctas plumas del Perú entre las cuales, claro está, sabe estar nuestra campeona de las Musas. Intento de legitimación del poder por la poesía. Porque si en Francia o en Italia el juntar "a las gentes en pueblos" pudiera entenderse como actividad urbanizadora, dentro del Virreinato las mismísimas palabras referían de inmediato a no menos inmediata realidad haciendo de repartos y encomiendas actos benéficos del civilizador. En el "Discurso" la elite cultural del Virreinato asienta, por vía doble, su derecho a poseer, tanto por pertenecer al Imperio como al Parnaso. Tal la Academia Antártica, vanguardia de la civilización:

> Y vosotras, Antarticas regiones
> tambien podeis teneros por dichosas,
> pues alcançais tan celebres varones;
>
> Cuyas plumas eroicas, milagrosas
> daràn, i an dado muestras, como en esto
> alcançais voto, como en otras cosas (vv. 496-501).

Estos versos sirven de preámbulo a la presentación de los miembros de la Academia, y no pueden decirlo más a las claras: nuestras antárticas regiones, gracias a sus poetas, han logrado carta de ciudadanía y tienen derecho a voto en la república humanista.

Mucho se ha discutido si la Academia Antártica existió, por lo que debe entenderse si de hecho sus miembros se reunían de acuerdo al común uso de las academias de la época. Lo hicieran o no, y el cómo y el dónde, son preguntas que no tocan el meollo de la cuestión. La existencia de la Académica Antártica en tanto realidad cultural no necesita más prueba que la que le extiende el "Discurso" de la peruana. Éste, como toda partida de bautismo no sólo certifica la existencia del bautizado sino que además nos informa de sus nombres. No otra cosa hace Clarinda cuando da el de cada uno en su lista de ingenios. Tal como la Iglesia no es otra cosa que la comunión de sus fieles, la Academia tiene acabada realidad en los miembros que la conforman. Pero una partida de bautismo no deja tal constancia sino para certificar entrada y pertenencia a una comunidad espiritual. Tal hace también la Anónima cuando incluye en su poema las alabanzas de cada miembro[24]. No entendamos en estos versos agregados adventicios; cada elogio es parte integrante de una suma, conformada por la existencia de cada individuo en particular.

El "Discurso" presenta bajo el estandarte de las letras humanistas su nómina de honor. La *élite* cultural del Virreinato queda perfectamente identificada en todo lo esencial, con la mención de cada uno de sus reconocidos miembros dentro de la comunidad intelectual a la que pertenecen, la misma que desde la cuna se levantó en defensa y alabanza de la Poesía e hizo de la Poética su sustancia y base. Por todo lo cual el poema debe ser entendido como deliberado esfuerzo de presentar, cimentar, legitimar y enaltecer la *élite* de letrados y –cosa extraordinaria– de letradas del Virreinato en su elegida identidad de poetas doctos, instrumentos de la civilización y paladines de las cristianas Musas. No es de dudar que al ruego de la Peruana acudieron sus Ninfas del Sur. ¿Quién sino ellas hubieron de inspirar este "Discurso en loor de la poesía"?, el manifiesto mismo del humanismo en América.

Bibliografía

Amarilis. "Amarilis a Belardo". En *La Filomena con otras diversas rimas, prosas y versos de Lope de Vega Carpio*. En Madrid: Casa de la Viuda de Alonso Martín, 1621.

---

[24] No nos confunda anacrónicamente la repetida hipérbole comparativa de cada elogio, que no es sino *topos* obligatorio de un género que, como ya señaló Cornejo Polar, ilustraron Cervantes y Lope. Ni en el "Canto de Calíope" del primero ni en el "Laurel de Apolo" del segundo se hallará lo que hubiese sido una moderación indeseable e indeseada. Estas no son circunstancias que requieran sobriedad crítica; no se trata de evaluaciones comparativas con reclamo de objetividad. La preceptiva ha indicado siempre que una de las estrategias más eficaces para el elogio es la explícita o implícita comparación con un modelo arquetípico, incluyendo en lo posible la victoria de la persona alabada en emulación triunfante sobre aquél.

Boccaccio, Giovanni. *Della Genealogia degli Dei, tradotti et adornati per G. Gioseppe Betussi da Bassano.* Venetia: Apresso Francesco Lorenzini da Turino, 1564.

Colombí-Monguió, Alicia de. *Petrarquismo peruano: Diego Dávalos y Figueroa y la poesía de la Miscelánea Austral.* Londres: Támesis, 1985.

-----. "Boscán frente a Navagero: el nacimiento de la conciencia humanista en la poesía española". *NRFH* 11, 1 (1992): 143-168.

Cornejo Polar, Antonio. *"Discurso en loor de la poesía". Estudio y edición.* Lima: Universidad Nacional Mayor de San Marcos, 1964.

Curtius, Ernest Robert. *Literatura europea y Edad Media latina.* 2 vols. México: Fondo de Cultura Económica, 1955.

Chang-Rodríguez, Raquel, ed. *Cancionero peruano del siglo XVII.* Lima: Pontificia Universidad Católica del Perú, 1983.

Gallego Morell, Antonio. *Garcilaso de la Vega y sus comentaristas.* Granada: Universidad de Granada, 1966.

Kristeller, Paul Oskar. *Eight Philosophers of the Italian Renaissance.* Stanford: Stanford University Press, 1955.

Menéndez y Pelayo, Marcelino. *Historia de la Poesía Hispanoamericana.* En *Obras Completas*, II. Madrid: Lib. de Victoriano Suárez, 1913.

Tauro, Alberto. *Esquividad y gloria de la Academia Antártica.* Lima: Ed. Huascarán, 1948.

EL
"DISCURSO EN
LOOR DE LA POESÍA"
ESTUDIO Y EDICIÓN, SE TERMINÓ
DE IMPRIMIR EN LOS TALLERES GRÁFICOS
CUSHING-MALLOY, INC. ANN ARBOR, MICHIGAN
ESTADOS UNIDOS DE NORTEAMÉRICA
EN EL MES DE DICIEMBRE
DEL AÑO 2000.